# LE
# CONVOI

Marijosé Alie

# LE CONVOI

ROMAN

HC
éditions

© 2016, Éditions Hervé Chopin, Paris
ISBN 9782357202504

*« Ce que raconte la beauté provient du secret encore intransmissible de la vie.*
*La divination irrésolue de ce secret nourrit les attitudes les plus justes,*
*les combats les mieux essentiels et l'idéal le plus somptueux.*
*C'est à force de vie – je veux dire de beauté – que l'on apprend à préserver la vie. »*

Patrick Chamoiseau

# 1

Il était midi à tous les réveils, à huit cents kilomètres à la ronde. L'heure était aussi nue que le dos pelé d'un « chien fer », cruelle et sans concession, enfonçant des ombres sans grâce sur le visage des hommes, tapant son soleil au zénith à la verticale sur les fronts baissés, mouillant les tissus d'une sueur sale et fétide. Il faisait trop chaud, trop moite pour mettre du rythme dans la vie et pourtant Marie marchait...

Elle marchait sans compter sa peine, très vite en regardant droit devant. Elle savait qu'elle devait atteindre la forêt avant la nuit, or ici, la nuit tombait dru. Dès 17 heures, on la sentait arriver, les odeurs changeaient, les couleurs aussi, et il fallait terminer sa journée, faute de quoi on se retrouvait prisonnier du soleil qui s'éteignait parfois sans grand cinéma, tristement, dans les vieux gris délavés et alors c'était proprement déprimant.

Tous les jours sans exception, Marie priait le Seigneur qu'elle n'avait jamais vu, de permettre que le soleil s'en aille en explosant l'horizon de toutes ces couleurs magiques qu'elle aimait tant ; mais cela ne marchait pas toujours. Du haut de ses 10 ans, elle mesurait son impuissance à la hauteur des arbres, à l'ampleur du ciel, à la fureur du fleuve, et comprenait bien qu'elle ne pouvait pas grand-chose, sinon convoquer les esprits pour qu'ils s'occupent un peu de tout cela de temps en temps.

Et c'est précisément ce qu'elle était en train de faire, en tricotant la force de ses jambes grêles. Elle priait comme on le lui avait appris à l'Église adventiste du septième jour, elle priait en disant dans sa tête les mots qu'elle voulait dire avec sa bouche, et c'était assez génial parce que, parfois, cela se transformait en un chant qui résonnait et faisait des bulles dans sa poitrine. Elle priait pour arriver à temps : avant que la vieille ne se laisse avaler par les arbres comme à chaque crépuscule.

Elle priait pour que sa mère aille mieux, sans fièvre et sans tremblements, elle priait surtout pour qu'Il ne rentre pas aujourd'hui, en tout cas, pas tout de suite, pas avant qu'elle ait pu régler cette affaire avec Elsa, toutes les deux, sans cris, sans explosion rouge, sans coups, sans toutes ces douleurs qui massacraient son corps au-dedans et au-dehors...

# 2

Félicité émergea d'une sieste brutale et moite qui laissait son esprit tout embrumé et ses draps chiffonnés. Dans la semi-pénombre qui tombait des stores baissés de sa chambre, elle tâtonna à la recherche de la bouteille d'eau qui trônait toujours à son chevet. Elle avait la bouche pâteuse et appréhendait le moment où elle devrait déloger le ronfleur qui s'étalait à ses côtés. C'était toujours la même chose avec ce bougre de facteur ; il passait au magasin à midi pétant après sa tournée, l'emberlificotait pendant qu'elle baissait son rideau, la câlinait pour un poisson frit et un carré de fruit à pain, buvait avec elle deux ou trois verres de rhum et l'entraînait au lit pour la fourrer vite fait bien fait quand il était presque soûl, et s'endormait aussi sec, alors qu'il aurait dû sauter dans son pantalon et rentrer chez lui où sa femme l'attendait. Sa femme était une grosse chabine aux cheveux jaunes comme de la paille, qui avait plus de cul que de tête et qui avait réussi à lui faire cinq enfants en sept ans. « Tu comprends, Félicité, chaque fois que je la touche, elle pond, c'est pas une vie ça ! » pérorait-il, fier comme Artaban.

– Philibert, oh eh, il faut te lever, dégager de mon lit et rentrer chez toi... Philibert... Il est 3 heures de l'après-midi, il faut que je descende ouvrir ma boutique ! Oh, Philibert !

L'autre ronflait comme si son dernier sommeil était arrivé et ne mouftait pas. Félicité repoussa les draps et jeta par-dessus bord une paire de jambes qu'elle avait fort belles et bien enrobées. Elle bougea son corps vers la fenêtre en regardant le facteur qui étalait sa virilité fatiguée dans son lit. Philibert n'était pas ce que l'on peut appeler un bel homme, court sur pattes et maigre comme un sissi, il arborait une mâchoire proéminente qui donnait le sentiment qu'il mâchait chaque fois qu'il parlait ; or il parlait beaucoup, il connaissait tout, il savait tout et c'est sûrement avec ses paroles de toutes les couleurs qu'il finissait par entraîner Félicité au lit.

La fenêtre était entrouverte, mais pas un souffle d'air ne pénétrait la pièce, elle glissa son regard vers la rue où l'asphalte faisait pitié sous le soleil. Mêmes les chiens étaient allés pisser ailleurs. C'est alors qu'elle la vit.

*

Félicité n'avait pas d'enfants ; simplement parce qu'elle n'avait pas aimé assez pour en faire. Elle avait beaucoup donné, exultant son corps avec urgence ou volupté, mais elle n'avait pas tellement eu le temps d'aimer. Il avait d'abord fallu grandir seule, sans l'abri des bras de sa mère qui s'était oubliée très tôt avec un Nègre congo qui l'avait charroyée en France pour un ancestral business. La grand-mère qui l'élevait lui en voulait tellement de l'abandon de sa mère qu'elle lui faisait payer chaque fois que le peigne traversait ses cheveux crépus. Entre les paroles sans fin de sa grand-mère et les mains bavardes des mâles du quartier, Félicité avait érigé un mur de protection armé de « va te faire foutre » ou de « *bonda manman'to* » qui fonctionnait cahin-caha, selon sa force de conviction. En tout cas il avait fallu grandir ; et cela avait pris du temps et de l'énergie. Ensuite il avait fallu s'occuper de la vieille qui partait en lambeaux au fur et à mesure que l'âge lui bouffait les os et la mémoire. On lui avait diagnostiqué un méchant Alzheimer, qu'elle était allée cacher au fond de la forêt sans plus savoir qui elle était, ni où elle vivait.

Elle avait plus de 100 ans sûrement et, parfois, des fulgurances qui drainaient une foule de malheureux à l'orée de sa bouche. Une fois par semaine, Félicité lui portait un ragoût de cochon sauvage qu'elle posait sous l'ajoupa du guerrier, à l'entrée de Bois Peut-Être. Elle n'avait pas revu la vieille depuis quatre, cinq ans, mais le ragoût disparaissait régulièrement.

Enfin, il avait fallu s'occuper des enfants, de tous les enfants du quartier : dans sa boutique Félicité vendait, entre mille choses utiles, des filibos, sortes de sucres candis de toutes les couleurs, et des fils de plastique qui servaient à attacher les cheveux ou à faire des scoubidous, et elle ne pouvait résister à la tentation d'allumer des étoiles dans leurs yeux en distribuant de temps en temps ces merveilles qui contrebalançaient la ration régulière de taloches, qui faisaient taire les disputes devant sa porte.

— Philibert non de non ! C'est pas Dieu possible !

Qu'elle perde jusqu'à son dernier dollar si ce n'était pas la petite Marie qui était en train d'avaler la chaleur à grandes enjambées alors que le monde entier avait arrêté de s'agiter pour laisser passer le soleil. Aussi vrai qu'il fera jour demain, il tapait quarante degrés à l'ombre depuis 11 heures du matin. Sûr, la petite allait attraper mal.

Félicité s'enveloppa d'un paréo rouge qui traînait sur une chaise à bascule et se jeta dans l'escalier. Elle traversa son magasin en trombe, enjambant casseroles, calicots, ballots de tissu, imperméables en plastique, rouleaux de toiles cirées, tout le fatras qui composait son stock et donnait vérité à son enseigne qui signalait qu'on « trouvait tout chez Félicité ».

Elle batailla avec son rideau de fer, qui hésitait toujours à se laisser ouvrir avant 4 heures de l'après-midi, et quand elle fut sur le trottoir, elle eut tout juste le temps d'apercevoir un bout de la jupe de Marie qui quittait la rue principale pour s'engager dans le sentier qui menait à la rivière.

— Marie ! (Elle haussa le ton.) Marie, où vas-tu ? Attends-moi ! Marie ! Sacrée pistache, l'enfant ne me répond même pas… Marie, tu m'entends ?

Félicité maugréait. De tous les enfants du quartier, Marie était sa préférée ; en tout cas, celle qu'elle avait toujours envie de protéger, la fille unique de sa cousine, cette cousine qui était sans doute la plus triste femme qu'elle ait jamais rencontrée. Elsa était un véritable concentré de chagrins, son visage même était un masque tragique qui s'étirait vers le bas comme s'il voulait effacer tout sourire de la surface de la terre.

Pendant qu'elle essayait de rattraper la petite, Félicité remuglait qu'elle avait quand même de bonnes raisons de s'en faire. Tout le monde au village savait qu'Elsa se languissait d'une maladie qui parfois la laissait sans force et sans fièvre, mais qui, la plupart du temps, portait son corps à ébullition et l'empêchait de se défendre lorsque son bûcheron de mari noyait sa fureur dans l'alcool et essuyait sa colère sur son pauvre corps avec tout ce qui lui tombait sous la main. Oh non ! Elle n'avait pas de chance la cousine. Personne n'avait voulu de sa tristesse avant que ce grand nigaud de Rudy vienne la basculer sur le tapis et l'engrosser immédiatement comme si son ventre avait faim. Quand Marie naquit de cet accouplement improbable, Rudy avait installé Elsa dans la cabane à l'entrée du bourg, il partageait régulièrement sa couche et la battait tout aussi régulièrement quand il rentrait de la brousse, où il gagnait leur pitance dans une usine à bois.

Félicité n'avait jamais capté le pourquoi de la soumission de sa cousine ; elle n'avait jamais compris pourquoi la terne Elsa avait accepté d'enfiévrer sa vie avec l'imposante présence de Rudy. Il était tellement gros, tellement suant et transpirant tellement… encombrant, qu'on avait même du mal à l'imaginer simplement couché dans un lit, comme tout le monde. À plus forte raison à côté d'une ombre de ficelle comme Elsa.

Toujours est-il que la petite était si jolie et si frêle que Félicité s'était prise d'amour pour elle. Elle la regardait au fil des ans se battre comme elle pouvait pour dessiner un sourire sur la face de sa mère et pleura toute l'eau de ses yeux quand elle comprit que, pour Marie, c'était la chose la plus importante au monde.

Là, commença un vrai déluge de tendresse dont elle accabla l'enfant alors même que la petite se révélait définitivement indifférente à tout ce qui n'était pas sa mère.

Peu importe, pour que Marie coure la rue alors qu'elle était censée être à l'école, il fallait qu'un drame sérieux soit en préparation chez les Disan. Certes Félicité savait qu'on se noyait volontiers dans un verre d'eau à Campan, mais là, elle n'aimait pas cela… Du tout.

Bousculée par la chaleur qui l'empêchait de réfléchir, elle accéléra le pas, mais Marie avait disparu. Les maisons alignaient leurs volets clos dans les façades en bois jusqu'à la fin du bourg qui descendait vers la rivière après le garage Macré. Toujours pas âme qui vive, l'air était immobile et les éclats de voix lui parvinrent au moment où elle hésitait à remonter la rivière. Ils étaient sur l'esplanade de terre où Macré entassait les vieux pneus usés en attendant les jours meilleurs où il pourrait les rechaper et les revendre à quelques gogos de passage. Une poignée de gamins appuyés sur des vélos avec et sans moteur s'excitaient dans une discussion dont Félicité ne comprenait pas le sens : ils parlaient brésilien. Ces gamins, elle les avait repérés une ou deux fois, mais elle ne les connaissait pas tous :

— Les gars, la petite fille, elle est partie par là ou par là ? (Elle balaya l'espace entre la rivière et les premiers grands arbres. Elle n'entendit que le silence qui stoppa toutes les paroles, ils ne la regardaient pas, simplement ils arrêtèrent de parler.) On vous a coupé la langue ou quoi ? La petite est partie par là ou par là ?

— On l'a pas vue m'dame.

Le plus grand, elle le connaissait, il venait souvent lui quémander des cigarettes qu'elle refusait de lui vendre car elle ne lui donnait guère plus de 15 ans malgré ses airs de matamore.

— Comment ça, pas vue ? Vous êtes là au moins depuis des heures à bavasser ! (Elle resserra les pans de son paréo sur sa poitrine.) C'est Marie, Marie Disan, je l'ai vue disparaître derrière le garage…

— Pas vue m'dame, pas vue.

Elle les fixait, exaspérée :

– Un paquet de cigarettes à celui qui va jusqu'à Bois Peut-Être pour me la ramener !

Il y avait bien pour trois quarts d'heure à longer la rivière pour arriver à Bois Peut-Être, c'était un chemin tranquille qui avait été tracé à la machette en son temps et qui était entretenu par les pas des hommes, ce qui le rendait très praticable. Le jour où personne n'y marcherait plus, il se refermerait sur un paquet de secrets. Car ce chemin-là en avait entendu des histoires, des histoires d'amoureux certes, mais aussi beaucoup d'histoires ramenées depuis le grand fleuve en même temps que tous les trafics qui s'y croisaient. On avait même une fois retrouvé à deux kilomètres du garage le cadavre d'un homme percé d'une volée de coups de couteau. L'enquête des gendarmes accourus en grand nombre n'avait rien donné, mais, Félicitée s'en souvenait, cela avait foutu un beau bordel dans le village. D'un coup, l'endroit le plus tranquille de ce côté de l'Oyapock était devenu le centre d'un monde agité et sous pression qui traquait le gîte et le couvert. Les bonnes affaires pleuvaient, il y avait des gendarmes, des policiers, des journalistes, aussi bien d'ici que du Brésil car il semblait bien que le mort avant d'être mort ait été une star de la mafia du côté de Fortaleza... Venir de si loin pour mourir là valait, semble-t-il, la Une des journaux des deux rives. Pourtant, contrairement à ce que l'on imaginait dans le reste du monde, Campan n'était pas un coupe-gorge, c'était juste un gros village de mille cinq cents âmes qui étirait tranquillement sa vie le long de la rivière, avant qu'elle ne se jette dans le fleuve, quatre-vingts kilomètres plus loin, lequel se précipitait dans la mer après un long parcours dans la forêt, de sorte qu'ici on n'avait pas trop la pratique des affaires sanglantes, on cultivait plutôt le business soft, celui qui laissait dormir les gendarmes et donnait aux habitants le petit supplément qui assaisonnait chaque lever de soleil.

Félicité fixait les garçons, leur groupe grossissait tous les jours, il y avait plein de visages qu'elle ne reconnaissait pas ; nombre d'entre eux avaient dû arriver par le fleuve puis la rivière, la semaine dernière pendant qu'elle était à la grande ville pour rafraîchir son stock. La plupart du temps, les familles entières s'installaient sur l'autre rive entre l'estuaire et Campan, là où l'on avait moins de chance de les déloger – il fallait des fonctionnaires très zélés pour affronter l'encombrement des zones non défrichées et chasser les sans-papiers. Félicité n'était pas comme les Créoles, elle aimait bien que les hommes et les femmes arrivent de partout pour remplir ce pays, ils avaient toujours la monnaie pour payer les babioles et les utilités de son magasin. Ils travaillaient le temps des saisons, soit avec les orpailleurs à cinquante lieues de là, soit dans la scierie, au noir et en liquide, pendant que les représentants de l'ordre fermaient très fort les yeux, le patron de la scierie étant un grand ami du procureur. Ainsi allait la vie par ici et cela convenait relativement à tout le monde.

Félicité attendait.

– On n'ira pas m'dame, même pour une cartouche.

Sidérée, elle était raide sidérée. Alors ça, les gamins qui boudaient une cartouche de blondes en échange d'un petit service ! Il se passait quelque chose qui lui échappait. Elle les regardait, cherchant l'explication. Surtout ne poser aucune question : ces jeunes-là n'aimaient pas les questions des adultes, alors pour savoir, il fallait se taire.

– Faut pas y aller m'dame, c'est pas bon en ce moment.

C'était le grand qui parlait. Il enfourcha son vélomoteur et pétarada vers le fleuve, sa voix se noyait dans le vacarme :

– Y se passe des choses dans la forêt, qu'il faut pas voir. Alors vous comprenez, on va pas y aller.

Sur ce, toute la bande s'ébranla en direction des campements de fortune qui menaient à l'estuaire. Félicité hésita, campée sur ses talons, les mains sur les hanches. Elle crevait de chaud et la sueur lui coulait dans le dos, dans le cou, dessous les seins, lui rappelant qu'elle était nue, pas lavée et que dans son lit dormait profondément un type qui devait rentrer chez lui en quatrième vitesse, sous peine de créer un séisme à Campan auprès duquel l'historique assassinat du Brésilien deviendrait une pure anecdote.

La colère de la chabine traînant ses cinq chiards dans tout le village pour hurler sa misère était exactement ce qu'elle ne voulait pas vivre, le genre d'événement qui tournait en guerre civile dans la région, chacun devant choisir son camp. Félicité était donc tiraillée entre l'urgence de rentrer et un pressentiment dont elle ne cernait pas bien les contours, qui la poussait vers la forêt. De toute façon, elle ne pouvait marcher déshabillée comme elle l'était ; quant aux paroles des jeunes sur les « choses » qu'il ne fallait pas voir dans la brousse, elle n'y accordait pas l'ombre d'un crédit. Il y avait toujours des choses à ne pas voir par ici, et la tentation permanente de doper la moindre rumeur pour en faire une catastrophe annoncée. Elle remonta la rue avec le sentiment d'abandonner quelque chose d'important. Elle avait besoin d'une douche pour y voir plus clair, ensuite elle irait voir Elsa. Oui, voilà ce qu'il fallait faire, prendre des nouvelles d'Elsa, mais d'abord : dégager le facteur.

# 3

Il était midi à tous les réveils, à huit cents kilomètres à la ronde, et ce pays était maudit. C'est en tout cas ce que se disait Tiouca, le guerrier, en déposant son arc et ses flèches sous le mahogany qui marquait l'entrée de la jungle.

Tiouca exerçait un pouvoir absolu sur tout ce qui bougeait dans un rayon de dix kilomètres autour de cet arbre qui lui avait, de tout temps, servi de repère à la saison des chasses. Il portait des oripeaux de toutes les couleurs qu'il arborait comme autant de drapeaux cousus l'un à l'autre et qui couvraient son corps maigre. Il portait aussi des Ray-Ban qu'il avait récupérées chez Félicité à l'époque où elle lui devait beaucoup d'argent pour les dix macaques dépecés qu'il lui avait ramenés dans son garde-gibier.

En fait, une mauvaise affaire pour lui. Après quatre semaines de chasse en brousse et d'abstinence, son caleçon était devenu une prison, il rêvait d'en exploser les barreaux et comptait bien sur la reconnaissance de Félicité pour s'alléger et retrouver sa tête. Pendant que les queues des macaques se balançaient au balcon de son sac, il avait fantasmé à fond sur la pointe mauve et grumeleuse des gros seins de Félicité, il avait tenu ses bouts entre ses dents, aspirant avec la force d'un homme qui se noie, il avait visité sa fente avec sa langue sans lui laisser le temps de se laver, il avait bu la bave de son sexe qui changeait d'odeur dans le plaisir, il s'était frotté le nez et usé la langue sur son clitoris qu'elle avait gros et dur, il avait pressé son gland contre la conversation de son derrière en tremblant d'excitation. Résultat des courses, quand, enfin, il était arrivé en courant ses jambes à la devanture de Chez Félicité et qu'elle était sortie le saluer avec toute sa chaude odeur enfermée dans sa peau d'ébène… eh bien, Tiouca n'avait pu se retenir. Il avait hululé en lâchant toute sa semence dans son pantalon bariolé, il lui avait tendu le sac de macaques, secoué de spasmes interminables sous les quolibets de tous les clients présents, qui voyaient bien que l'entrejambe du guerrier tendait la toile de sa guenille de façon très impressionnante, comme la tente des sans-abri… De cette humiliation, Tiouca ne s'était jamais remis. Félicité, qui était une bonne fille et qui s'était plus d'une fois évanouie dans ses bras, le paya de ses macaques avec ces énormes lunettes de soleil récupérées dans sa boutique, comme si elle avait voulu l'aider à cacher sa honte. Depuis, Tiouca portait les lunettes et n'avait plus jamais approché Félicité, ni des mains, ni des lèvres, ni de rien. Il en crevait, mais il y avait au fond de lui un refus dur comme la pierre qu'aucune marche interminable dans la forêt, aucun bain prolongé dans les eaux glacées de la cascade, aucune furieuse masturbation n'arrivait à ôter.

L'heure était paisible, Tiouca s'assit donc et sortit de son sac une galette de manioc, un reste de ragoût de biche, un gros piment et soupira d'aise. Ce pays était maudit, mais parfois la vie y était bonne et tendre, quand on y lavait le malheur à la simplicité du quotidien et qu'on entrouvrait la porte au plaisir, juste comme il le faisait là, en ce moment, qui culminerait avec une sieste somptueuse.

– Tu manges sans avoir gagné ta pitance, mon vieux !

Juste dans son dos, les feuilles qui tapissaient le sol craquaient sous des pas inopportuns. C'était la tuile : le type qui parlait était un emmerdeur fini, un de ces empêcheurs de rêver en paix qui se glissaient dans la vie des gens pour leur proposer toujours des trucs à consommer, un séchoir électrique, des Converse ou des

Nike, une montre en or massif, un collier en plaqué, des cigarettes ou un caillou de crack. Tout le monde savait que Jonathan trafiquait sur le fleuve, y compris les flics qui avaient leurs méthodes à eux pour traquer la délinquance. Or, se mêler un tant soit peu des activités du fils du procureur ne faisait jamais partie de leurs plans d'attaque. Ainsi allaient les jours depuis une petite décennie, et le garçon ne craignait pas grand-chose hormis les scorpions et les mygales géantes qui pullulaient aux bordages du fleuve, ainsi que toute la racaille sans visage avec laquelle il traitait, sous-traitait, tractait et sous-tractait ses business de survie.

Tiouca gronda :

– Et toi, tu viens emmerder un brave homme qui ne demande qu'un peu de paix à la forêt… (Il leva les yeux.) Et une bonne sieste après un bon sandwich !

Jonathan étira un sourire tranquille et s'assit au pied de l'arbre. L'air était lourd, la décomposition des odeurs était suspendue dans la chaleur, le garçon s'essuya les sourcils du pouce pour arrêter la sueur qui lui dégoulinait du front.

– Tiouca, ça fait combien de temps que tu es dans ce pays ?

Le guerrier sentit la vieille douleur se réveiller au milieu de son corps et un jus âcre lui noya les gencives. Il n'aimait pas cette question, car il détestait l'idée d'y répondre, il n'avait pas envie de dire depuis combien de temps, etc., pour la bonne raison que l'« avant » était mort et ne voulait pas se rappeler à son souvenir. Il regardait le garçon en face de lui et le vit sans doute pour la première fois : avec ses dreads un peu apprêtées, Jonathan était un *« bel ti bougre »*, il y avait bien ces yeux jaunes qui dérangeaient un peu dans son visage sombre, mais franchement le regard n'était pas mauvais, un peu malin mais pas mauvais, et le guerrier aimait bien l'idée que ce fils de bourgeois consacre tellement du temps de sa vie à dire merde à son procureur de père. Le gamin devait avoir un sacré compte à régler avec son vieux et on disait tellement de choses.

Mais au fond, Tiouca s'en foutait avec conviction. Il était juste un Blanc « gâché » pour la plupart des gens, un de ces types que la vie avait égarés alors qu'ils avaient tout pour être élus. Par ici, être blanc signifiait pouvoir, argent, filles, longue vie, décalage horaire, fêtes somptueuses, des amis à la pelle : une vie consacrée à user tous les plans pour ne pas mourir d'ennui. Gâcher tout ce potentiel de bonheur envié n'était même pas compréhensible ; c'est ainsi que Tiouca n'était pas compréhensible…

Il engouffra une énorme bouchée de ragoût enveloppé dans la galette, croqua un morceau de piment, souffla dans sa bouche pour siroter le tout, termina tranquillement son repas, et s'essuya de la paume de la main :

— Je réponds pas aux âneries… T'as une clope ?

Il s'installa confortablement et poussa quelques brindilles du pied, dérangeant un nid de fourmis. On savait de lui qu'il était venu, il y a très longtemps, préparer l'avenir de la technologie en participant à l'installation du centre spatial, mais il s'était empêtré dans les lianes de la jungle et était resté là, à cuver son bonheur particulier à petites gorgées, chaque jour. Et finalement, les fusées avaient décollé sans lui. Il tendit sa cigarette vers la flamme que lui proposait Jonathan et aspira. Le tabac crépitait, il aimait ça. Le guerrier leva le nez vers le ciel en plissant les paupières. Là-haut, un prédateur surfait sur le vent. Il enviait son aisance, ils étaient un, deux, trois, puis dix. En bas, il y avait sûrement une charogne qui allait devenir un succulent repas de famille. Ici, la nature se démerdait pour ne rien gaspiller, la mort ensemençait la terre et nourrissait les arbres. C'est sans doute pour cela qu'il était bien dans ce pays, il savait son inutilité et la savourait tous les jours.

— Qu'est-ce que tu cherches par ici, gamin ?

— Qu'est-ce que tout le monde cherche par ici en ce moment ? Comme si t'étais pas au courant ? Y a que toi qui ne serais pas au courant… T'as vraiment du vent dans la tête, Tiouca !

Aux pieds du guerrier, dans son vieux sac en toile, il y avait un gobelet en plastique, un thermos, une casserole dont le bras dépassait, un réchaud soudé à une mini-bouteille de gaz, un bouquin à la reliure tellement usée que les pages tenaient grâce à un gros papier adhésif ; la poussière rouge de la terre desséchée maquillait l'ensemble et les pieds nus de Tiouca…

D'un coup, il s'était pris un regard rusé et tournait la tête vers la touffeur des arbres. Pas à lui. C'est pas à lui qu'on expliquera qu'il se passait quelque chose en ce moment ! Depuis hier, il sentait qu'il y avait du frémissement dans l'air. Il avait quitté la ville à la tombée du jour, avait fait du stop tant que cela marchait, avait terminé sa route à pied et c'est ici, arrivé chez lui, qu'il avait senti le changement, un bouger différent dans cet ordinaire si bien figé dans sa mémoire : au centre de la petite clairière, le fromager qui lançait son tronc ridé vers le ciel, à droite du fromager l'ajoupa qu'il avait monté de ses mains en une matinée tout seul ; sous le fromager, l'appentis qui s'y adossait, fermé d'un lourd cadenas, car il y rangeait ses outils. À l'entrée des frondaisons, non loin d'un bras d'eau qui s'échappait de la rivière, le caisson à commodités qui lui permettait de se soulager sans se faire attraper le cul par les scorpions ou les gros crapauds d'eau. C'est en balayant le carré de terre qui s'étalait entre ses constructions qu'il avait vu le problème, mais bien sûr, cela, il ne le dirait à personne.

– Et qu'est-ce que je devrais savoir que tout le monde sait, gamin ?

Et c'est ainsi que Jonathan lui raconta. Ils parlèrent pendant une heure, buvant des bières tièdes que Tiouca sortait de sa besace, offrant une image assez insolite aux iguanes qui seuls affrontaient la canicule pour se réchauffer le sang. L'image de deux hommes assis côte-à-côte sous un fromager, l'un jeune, métis avec des yeux de chat et des racines sur la tête, l'autre, sans âge avec cette couleur indéfinissable que prennent les Blancs gâchés après beaucoup d'années. L'un écoutant, l'autre parlant avec des grands gestes qui disaient les choses que les mots oubliaient.

\*

Tiouca s'installa dans son hamac, une énième bière chaude à la main. Là, tout de suite, il fallait qu'il réfléchisse. Jonathan était parti, poussant des talons son Solex qui n'arrivait pas à démarrer, il n'avait relâché la tension de ses épaules que lorsqu'il avait entendu l'engin bégayer au loin dans un envol de perroquets. Ce que lui demandait Jonathan était tout bonnement impossible. Ça, là, il n'allait pas risquer sa tranquillité si chèrement acquise, pour se lancer dans une entreprise qui n'avait ni queue ni tête, ni commencement ni fin et en tout cas pas une parcelle de bon sens. S'enfoncer dans la forêt à la recherche d'un hypothétique Graal qui n'avait pas plus de consistance qu'une rumeur au fond du verre d'un ivrogne ! Quoique… Vingt-cinq années de brousse avaient enraciné Tiouca dans l'idée que, par ici, si chacun détenait un morceau de réalité, il fallait beaucoup de temps et beaucoup de monde autour du feu pour en saisir l'essence. Et s'imposait à son esprit une pensée dérangeante, une démangeaison qui insinuait que la seule raison pour laquelle il était englué ici depuis tant de temps était l'éventualité de la rencontre avec cette histoire-là.

Il engloutit la moitié de sa bière, rota puissamment, rigola un bon coup dans son menton et chavira dans un sommeil hanté par les fesses luisantes de Félicité. Un vrai bonheur, il lui faisait tout ce qu'il voulait et s'il s'oubliait dans son froc, c'était juste bon car il n'y avait personne pour se moquer…

# 4

Lulla vit passer Félicité de la fenêtre de sa chambre, où il bouillait de chaleur et d'impatience. Il lui accorda un vague regard à travers les persiennes, se disant sans y penser qu'elle avait l'air bien pressée à cette heure de la touffeur du jour. Il avait d'autres chats à fouetter ; il était tétanisé par l'attente. Sur la maigre table qui jouxtait le lit, son ordinateur était ouvert et attendait la connexion. Il avait reçu le message la semaine dernière et avait noté sur un ticket de supermarché l'heure et le jour du rendez-vous. Il le sortit de sa poche et le déplia compulsivement pour la quarante millième fois : c'était bien cela, mardi 10 novembre à 18 heures. Et il était… il souleva le poignet… il était 16 heures, le temps s'étirait comme exprès.

Il jeta les yeux dans la rue et suivit le balancement pressé de Félicité. Il aimait bien Félicité, elle lui disait toujours bonjour en le touchant des yeux comme s'il était quelqu'un qui comptait pour elle. Or Lulla savait très bien qu'il ne comptait pour personne ici, il était amérindien, de la région d'Awala, de l'autre côté du pays. Il était arrivé dans le Sud à l'âge de 15 ans ; c'était il y a un peu plus de cinq ans. C'est Eux qui l'avaient envoyé au lycée de la région d'abord et puis ensuite à Campan, pour attendre. Il se souvenait des yeux de son père quand le chaman était venu s'asseoir à leur table. Le chaman était comme un parent pour eux tous et il n'y avait jamais aucune cérémonie à s'asseoir autour d'une bière et à partager la parole. Seulement ce jour-là, il y eut beaucoup de silences et ces silences disaient qu'il se passait quelque chose d'important. Sa mère pleura un peu et son père entama le voyage avec lui, on ne discutait pas les mots du chaman, ils avaient longuement travaillé avec les esprits avant qu'ils ne sortent de sa bouche et deviennent des paroles.

Il avait donc passé son bac, pas tout à fait comme prévu, mais en s'y reprenant à deux fois car la ville avait aspiré une bonne part de son énergie. Et puis, il faut bien le dire, il n'y avait plus personne pour lui montrer la route. Cette étrange liberté était en train de devenir sa geôle quand son père avait traversé la brousse pour lui remonter les bretelles. Il avait doucement retrouvé le chemin des cousins qu'il fuyait depuis deux ans, s'était mis à l'informatique et avait arrêté de tirer sur tout ce qui bougeait.

– Sérieux elle est vachement pressée la Félicité !

Il se surprit à penser qu'il mettrait bien son nez entre ses deux gros seins, même si elle était très vieille de ses 39 ans. « Sûr que ce serait trop bon. » De là où il était, il apercevait l'entrée de sa boutique dont le rideau n'était qu'à moitié levé. « Étrange tout ça ! » Encore plus étranges les éclats de voix qui s'échappaient de la bouche ouverte du magasin quand Félicité y pénétra. On aurait dit une manif de marchandes de poisson avec la voix grasse et le verbe définitif. Lulla se pencha pour mieux voir, un Solex arrivait en trombe.

– Qu'est-ce qui se passe ?

Jonathan se gara sous sa fenêtre et lui lança en créole :

– Aucune idée !

Ils entendirent un claquement comme un fouet sur la croupe d'un zébu et virent tourbillonner la chabine du facteur qui de cris en imprécations rameutait la foule en scandant « Il est là ! il est là ! », le doigt pointé sur l'enseigne de Chez Félicité. Puis elle refonça à l'intérieur où ses cris se mêlaient à des pleurs d'enfant.

Jonathan était plié de rire sur son Solex, les habitants du quartier sortaient de leur sieste et de leur maison, trop contents de tromper la monotonie d'un après-midi ordinaire sur le fleuve en Amazonie. Lulla se dit qu'il avait le temps, dévala les escaliers et se mêla au groupe qui remontait la rue. Il avait un peu de peine pour Félicité, il n'était pas mort de rire comme Jonathan.

– Tu crois qu'il est vraiment là ? hoquetait l'autre en essayant d'avaler un peu d'air.

– J'sais pas, mais c'est chaud.

En fait tout le monde était au courant que tous les après-midi sauf le week-end, le facteur disparaissait derrière le rideau baissé de Félicité. Tout le monde et, pour sûr, sa légitime ne pouvait l'ignorer. Dans le coin, on s'attendait plus ou moins à ce qu'un boucan comme celui-là finisse par débouler, c'était juste question de temps, question de lune. Pour l'heure, personne ne sortait de chez Félicité et ça vacarmait sec à l'intérieur.

– Tu sais ce qu'on dit, en ce moment ? chuchota Jonathan qui avait fini par avaler son rire.

Lulla regarda le garçon, il n'avait jamais su dire si c'était quelqu'un ou pas, même pas quelqu'un de bien, juste quelqu'un. Il ne comprenait pas trop son errance, et même s'ils avaient le même âge ils n'avaient pas grand-chose à échanger.

– Non, qu'est-ce qu'on dit ?

Jonathan abrita ses mots derrière sa main et baissa encore le ton.

– On dit qu'il faut éviter la brousse en ce moment.

Lulla enferma un grand silence dans sa bouche. L'autre continua.

– Parce qu'il s'y passe des choses qu'on ne doit pas voir. Tu sais ça toi !

Lulla tourna les talons et remonta chez lui. Il n'était revenu dans son village qu'une fois, l'année dernière, pour le grand rendez-vous. Cela lui avait fait chaud au cœur de voir la famille, d'autant qu'il y avait un nouveau venu dans la smala, un énorme braillard, et sa mère avait fait jurer à son père que ce serait le dernier. Depuis qu'il « jobait » à Campan, servant de messager Internet à presque tout le village, il envoyait des sous à sa mère pour compléter la pension que l'État lui versait en récompense de ses maternités répétées. Son plus proche petit frère noyait son RMI dans la bière après un passage urgent à la poste pour toucher son mandat, et il n'était pas tout seul, il y avait la queue. Lulla était à la fois triste et bien content d'avoir échappé à tout ça. Il s'était fait offrir un ordinateur par une bourgeoise de la capitale dont le mari gagnait plein de fric et n'avait pas trop le temps de lui caresser le corps, ce que Lulla faisait avec beaucoup d'efficacité et de plaisir. Au bout du compte et malgré les pleurs de la dame, il était remonté à Campan avec son Mac et avait commencé à attendre.

Il avait espéré deux ans, apprivoisant sa solitude. Il avait appris à regarder ces gens qui boulottaient la vie les uns à côté des autres, sans se prendre la main pour bâtir ensemble ne serait-ce que les paroles qui donneraient du sens au… temps.

Il ouvrit le portable et se connecta à la messagerie : trois courriers pour le facteur qui était en train de passer un vilain quart d'heure chez Félicité. Les trois messages venaient de sa sœur dans les îles et épluchaient la vacuité d'un quotidien sans surprise, nul doute que cela ferait bougrement plaisir à Philibert, s'il sauvait son honneur et sa virilité du bordel dans lequel il s'était embourbé. Il cliqua sur le site Amazonie.com.

Le premier grand rendez-vous s'était tenu peu après son arrivée, un coup de téléphone, le message était laconique : urgence absolue et quarante-huit heures pour rentrer à Awala. Il avait plié bagage en dix minutes et attrapé le premier stop qui fonçait vers le nord ; à mi-chemin il avait remonté tous les cours d'eau qui le rapprochaient de sa destination, sautant d'une pirogue à l'autre, distribuant les poignées de main et les dollars pour le carburant, dormant juste une nuit sous un carbet au bord du fleuve, priant pour que le propriétaire ne lui tombe pas dessus. Dans son sac à dos il avait entassé son téléphone, son ordi, un hamac et une brosse à dents. Il avait débarqué à Awala par l'estuaire du fleuve, au petit matin du rendez-vous. L'air était saturé d'humidité, mais la pluie était encore suspendue dans les nuages qui plombaient l'horizon, Lulla avait aspiré de toutes ses forces ce mélange particulier de senteurs salées et d'odeur de terre qui le fracassait d'émotions. La pirogue s'était évanouie jusqu'à la plage. Juste le temps pour lui de sauter avec son paquetage, le village était à quelques minutes à pied. Lulla avait traversé le fleuve avec ses yeux. Sur l'autre rive, les côtes du Surinam. Quand il était petit, on y allait le week-end juste pour voir le reste de la famille. Son père entassait des babioles sur la pirogue qui traversait en une demi-heure sans y prendre garde. Et là-bas c'était la fête toute la journée, la musique et la bière coulaient à flots, les paroles aussi, lorsque les hommes fumaient. Et quand on revenait à la maison, les grands étaient faits comme des rats et n'avaient plus qu'à s'affaler dans leurs hamacs…

Le silence soudain le ramena à Campan, à côté, chez Félicité, les cris avaient cessé. Lulla consulta sa montre : plus qu'une demi-heure. Il ouvrit le frigo, s'offrit un grand verre d'eau et l'avala d'une traite, les yeux fermés… Il n'était plus là, il était là-bas, enveloppé par la rumeur du fleuve…

Ce premier retour au village s'était fait sans bruit. Il avait surpris son père préparant les flèches pour la chasse au canard et sa mère balayant le grand carbet qu'on ouvrait quand le monde venait. Il les avait serrés dans ses bras sans qu'un seul mot circule. C'est seulement quand les frères et sœurs s'étaient réveillés que sa mère, en le tenant à bout de bras pour mieux traquer chaque grain de sa peau, lui avait demandé : « Comment va mon fils ? »

Ensuite il était allé à la rencontre du chaman qui dorlotait son arthrose au fond du hamac. Il n'était pas tout seul, il y avait du monde, des hommes surtout, qui attendaient le chef coutumier, c'est à ce moment-là que Lulla avait réalisé que l'homme que tous ces gens attendaient pour ouvrir le dialogue avec le chaman était son père. Il avait dû être élu pendant son absence et lui n'en avait rien su. Il se demanda pourquoi son père avait choisi de ne pas lui en parler et en conclut que peut-être il savait que Lulla se foutait de toutes ces vieilleries que les siens plongeaient dans la potion magique de la tradition.

Il n'en demeurait pas moins que Lulla, en regardant tous ces hommes, avait senti bouger au milieu de son ventre quelque chose qui riait d'un bonheur tranquille.

– Comment va la vie par ici ?

Les questions pleuvaient, les réponses se murmuraient, le grand débat du moment tournait autour des concessions accordées par leurs gouvernements respectifs aux multinationales dont les entreprises devenaient propriétaires de tout ce qui poussait sur des hectares et des hectares.

– Il faut parler, il faut discuter, disait le Bolivien qui conduisait une délégation de cinq personnes.

– Avec qui ? lui renvoya le Colombien. Avec nos gouvernements ou avec les Américains, les Allemands, les Hollandais, les Français qui sont maintenant propriétaires ?

– Avec les deux, fit le chaman qui s'était extirpé de son hamac.

C'était un gros homme à l'air un peu benêt qui avait laissé vieillir son corps sans toucher au pétillement de ses yeux. Lulla avait toujours connu sa tranquille autorité et les longs silences qui étaient souvent les seules réponses qu'il servait à ses questions d'enfant. Parfois il lui sculptait dans du courbaril dur comme le béton des petits animaux, copies ailées de ceux qui squattaient la jungle. C'était sûrement la seule parole qu'il pouvait distribuer quand il n'y avait plus rien à dire. Il s'essuya les mains dans un vieux chiffon.

– C'est de cela qu'il faut que nous parlions, aucun esprit ne nous autorise à être toujours dans la position du jaguar, « car celui qui se défend sans cesse est celui qui a mal édifié sa maison » ! (Il avait posé le chiffon et regardé chacun d'eux.) C'est donc avec cette parole que nous allons enjamber l'eau et retrouver les nôtres pour réfléchir longtemps à ce que nous devons faire.

Jamais le gros homme n'avait parlé de façon si péremptoire, et jamais jusqu'alors Lulla n'avait été debout pour avaler ses mots. Auparavant, il se tenait toujours accroupi dans un coin avec les autres enfants pour écouter la musique des conversations des hommes, mais sans jamais se mêler car il était trop petit.

Maintenant, il pouvait prendre sa part de la discussion, la parole circulait de bouche en bouche jusqu'à la sienne, et il était pétrifié par cette possibilité. Il savait que si les mots qu'il prononçait étaient vides, un peu comme les habits qu'on accroche derrière une porte, les aînés, sans rien dire, lui enverraient ce regard qui tue, celui qui vient de biais vous couvrir de mépris, et que plus jamais ils n'auraient confiance en lui. C'est pour cela qu'il s'était tu, attendant pour parler d'avoir des choses à dire. Ce qui pouvait bien ne jamais arriver, mais qui finalement arriva beaucoup plus tôt qu'il ne l'eût cru, lorsque les hommes décidèrent de traverser la « Mana » pour aller en terre surinamienne, et d'y inviter les esprits. « C'est l'endroit le plus propice », avait dit le chaman pendant que son père acquiesçait de la tête. Ainsi donc fut fait. Hommes, femmes et enfants arrivèrent de partout dans un village qui n'était desservi par aucune route et qui s'adossait à la plage qui coulait mollement vers le fleuve. Il fallut beaucoup de pirogues et beaucoup de temps pour que tout le monde arrive par les eaux sans attirer l'attention de la maréchaussée et des douaniers qui avaient d'autres lois à faire respecter. Ensuite commencèrent les choses sérieuses. Les enfants arrêtèrent de courir, les femmes s'assirent sur le sable et les hommes sortirent des bois où ils avaient entamé les défrichages qui permettraient aux frères surinamiens d'essayer de nouvelles plantations. Les Surinamiens étaient hilares, outre la joie de recevoir tout le monde chez eux, ils appréciaient vivement le coup de main qui leur évitait de se détruire les reins pendant des mois pour apprivoiser ce petit bout de jungle qu'ils rendraient à la nature au terme de trois ans d'emprunt.

Sur la plage, une heure solennelle descendait en même temps que le soleil. La lumière était suspendue jusqu'au bout de la terre, et la terre était belle. Il y avait l'armée des arbres dont certains hommes connaissaient les secrets, il y avait cette plage qui courait le long d'un fleuve qui charriait de grosses eaux pleines de toutes les larmes de la planète, un ciel incandescent et le soleil qui s'en allait doucement racontait tout cela.

C'est ainsi que les voix se turent pour écouter la beauté. Comme les autres, Lulla partagea le silence. Sous le grand ajoupa, les préparatifs commençaient. Seuls les membres des conseils s'assiéraient sous son toit pour élaborer un scénario qui leur permettrait de maîtriser leurs préoccupations du moment. Et cela durerait le temps qu'il faudrait, sans que les hommes ne songent ni à boire ni à manger. La légende disait que le plus long qu'ils avaient eu à débattre avait été les quatre jours pendant lesquels ils avaient écrit, dans toutes les langues des nouveaux pays, la résolution commune qu'ils avaient portée à l'ONU. Ils n'avaient bu que l'eau de pluie afin de ne pas rompre le lien ténu qui mêlait leur esprit à celui des ancêtres ; c'était il y a longtemps.

Cette fois c'était différent, ils étaient plus nombreux, Lulla les observait à travers la nuit qui descendait doucement. Bien sûr, il ne pouvait participer aux débats, il était trop jeune et n'avait pas fait ses preuves ni de courage ni de sagesse ni de responsabilité. Aussi, quand ils l'appelèrent, il commença à paniquer. Ils lui demandèrent de venir avec son ordinateur. Lulla n'oublierait jamais ce jour où la nuit tombait sur les grands pas qu'il faisait vers l'ajoupa des anciens, son portable sous le bras. Il regarda tous ces visages ordinaires autour de lui, ils étaient plus ou moins vieux avec des creux, des bosses, des rivières et leurs yeux étaient comme la mer, sombres et profonds. Ils lui posèrent plein de questions pour savoir à la fois comment cela fonctionnait et ce que ça signifiait. Ensuite, ils le renvoyèrent.

C'est au bout de deux jours de palabres qu'il comprit ce qu'ils voulaient. Lulla observait les anciens derrière la course du soleil. Les hommes étaient fatigués, mais ils continuaient à parler et à se taire. Le premier jour, il y eut beaucoup de paroles, souvent guerrières car les visages se crispaient et les poings se serraient, le deuxième jour il y eut davantage de silence et d'apaisement, ainsi les esprits purent se glisser dans le cercle. Un homme occupait de plus en plus d'espace. Il portait des petites lunettes rondes et son visage cadenassé exerçait une force qui faisait tourner les mots autour de lui. Lulla connaissait cet homme, on le surnommait « le poète », il roulait en Porsche, traînait du côté de Campan et Lulla comprit que ce serait bientôt la fin. Quand son père le fit chercher pour la deuxième fois, il ne fut pas étonné. Il se préparait à entendre.

Pendant deux ans, il fit ce qu'on lui avait demandé, il créa le site qui permettait à tous les peuples premiers du continent de se parler, se rencontrer, tchatcher, échanger des images, des informations dans la langue qu'ils partageaient tous... Et puis, il reçut une commande bizarre, un ordre en fait : installer une convocation, une invitation au voyage à tous les abonnés du forum et cette fois en anglais. C'était il y a un mois, et aujourd'hui il attendait : « *se vera ko kana* », au signal il devait transférer ce message partout. Il pensait bien que cela déclencherait quelque chose, mais quoi ? Il l'ignorait et se gardait bien de demander.

– Lulla ! Lulla !

Il eut du mal à accommoder son regard et sa tête à l'endroit où il se trouvait. Son esprit s'essoufflait sur un chemin caillouteux. Peut-être s'était-il endormi, il était chez lui, allongé sur son lit et son ordinateur, ouvert sur le seul meuble qu'il possédait, scintillait sur sa messagerie... vide, pour l'instant. Il s'étira.

– Lulla ! Lulla ! (Le chuchotement venait de l'escalier qui menait à son grabat.) Lulla, c'est moi, Philibert... Donne-moi un coup de main mon vieux !

Le coquin avait une serpillière autour des reins et, pour l'heure, allait nu comme un serpent lové sur la cloison, l'air ahuri. Sur sa tête, une araignée s'affairait à retisser la toile qu'il avait chiffonnée en se planquant dans le placard à balais de Félicité. Il raconta à Lulla qu'il s'était barré par le vasistas qui servait de toit au placard de sa belle et qu'il avait enjambé deux, trois maisons par le haut avant de s'affaler dans le jardinet qui servait de dépotoir à Lulla.

– Il faut que tu me sortes de là, s'essoufflait-il, j'ai laissé mon pan... pan... pantalon et mes affaires sous le lit de Félicité. Si elle les trouve, je suis cu... cu... cuit !

– Philibert, j'ai un rendez-vous important ! répondit Lulla en allongeant un geste vers l'ordinateur. Alors...

– Alors, je t'attends ! Parce que dehors, c'est juste l'enfer pour moi.

– Philibert, j'ai besoin d'être seul !

– Et moi, j'ai besoin que tu ailles récupérer mes fringues chez cette… cette sorcière, qui m'a quimboisé. Parce que tu sais que je suis un homme sérieux ! J'aime ma femme, elle est plus douce que le sucre trempé dans le miel, plus tendre que la chair d'agouti, plus amoureuse que la lune de la nuit, plus tout ce que tu peux connaître de la vie ! Mais toi, tu ne connais rien à la vie. Lulla, il faut me sortir de cette ensorcellerie ! Je suis ton homme pour les quarante mille travaux d'Hercule et pour l'éternité de tous les temps, amen et alléluia. Je suis un sapiens mort, sinon. Je suis un sapiens mort !

Lulla était sidéré par cette quantité de paroles, il surveillait sa messagerie du coin de l'œil et marmonnait en même temps que Philibert ne manquait pas de toupet pour venir pleurer au secours après s'être envoyé à tous les ciels avec Félicité qu'il traitait maintenant de sorcière.

– Et c'était bon, au moins ?

– Que ? quoi ? Qu'est-ce qui était bon ? Je suis dans la merde, mec ! (Il gravit les dernières marches, sentant que l'affaire était dans le sac.) Alors, tu vas chez elle, de toute façon tout le village est là, donc ça n'étonnera personne. Tu vas dans la chambre, sous le lit, c'est là : un pantalon kaki, une chemise kaki. En plus c'est mon uniforme vieux ! Tu me ramènes tout ça discrètement, je me rhabille et je file chez moi et tout est bon, mon frère, tu vois, tout est bon !

Lulla n'écoutait plus, l'ordinateur l'appelait avec le « cling-cling » signalant l'arrivée d'un message urgent. Il savait qu'il devait faire vite avant qu'il ne se détruise. C'était la règle, cinq secondes pour lire et transférer aux quatre coins de la planète. Il bondit vers le clavier et lut :

– Deuxième lune, Awala, tout le monde… « *se vera ko kana* ».

Laconique. Il exécuta la manip' en trois clics, puis le message s'évanouit.

Philibert continuait à mâchonner des mots, la pupille hystérique, et là, Lulla se sentit très, très énervé. Inspirer, expirer, inspirer, expirer, trois fois, quatre fois…

– Philibert tu me casses les couilles !

C'est quand il entendit sa porte d'entrée voler en éclats et qu'il capta l'air hagard de Philibert qu'il comprit que malgré tout, sa journée menaçait d'être gâchée.

# 5

Marie marchait dans ses larmes, elle marchait depuis plus d'une heure, toute la force de son énergie n'arrivait pas à compenser la faiblesse de ses petits pas. Ah ! Tout de suite, elle donnerait bien plusieurs couchers de soleil pour découper son chemin de grandes enjambées comme celles de Tiouca le chasseur, mais ses jambes étaient trop petites et son cœur menaçait de démolir sa poitrine s'il continuait à tambouriner aussi fort. « Saint Joseph et le Saint-Esprit, faites que j'arrive à temps pour que l'ancêtre vienne donner à maman la potion magique qui chasse la fièvre et les démons. Faites que je puisse arriver avant qu'elle disparaisse dans la forêt. Faites que mon cœur reste dans sa boîte et ne sorte pas de ma poitrine, il me fait si mal, il bat trop, il bat trop. » Le malaise la prit là, à l'entrée du bois, au moment où elle apercevait l'ajoupa du guerrier et lui-même qui se balançait dans son hamac. Elle se sentit légère et la lumière s'effondra brutalement.

C'est une bonne odeur de soupe qui lui réveilla d'abord les narines. Elle tanguait doucement dans le hamac de Tiouca et ça n'allait pas du tout, mais alors pas du tout ! Parce que la nuit rampait doucement, les odeurs se rafraîchissaient et les cris de la brousse montaient. Alors c'était foutu, foutu ! Marie fut prise d'une de ces rages folles qui la jetaient par terre, la bouche hurlante et les poings serrés sur sa colère qu'elle écrasait dix fois, vingt fois, mille fois, jusqu'à ce que son gosier s'exténue et tue sa voix. Là, personne ne pouvait l'arrêter même pas Tiouca qui s'était jeté sur ses poings bloqués et essayait de la calmer. Il n'y avait plus de place pour rien et sûrement pas pour la paix ou des choses comme ça... Alors il la gifla et elle se tut. La petite avait tellement de larmes qu'elles continuèrent à mouiller longtemps les mains du guerrier pendant qu'elle lui expliquait.

Rien qu'il ne sache déjà. Les crises d'Elsa se multipliaient à une cadence qui ne lui laissait plus d'espace pour se refaire, elle refusait l'hôpital et s'en irait un jour, vaincue davantage par l'épuisement que par la maladie. Et cette aversion qu'elle avait à sourire était la même qui l'empêchait de s'ouvrir aux autres. En vingt ans, il n'avait pas échangé trois paroles avec elle et sûrement aucune ombre de pensée. Le plus triste, c'est que la gamine lui racontait un peu cette histoire-là, sauf qu'elle disait « maman » au lieu d'Elsa, qu'elle racontait comment elle avait tricoté ses jambes pour arriver à rattraper la vieille qui guérit tout sauf la maladie du sourire. Tiouca lui caressait les cheveux. Elle se calmait :

– Tu crois que ma maman va guérir ?

Il enferma ses mots dans le silence.

– Tu crois qu'elle va mourir ? Parce que je veux pas qu'elle meure. (Sa voix était cassée.) Pas avant... pas avant... (Tiouca descendit son oreille vers sa bouche, c'était un murmure.) Pas avant qu'elle sourie tu comprends ?

Elle avait levé l'eau noire de ses yeux vers ses réponses, mais il n'en avait aucune et il sentit une grosse pierre dans sa gorge dont il ne savait que faire. Mauvaise journée, putain de mauvaise journée. Il tenta de retrouver le moment où il se préparait à mordre dans son ragoût pimenté et conclut que c'était il y a un siècle, dans une autre vie, alors il prit la main de la petite et l'emmena vers le feu.

– On va manger de la soupe de viandes avec du pain et ensuite je te ramène à Elsa.

La petite mangea et parla encore beaucoup. Elle parla de la haine qui volait autour de Rudy quand il rentrait à la maison fin soûl, des coups qu'il distribuait quand il ne savait plus parler et de la terreur qui la jetait sous la table, sous le lit, derrière la gazinière, n'importe où sauf dans les bras d'Elsa parce qu'elle voulait la protéger de tout ce désordre. Elle mangea et parla, et très franchement, Tiouca n'avait aucune envie d'entendre tout cela, de bousculer sa paix et sa tranquillité qu'il avait chèrement payées à crédit sur la lâcheté et les renoncements, tous les renoncements.

– Tu l'as vue, aujourd'hui ?

– Qui ?

– La vieille, celle qui déparle et qui guérit. Je voulais… (elle baissa le front) lui parler de maman, (elle souffla) enfin… d'Elsa.

Tiouca se souvint que c'était justement le problème qui lui avait attiré l'œil. Cette semaine, le plat nettoyé comme un sou neuf, vidé de son ragoût, n'était pas revenu sur la table de l'ajoupa. En fait, rien n'était comme d'habitude, rien n'était à sa place.

Marie continuait doucement :

– Parce qu'on m'a dit que le soir, elle disparaît dans les arbres. Elle ne revient que quand il fait jour. Et demain ce sera trop tard, tu comprends, pour maman… enfin, Elsa.

– Bon ! (Il se leva, se frotta les mains à ses guenilles, nettoya les assiettes et le gobelet en plastique, lui tendit le balai-paille en lui montrant la minuscule cour qui s'affalait entre ses maigres baraquements, récupéra un mégot dans la poussière, l'alluma pour deux bouffées exécrables, s'énerva, tourna en rond, écrabouilla son mégot de mégot avec ses godillots et finit par jeter ses nerfs dans un grand mouvement de bras.) Allez, on y va, on y va !

Et il s'engagea sur le chemin de terre sans se retourner.

# 6

La vieille tendait l'oreille vers les bruits de la clairière, elle entendit les voix s'en aller et se perdre dans les rumeurs de la forêt, elle avait capté leurs musiques, mais était bien incapable de comprendre d'où elles venaient et ce qu'elles signifiaient. Tout ce qu'elle sentait, c'est que leur proximité représentait pour elle un danger qui lui remontait l'estomac dans la gorge, aussi c'est une eau froide et tranquille qui lui envahit l'esprit quand elles se mirent à décroître, elle allait pouvoir ramasser ses simples qui emplissaient déjà le panier qu'elle portait à bout de bras. Pourtant, ces voix lui disaient bien quelque chose, comme un chant déjà entendu dont elle aurait oublié les paroles et la provenance, elle n'aimait pas cette sensation qui se terminait par un mal de tête effrayant au bout duquel elle habitait un grand vide où tout était noir, inconnu et terrorisant. De toute façon, depuis le lever du jour, il y avait derrière son front ce lent vrombissement qui s'élançait douloureusement à l'arrière de son crâne et lui faisait faire n'importe quoi. Certes, elle était très vieille – elle pensait avec une quasi-certitude que son corps se traînait depuis bien plus de cent ans – mais au fond de cette vieille dépouille épuisée, il y avait quelque chose qui la portait et qui transfigurait les sillons que la vie avait dessinés sur sa peau. C'est grâce à cette chose-là qu'elle savait quoi faire quand le vide la guettait. Ce sont eux qui lui avaient donné la formule, eux également qui la conduisaient et lui avaient montré le chemin.

Elle ramassa ses jupes et son panier, le mal de crâne enflammait sa nuque, il fallait faire vite. Elle porta à ses gencives un sifflet en bois et ils arrivèrent. En fait, ils étaient tout le temps là, pas très loin. Ceux-là, elle ne les connaissait pas, ils étaient nus jusqu'à la ceinture et couverts de roucou pour empêcher que les moustiques ne les attaquent. Elle, elle n'avait pas besoin de roucou, sa peau était trop rêche et son sang trop pauvre pour attirer la moindre bestiole. Ils étaient deux, ils l'attrapèrent sous les aisselles et l'emportèrent à toute vitesse vers l'ombre des frondaisons. Elle ne commença à se débattre qu'au bout de vingt minutes de cette marche forcée à l'intérieur de la brousse. Ses pieds ne touchaient pas terre et elle pouvait à peine redresser la tête, tant son corps s'était affaissé et recourbé au fil des ans. Elle savait bien ce qui se passerait quand sa nuque ne pourrait plus du tout se redresser, il faudrait alors que ses os centenaires se mélangent à la terre millénaire et tout serait bien. En attendant, elle se débattait comme un diable dans un bénitier, mais les deux Amérindiens étaient impassibles et accéléraient la course de leurs pieds. Un passant étranger aurait le sentiment qu'ils l'enlevaient de force et serait probablement choqué que deux hommes en pleine force de l'âge s'attaquent à une pauvre vieille desséchée. Un observateur remarquerait sans doute la délicatesse et la déférence avec lesquelles ces hommes accomplissaient cette tâche.

La vieille s'appelait la vieille, il y avait belle lurette qu'elle ne répondait plus à aucun patronyme connu d'elle ou des autres, le monde s'était replié sur le silence de ses souvenirs, un silence assourdissant qui faisait d'elle la branche d'un arbre ou l'humus de la terre. Parfois, elle oubliait même de se nourrir et il fallait qu'ils la forcent un peu à avaler toujours le même ragoût, celui qui avait le goût d'avant, bien qu'elle ne sût pas trop dire ce qu'avant signifiait. En revanche, elle n'oubliait jamais de boire. Elle buvait beaucoup à l'eau des feuilles, à toutes les sources qu'elle reconnaissait, et elle pissait tout le temps, debout dans ses jupes, l'air extasié, tout en psalmodiant des mélopées de plaisir. Les hommes la lavaient de temps en temps : ils lui enlevaient toutes les toiles qui lui couvraient le corps et la plongeaient comme un bois mort dans l'eau claire du petit bassin près de la grotte, sa grotte. Puis ils la frottaient énergiquement avec des feuilles de toutes sortes qui lui fouettaient le sang et la laissaient épuisée, mais totalement extatique. Puis ils l'essuyaient avec des linges propres et blancs et l'installaient là-haut comme une reine. Cela, c'était dans le meilleur des cas ; pour l'heure, ils parlaient et elle comprenait leurs mots sans donner un sens à leurs paroles, il y avait le feu dans sa tête.

La grotte était juste un monticule de terre dévoré par les arbres, qu'un déboulé de grosses roches avait architecturé pour fabriquer un abri profond, qui s'entrouvrait comme la gueule d'un chien qui aurait perdu ses dents. Au centre de cette tanière, deux grosses chaînes terminées par des menottes serpentaient à côté des restes d'un feu éteint.

Ils accomplirent le rituel du bain dans une urgence inhabituelle, il faut dire que maintenant la vieille gueulait des imprécations torturées, sa bouche crachait des serpents, il fallait faire vite. Ils la posèrent doucement sur le sol, enveloppée d'une immense robe blanche, déployée comme une voile attendant le vent, et lui fixèrent solidement les menottes à chaque poignet. Enfin, ils s'assirent et ne bougèrent plus. La vieille hurlait, mais ne se débattait plus, elle crachait des mots aux quatre coins du monde sans jamais tourner la tête, son front s'était redressé et elle disait des choses qui n'avaient aucune direction. Elle parlait comme un livre déchiré, sa bouche portait les voix de l'oubli jusqu'à l'oreille des hommes qui venaient là de plus en plus nombreux, sortis de la jungle épaisse, pour essayer d'attraper les mots qui feraient sens et donneraient une direction à leur chemin.

Elle hurlait que l'enfant devait partir avec sa mère de l'autre côté de l'océan. Elle haletait :

– Il y aura des morts, l'enfant doit partir car il doit alléger le travail de ceux qui restent. L'enfant doit partir... L'enfant doit partir !

Suivait une mitraille de paroles en créole, brésilien, amérindien, qui racontait un espace plein de lumières, des milliards de lumières qui n'éclairaient que la tristesse, une infinie tristesse qu'elle noya dans un flot de larmes. Puis elle ferma les yeux et s'endormit dans le silence. Seules les feuilles bruissaient dans les grands arbres, chacun disparut, avalé par la pénombre, et la paix revint doucement sur tout ce « *voum vap* » de bruits et de colères.

La fille qui demeura près d'elle, attendant l'arrivée du deuxième sommeil pour la détacher, avait très peur. On lui avait demandé de rester, c'était son tour de garde, mais c'était aussi la première fois qu'elle assistait à une crise de la vieille ; et franchement elle n'avait pas aimé la couleur de ses yeux qui devenaient tout blancs et tournaient comme des bulles affolées dans la ravine de son visage. Elle n'avait pas aimé non plus ses hurlements qui n'étaient ni douleur, ni colère, ni chagrin, mais quelque chose d'autre, comme l'ouverture d'une porte interdite. Elle n'avait pas aimé participer à tout cela, d'autant qu'elle devrait se rappeler tous les mots, tous les cris, pour en faire des phrases qu'elle rapporterait au chaman de Bois Peut-Être. Il fallait qu'elle en finisse, et même si c'était totalement interdit, elle allait très vite se jeter dans les bras de Tiouca et tout lui raconter.

Tiouca était son ami depuis longtemps, depuis ce jour où il lui avait sucé la cheville, crachant et recrachant le venin du serpent qui l'avait mordue. À Campan, on ne donnait pas un peso de sa survie et les paris allaient bon train, mais Tiouca lui avait sauvé la vie, au prix d'un enflement inquiétant de sa mâchoire et de sa gorge que le chaman avait su chasser avec ses plantes. Tiouca était son ami et elle lui dirait tout : l'agitation qui secouait les arbres en ce moment, l'horreur des crises de la vieille et aussi ce qu'on racontait.

Elle s'appelait Lune, son père était chaman, elle avait le visage ingrat de l'adolescence boutonneuse, elle allait à l'école à Campan et aimait les cours de français. C'étaient ses préférés, on y déroulait de belles phrases, presque aussi belles que celles que prononçait son père, sauf que ces phrases-là elle pouvait les revisiter, s'amuser avec, changer la place des mots, car elles étaient écrites, alors que celles de son père étaient immuables, car elles se transformaient en parole.

Elle se frotta les mains sur ses cuisses épaisses, elles étaient humides d'angoisse, à ses côtés la vieille gémissait doucement, puis son souffle se fit profond et lent, alors Lune se leva, sortit une petite clé de la poche de son tablier et déverrouilla les menottes. Ensuite, elle frictionna les poignets de la vieille avec une huile d'eucalyptus, puis la porta jusqu'au fond de la grotte où s'accrochait un hamac. Après l'avoir couchée et avoir veillé sa respiration, elle rabattit l'épaisse moustiquaire et tourna les talons ; elle allait chercher Tiouca, même si elle n'aimait pas la nuit, elle irait. Elle jeta ses yeux derrière elle, le hamac fermé, suspendu au-dessus du sol, ressemblait à la chrysalide d'un énorme insecte. Elle s'en fut sans se retourner.

7

Julie détestait les aéroports. Ils se ressemblaient tous, non par l'architecture, encore que, mais par l'ambiance qui s'exhalait des couloirs sans fin, des chapelets de bagages qui défilaient tristement au final de ces voyages anonymes, qui précipitaient les foules d'un portail à l'autre, transformant les pays en destinations, mélangeant des destins sans horizons dans l'immense chaudron d'un présent hors du temps. Ça puait le sommeil pas fini, la cigarette pas fumée, l'excitation écrasée par la fatigue, les regards qui se fuyaient, les mains tendues sur le vide. Bref, c'était glauque à souhait.

Il y avait bien vingt minutes que l'avion s'était posé sur le tarmac brûlant, dégueulant des poignées de passagers chiffonnés exhalant des vapeurs de nuit et se traînant en aveugles le long des couloirs après neuf heures d'immobilité forcée. Devant le tapis silencieux, Julie se sentait ridicule avec ses bottes, son sac à dos chargé jusqu'à la gueule et sa saharienne multipoche de randonneur. En plus, elle parierait bien vingt dollars avec n'importe quel pékin qu'elle allait suffoquer de chaleur dès qu'elle mettrait les pieds hors de l'espace supraclimatisé de l'aéroport. Elle n'était pas sûre que qui que ce soit l'attendait ou viendrait la chercher. En fait, depuis qu'elle avait reçu le mail, elle n'était sûre de rien et n'avait sauté dans le premier avion que sur une pulsion qu'elle refusait d'analyser. Ce qui était sûr, c'est qu'elle avait besoin d'air. Paris étouffait sous les émeutes qui explosaient les banlieues les unes après les autres et sortir du sac de nœuds dans lequel la France s'autoétranglait tous les jours s'était imposé à elle comme l'urgence de respirer.

Le tapis s'ébranla, offrant comme un trophée un énorme sac Tati, tout seul, gonflé comme une montgolfière.

– Tu la vois ma valise ?

Maïla était très grande, avec la peau cannelle même après douze hivers délavants, c'est sa voix de contralto et ses mains immenses qui avaient précipité Julie dans cette adoration sensuelle qui nourrissait leur relation. Mais c'était il y a longtemps… au moins huit mois, et si elle s'obstinait à alimenter la moindre conversation de stupidités, Julie était sûre de péter un plomb avant la fin du voyage. Parfois, elle s'en voulait d'être incontrôlable, pourquoi, mais pourquoi avait-elle décroché son putain de téléphone pour inviter Maïla à l'accompagner ici ?

– Maïla tu mesures 1 m 82 et moi 1 m 60. Qu'est-ce que je suis censée voir que tu ne verrais pas ?

– Oh ça va, ça va ! Je disais ça juste pour passer le temps, parce que j'en ai super plein le cul, que je crève d'envie de fumer, de prendre une douche et de me foutre à poil là où on peut respirer autre chose que la mauvaise haleine concentrée de trois cents passagers, et…

– Maïla, la ferme ! S'il te plaît.

L'autre allait faire la gueule pendant une semaine, mais au moins elle lui ficherait la paix. Julie remuglait qu'elle s'était démerdée pour bouger léger sans bagages en soute ; elle avait juste oublié de checker Maïla qui s'était pointée à Orly avec une valise grosse comme un container : « On part trois semaines Julie, je vais pas me balader à poil ! Je déteste être prise de court. » C'est donc depuis Orly qu'elle avait commencé à regretter de ne pas avoir décollé seule. En même temps, elle avait peur de pas grand-chose sauf d'elle-même, par conséquent la solitude physique était un risque qu'elle avait toujours refusé de prendre. Mais pour le coup, Maïla, n'était pas la bonne idée : ancien mannequin un peu sur le retour, elle était encombrée d'une longueur de jambes et d'une beauté qui réclamait un perpétuel entretien et cela mobilisait la grande majorité de ses neurones.

Au début, Julie avait été fascinée par la soie de sa peau et avait parcouru insatiablement ses kilomètres de jambes avec sa langue, ses doigts, ses orteils, à califourchon sur ses genoux, inondant ses bras, son ventre, sa bouche, d'une excitation qui frisait l'hystérie, beaucoup plus préoccupée de son propre plaisir que du sien. Au final, Maïla avait commencé à râler, réclamant un peu plus d'attention, l'obligeant à toutes sortes de caresses, alors qu'en fait Julie n'aimait pas cela. Ce qui l'intéressait dans le sexe, c'était de disposer d'un immense terrain de jeu sur lequel elle s'ébattait comme une chatte en chaleur, mais vraiment partager, épier le plaisir de l'autre et tout ça l'ennuyait profondément, c'est sans doute pour cela qu'elle pratiquait rarement les mecs. Quoique, parfois… En tout cas, tout cela était bien mort, Maïla ne l'amusait plus, ne l'excitait plus que mollement et voilà, elle était là juste pour se glisser entre elle et la solitude. On aviserait après.

– La voilà ta valise. Allez on bouge !

L'homme qui vint à leur rencontre avait un visage lisse derrière ses petites lunettes rondes d'intellectuel. Il les salua d'une poignée de main énergique et ne s'intéressa ni à la présence de Maïla, ni à l'obésité de son bagage. Il fixait Julie avec une intensité qui, pour tout autre qu'elle, aurait pu être embarrassante.

– Tellement ravi de vous voir enfin, je suis Alakipou, le poète.
– Et moi, je suis Julie de Paris et voilà mon amie, Maïla. Contentes d'être enfin arrivées. On s'occupe du programme sur le chemin de l'hôtel ? Je suis la seule sur ce vol ?
– Vous êtes la seule aujourd'hui.

Il parlait d'un ton sec comme si les mots lui étaient étrangers et ne servaient qu'aux urgences. Dehors c'était le four, tout était chauffé à blanc par le soleil de l'après-midi, il faut dire qu'il était 14 heures à huit cents kilomètres à la ronde…

En posant son sac à dos dans le coffre d'une Porsche décapotée, Julie se mit à raconter à Alakipou ce qu'elle avait laissé derrière elle, les premières poussières de givre sur le parc Monceau, l'hiver qui s'installait sur le volcan qu'était devenu le pays, la mauvaise humeur de la rue, l'impéritie chronique des politiques, la claque des européennes, la reclaque de la perte des Jeux olympiques... Il faut dire qu'Alakipou posait beaucoup de questions ; de temps en temps, il éclatait de rire, se faufilant sur la route, une main sur le volant, l'autre bousculant le levier de vitesses, il conduisait comme un jeune con, musique à fond, le visage bousculé par le vent.

Hors du cercle qui enfermait leur dialogue, il y avait une ville qui déroulait ses kilomètres de banlieue dans une poussière fatiguée. Tout avait l'air un peu fané et les espaces qui s'étalaient entre les constructions anarchiques disaient bien que le pays était vaste. Ici, visiblement, on s'engueulait l'un « sur » l'autre, mais on vivait très éloigné l'un de l'autre. Personne n'avait l'air bien pressé et, de toute façon, à quarante degrés sous les palmiers, cela relevait de la performance. D'un autre côté, tout le monde avait l'air préoccupé. Julie exprimait tout cela dans son échange avec Alakipou.

Ce n'est que lorsqu'il freina devant l'enseigne de l'hôtel qu'elle réalisa que non seulement ils avaient parlé dans sa langue quasiment tout le temps, mais qu'en plus, elle n'avait posé aucune question, bien qu'ayant largement répondu aux siennes.

– Vous ne trouvez pas que la délégation française avait l'air *has been* et dépassée quand elle s'est pointée à Tokyo avec Deneuve et Halliday dans ses bagages ? Je les aime bien, mais les Anglais... Vous avez vu la pêche des jeunes, toutes les races, toutes les couleurs ! Comment peut-on être si ringard ?

Julie récupérait la clé de sa chambre. Ce type était curieux comme un puits sans fond, mais dans toutes ses questions, il y avait des réponses toutes prêtes. Elle chercha ses yeux :

– Quel est votre rôle dans toute l'histoire ? Et d'abord, quelle est l'histoire ?

Le visage du poète se referma :

– Je vous en prie, allez donc vous rafraîchir dans votre chambre, je vous retrouve à dîner et vous dirai ce que je dois vous dire. Mais à vous seule.

La chambre était glacée et encore plus impersonnelle que dans son souvenir. L'ambiance était comme la chambre.

– Puisque ça ne t'ennuie pas de parler pendant une demi-heure avec ce type sans que je comprenne un mot de ce que vous avez raconté, je vais me faire couler un bain. Et tu peux continuer à parler hébreu toute seule si ça t'amuse. Ensuite, je dors. Point final.

Maïla fourrageait dans son bagage qui voguait au milieu de la pièce. Julie commença par tripatouiller le climatiseur pour installer une température humaine et se cala au fond du lit. Elle avait une bonne dizaine de coups de fil à passer, une migraine qui lui emportait la tête et une envie pressante d'un rhum noir couvert de glace comme on les servait à Cuba. Elle n'entendait pas Maïla, elle était préoccupée.

Premier coup de fil : Paris, son associée, juste pour lui annoncer qu'elle avait taillé la route, et qu'elle devrait faire marcher la maison toute seule pendant un temps indéfini… Julie avait la prescience qu'un de ces quatre elle allait se retrouver à la porte de sa propre entreprise. À vrai dire, elle poussait un peu et tout le temps. Partant et revenant sans prévenir, n'organisant jamais ses absences, mais comptant toujours avec un bonheur sadique sur Michelle pour le faire.

– Allô, Miche ! C'est Julie… Non, non, là, je suis un peu loin.

– …

– C'est-à-dire que… Ne gueule pas Michelle, je suis en Amazonie, et il fallait vraiment que j'y sois, et je n'ai pas pu t'en parler parce que c'était à la fois pas sûr et très… confidentiel et…

Julie reconnaissait bien l'hystérie de la voix et l'urgence des reproches dans le combiné. Elle imaginait Michelle dans l'immense espace blanc d'une clarté quasi chirurgicale de l'appartement qui leur servait à la fois de bureau, de salle de sport et de cabinet de consultation. L'affaire marchait bien depuis que Julie s'était associée avec la tête bien faite de Michelle. Elles dispensaient les cours à tour de rôle et le Tout-Paris branché se bousculait pour transpirer et souffrir en écoutant Verdi.

Quand elle avait eu son bac à 12 ans, Julie s'était sentie complètement perdue, comme si sa vie se terminait, d'une certaine façon. Sa mère était vraiment paumée depuis la mort de son mari pourtant détesté, et elle était visiblement très encombrée de cette gamine surdouée dont parlaient tous les journaux. Julie avait compris sa détresse après un 20 heures où elle était apparue comme une poupée cassée. Elle s'était regardée à la télé et elle s'était détestée : son visage trop pâle, exsangue, tiré sur les os autour des yeux, et surtout cet air, cet air qu'elle avait de ne pas comprendre le sens des questions de la journaliste, d'être en pilotage automatique. Elle se souvenait très précisément de ce qu'elle avait ressenti pendant cette interview : une extrême envie de faire pipi, et un poids énorme sur la poitrine, là où son cœur s'affolait. Elle avait bien regardé tout cela et sa mère à côté d'elle n'avait rien vu, et au lieu de répondre à son angoisse du « et maintenant ? », elle l'avait juste serrée très fort dans ses bras, inondant ses narines du parfum fané qui imprégnait tous ses vêtements. Ce jour-là, pour la première et dernière fois, Julie avait pleuré sur sa solitude.

À l'autre bout de la ligne, Michelle s'énervait :

– … Et de toute façon, tu sais bien que je ne peux en aucun cas assurer tes cours ! Tes élèves viennent pour toi, de même que les miens pour moi. Julie, tu m'écoutes ? Et tes consultations, je les annule jusqu'à quand ? Tu as quatre patients ce soir, dont le vieux qui va très mal. Là, tu vois, c'est pas cool !

Julie allongea les jambes, elle se sentait fracassée par le décalage horaire, et les mots dans le combiné se transformaient en une sorte de murmure désagréable, son esprit vagabondait.

Elle avait d'abord été contactée par le gouvernement. Une espèce d'escogriffe avait assisté à l'entretien qu'elle avait eu à la fac avec le doyen chargé de lui établir sa dispense d'âge. Sa mère était là aussi, mais elle n'avait rien capté, persuadée que l'escogriffe faisait partie de l'administration universitaire. Julie avait tout de suite senti : lui venait d'ailleurs, il surveillait ses réponses, elle en était sûre, alors finalement, elle les avait concoctées pour lui – ce dialogue étrange était resté un des meilleurs souvenirs de cette époque où on l'avait condamnée à devenir adulte sans sommation. Les quinze années qui suivirent transformèrent l'escogriffe en tuteur, puis en ami, enfin en confident, mais il restait toujours pour elle « l'escogriffe ». Elle avait travaillé avec lui, pour lui et par lui, et il lui avait appris bien autre chose que le maniement des armes blanches ou à feu, le saut en parachute ou le close-combat. Son deuxième coup de fil était pour lui.

– Pierre, j'ai peut-être fait une connerie, je suis en Amazonie. Je te laisse le numéro de l'hôtel où tu peux me joindre jusqu'à demain matin.

Pierre était toujours sur répondeur, mais il rappelait chaque fois. Il fallait qu'elle lui raconte l'étrange histoire qui l'avait conduite jusqu'ici. Finalement, il était bien la seule personne sur cette terre en qui elle avait confiance. C'est-à-dire le seul être capable de répondre à ses interrogations sans ramer sur les chemins usés des lieux communs, le seul être capable de recentrer ses interrogations, non pas avec des réponses mais avec de vraies questions, celles qui ont de la chair, qui font trop mal pour qu'on les gaspille, mais qui font un paquet de dégâts si on ne les pose pas. Bref, il lui fallait Pierre.

– La salle de bains est libre !

Maïla apparut, drapée dans un tas de choses en éponge immaculée, ses pieds nus mangeaient la moquette et sa peau luisait doucement dans un halo de fraîcheur. Julie posa le téléphone. Il fallait qu'elle la touche, qu'elle frotte son petit corps nerveux qu'elle trouvait sans intérêt à toute cette beauté, et il fallait qu'elle le fasse vite avant que Maïla ne parle davantage et ne gâche son désir. C'est juste au moment où elle glissait la tête entre ses cuisses interminables que le téléphone sonna.

# 8

Il n'y avait personne sur la route, il était trop tôt pour que la vie s'agite et le ciel avait crevé, lâchant des paquets d'eau qui transperçaient le sol. À travers la brume fumante qui montait de l'asphalte, le Solex de Jonathan funambulait à la sortie de Campan. Il était transi et il lui semblait que les lances d'eau qui lui tombaient sur les épaules étaient coupantes comme des lames de rasoir. Putain de pays ! À peine une heure avant, le goudron expirait de chaleur et cela faisait bien quinze jours qu'il n'avait pas plu une goutte sur la région, et puis brusquement un déluge aveuglant qui embrayait son mouvement. La fille avec laquelle il avait rendez-vous n'allait pas patienter une seconde après l'heure, il le sentait. Elle avait l'arrogance des petites bourgeoises de la capitale, tout ce qu'il évitait soigneusement d'habitude. Mais là, il avait bien craqué sur sa démarche, sur la sapotille de sa peau, l'insolence de ses yeux qui disaient « merde » alors même que son derrière trémoussait « oui ». Et puis, sa voix : une espèce de murmure velouté qui causait directement à son bas-ventre.

Il avait donc intérêt à se grouiller, il devait aller chez son père pour enfiler un pantalon, il avait passé la journée à crapahuter dans son short à manches longues et, très franchement, même s'il s'en foutait, il n'était pas présentable.

Il entra dans la propriété en roue libre, bien décidé à ce que personne de la maisonnée ne le voie, ne l'interpelle ou ne l'arrête. La pluie était brusquement suspendue dans un miracle mauve et vert, et la pelouse parfaite scintillait de contentement jusqu'au parvis en pierre où se garaient les voitures. Mais il y avait belle lurette que Jonathan ne voyait plus la beauté des flamboyants et le ciselé des palmiers, et même si la maison s'élevait avec la même majesté que dans son enfance, la magie avait quitté ces lieux depuis bien longtemps.

Par une des hautes fenêtres du rez-de-chaussée s'échappaient des voix d'homme.

– Merde, la tuile ! Mon père est à la maison. Bertide ! Bertide ! Cache mon vélo ! Je monte, mais tu ne m'as pas vu ; tu ne m'as jamais vu aujourd'hui…

Jonathan susurrait à la grosse femme qui surveillait la cuisine, mi-charmeur, mi-menaçant. De toute façon, il la terrorisait en changeant d'humeur plus vite que le ciel change de couleur, et comme elle ne savait jamais sur quelle musique il voulait danser, elle se tenait à distance et évitait d'avoir affaire à lui.

– Tu as compris ? Tu ne m'as jamais vu aujourd'hui !

Il grimpa à sa chambre, se débarrassa de ses vêtements sales, passa sous la douche, se parfuma les aisselles puis le bas-ventre (on ne sait jamais) et glissa l'oreille vers la double porte qui murait le bureau paternel. C'était un réflexe qui s'était avéré fort lucratif avec le temps : le nombre de business que Jonathan avait montés en écoutant aux portes chez lui était impressionnant. Le vieux tenait ses réunions importantes confidentielles non pas au palais, mais en lieu sûr, à la maison. Pour Jonathan, ç'avait été à la fois une leçon de vie et une mine d'or qui avait étouffé définitivement tout scrupule, s'il en avait eu.

Il retint son souffle :

– Mon ami, il y a danger. Quand on ne maîtrise rien, qu'il y a trop d'inconnus, il y a danger !

Jonathan s'arrêta net. Visiblement, son père était au téléphone et la durée des silences laissait penser que l'interlocuteur qu'il avait au bout du fil était quelqu'un d'important.

– Non, je n'ai pas plus d'informations et c'est bien cela qui m'inquiète... Je suis avec Gérald, j'essaie d'en savoir davantage, et je vous rappelle... Bien sûr, je vous tiens au courant. Ce n'est peut-être que du flan, allez savoir !... Bien sûr, bien sûr, mes salutations à votre épouse... Je n'y manquerai pas ! De toute façon, nous nous voyons samedi, à la rentrée solennelle... Au revoir, au revoir.

Un déclic.

Jonathan colla son oreille sur le bois odorant, sensation familière et toujours la même excitation, la voix du vieux :

– Il a l'air sérieux, même assez inquiet ! Gérald, y a-t-il quelque chose que vous me cachez ou qu'il faudrait que je comprenne ?

Jonathan regarda sa montre, il allait rater son rendez-vous, mais si son père était avec Gérald May, le chef de la police, il risquait de parler de « l'histoire » et cela valait le coup. La voix du commissaire :

– Comme je vous l'ai dit, ce sont des rumeurs, que des rumeurs ! Mais là, elles sont terriblement persistantes et elles arrivent de partout.

– Comment de partout ?

Le tintement de glaçons dans un verre.

– Eh bien de partout, des Brésiliens, des Indiens, des Saramacas, des Buchis.

Une pause.

– Et que dit cette rumeur ?

– Rien de très précis. Juste qu'un important chargement, le plus important jamais transporté dans cette partie du monde, se déplace en ce moment dans la brousse.

– C'est un peu n'importe quoi, non ?

Jonathan était tendu à se faire mal derrière sa porte, il écouta le silence qui suivit comme si sa vie en dépendait, suspendant son souffle. Il recommença à respirer, quand il entendit son père poser la question :

– Mais Gérald, c'est un chargement de quoi exactement ?

Et l'autre :

– Eh bien, justement, on ne sait toujours pas.

Jonathan décolla son oreille, la journée était foutue, il n'avait rien appris de plus que la dernière fois et il était en passe de rater son rancard. Quand il enfourcha son vélomoteur, la pluie avait recommencé à tomber, mais moins drue, elle fifinait sans discontinuer et les rues que traversait Jonathan soupiraient d'aise. « Avec ce temps de merde, elle risque d'être en retard, comme ça je n'aurais pas tout paumé aujourd'hui. » Il se remit à siffloter en slalomant entre les flaques.

# 9

À Campan, le calme était revenu. Après que la vie se soit enfiévrée et ait échappé à tout contrôle, après que les habitants aient eu le sentiment qu'ils devenaient fous les uns et les autres, après plusieurs jours d'errance où même la course du soleil ne voulait plus rien dire, tout avait repris sa place et le temps fraîchissait, ce qui accompagnait très efficacement le soulagement général. Il est vrai qu'il y avait eu des cris, des hurlements même et un enterrement.

Il était loin ce fameux samedi de canicule où tout était parti en eau de boudin.

Quand Félicité était repassée par son magasin et avait eu la désagréable surprise de tomber sur la chabine, elle avait l'esprit tellement occupé par un mauvais pressentiment qu'elle avait expédié l'affaire. Commençant par exiger de toute cette famille encombrante qu'elle décampe de chez elle (comme prévu, madame était venue avec les cinq enfants), elle avait ensuite mis du miel dans sa voix pour exprimer à la chabine qu'elle ne comprenait pas ce qu'elle cherchait ici même, qui était sa maison et sa boutique à elle. Que, non, elle n'avait pas vu son facteur de mari, d'autant qu'elle n'était même pas chez elle parce qu'elle était partie sur les traces de la petite Marie.

– Et d'ailleurs, vous qui êtes une mère, vous allez comprendre mon inquiétude ! (Baissant la voix, après le miel, elle rajouta le sucre.) Parce que je suis très inquiète pour Elsa, ça tombe bien que vous soyez là, vous allez pouvoir m'accompagner. J'ai franchement l'angoisse d'y aller seule, je monte me changer et je reviens de suite !

L'autre éteignit sa méfiance en montant sur les talons de Félicité et en découvrant un lit vide, bien que très défait. Philibert était si bien caché qu'elle ne le trouva point et d'une certaine façon, toute à son inquiétude, Félicité s'en foutait pas mal.

C'est ainsi que le silence revint autour de la boutique et qu'une étrange procession se dirigea vers l'entrée du bourg, vers la maison d'Elsa.

Et franchement, Félicité devait en convenir comme elle le raconta mille et une fois aux commères du village, elle n'avait jamais vu un pareil chagrin.

D'abord, tout du long, elles s'étaient égayées à des échanges polis sur la tenue du jardin de un tel ou une telle, la chabine ponctuant ses « milans » d'une injonction sévère ou d'une taloche à sa progéniture qui coursait les oiseaux, les iguanes ou les chiens qui aboyaient à leur passage.

Et puis, il y avait eu ce son, long et continu, une mélopée d'une tristesse déchirante qui n'allait nulle part. C'était juste devant la maison d'Elsa ou plutôt dedans.

La baraque racontait sa propre histoire : elle était montée de briques et de planches sans autre cohésion que l'opportunité de pousser les cloisons, d'ouvrir des espaces au fur et à mesure que les jobs de Rudy rapportaient de l'argent. Tout cela aurait été fort laid s'il n'y avait eu les plantes, une débauche d'acacias, dix espèces de crotons, des bougainvilliers, des zikaks, un manguier joufflu et un débordement de roses sauvages qui s'épanouissaient n'importe comment, mais donnaient un sacré bonheur à l'œil. Félicité n'avait jamais pu raccorder cette exubérance aux gestes étriqués de sa cousine ; pour elle, ce jardin était un mystère. Certes, elle avait plus d'une fois surpris

Elsa le tuyau ou l'arrosoir à la main, mais cela n'expliquait pas la joie que toutes ces plantes semblaient avoir à pousser dans ce jardin.

La mélopée venait de derrière les arbres, de l'intérieur. Rudy était prostré devant l'immense lit conjugal dans lequel s'égarait la forme ténue d'Elsa. Quand les deux femmes, après injonction aux enfants de jouer dans le jardin, pénétrèrent dans la chambre, elles crurent qu'Elsa était morte. La plainte continue de Rudy était comme une musique de fond qui tapait sur les nerfs – d'ailleurs il semblait ne même pas les avoir vues, il habitait ailleurs, embarqué dans son chagrin, repoussant le réel avec cet écran de bruit autour de lui. C'est la chabine qui la première réalisa qu'Elsa respirait, difficilement, mais elle respirait… On aurait juré qu'elle arrachait des miettes d'oxygène à l'atmosphère confinée de la chambre et à sa propre souffrance. Sa main, quand Félicité l'attrapa, était un oiseau brûlant, la peau de son visage dessinait un masque mortuaire, mais c'étaient surtout ses yeux, ils étaient tellement enfoncés dans ses orbites, tellement noirs, qu'ils flambaient, immobiles. Elle ne cillait même pas. En réalité, elle avait l'air beaucoup plus morte qu'une morte, plus effrayante aussi. Félicité éclata en pleurs en lui massant les mains, lui caressant la peau des joues, l'appelant de tous ses prénoms dont elle se souvenait, lui racontant mille et une histoires de leur enfance, mais rien n'y faisait, Elsa avait le regard fixe et la respiration acharnée.

La chabine, elle, fit deux choses : elle tourna sa masse imposante vers Rudy et lui dit « Ta gueule ! » – l'autre se tut immédiatement – puis elle tourna les talons vers la cuisine, y remplit un verre d'eau et revint vers le lit d'Elsa pour tenter de la faire boire. Aussi étonnant que cela puisse paraître, elle parvint à la redresser et à lui faire avaler quelques gorgées, mais ses yeux gardaient cette effrayante fixité, comme si toute son énergie était requise pour une tâche mystérieuse.

La chabine la regarda et murmura vers Félicité :

– Vous savez, je crois qu'elle attend. (Et vers Rudy) Vous avez le téléphone ?

Le géant avait les yeux gonflés. Il s'était mis à mesurer à grands pas la petite pièce et on le sentait prêt à pulvériser les murs avec ses poings.

– Marche pas. Le téléphone. En panne.

– Bon, on va prendre les choses en main.

La chabine ramassa ses jupes et ses enfants et jeta à Félicité :

– Vous allez chez Lulla, l'Indien, il a Internet. Il rameute l'hôpital, l'ambulance, le docteur, les pompiers... Moi, je ramène ma marmaille et vous – se tournant vers Rudy –, vous restez près d'elle et essayez de la faire boire, sans la forcer, je suis de retour dans une demi-heure.

Et quand Félicité partit en courant, elle l'accompagna d'un soupir, sentant bien que le temps de sa colère et de ses doutes était passé comme un nuage qui a oublié de lâcher son eau. Alors, d'un haussement d'épaules, elle regagna sa maison.

*

– Lulla ! Lulla ! (La voix en bas était pressante.) Lulla, vite, vite, il faut que tu nous aides à appeler l'ambulance ! Le téléphone... coupé... Lulla, je crois qu'il a fini par la tuer !

– De quoi tu parles Félicité ?

Lulla regardait le visage tout nu de Philibert au milieu de son escalier, aussi nu que le reste de sa personne, et il l'interrogeait du regard. L'autre était toujours hagard, les yeux exorbités par la peur que quiconque le trouve dans les parages.

Félicité grimpait les marches, toujours enveloppée de son calicot, son regard buta sur les mollets de son amant.

– C'est donc là que tu te caches mon vieux ? Eh bé, elle t'a cherché ta chabine ! (Et progressant vers Lulla) T'es plus d'actualité maintenant, Elsa va très mal, peut-être qu'elle est déjà morte. Tu peux parler à l'ambulance avec ta machine ?

– Pas l'ambulance, mais l'hôpital, oui.

– Alors tu fais ça, moi je repars chez Elsa et toi, Philibert, je te jette tes vêtements en passant, mais tu ne sors pas le bout de ton nez tant que la chabine est dans le coin. Elle est partie chez Elsa comme tout le monde.

Elle s'en fut en marmonnant : « Et la petite qui n'est même pas là. Disparue ! Y a un truc qui va pas bien ici, en ce moment… pas bien du tout ! »

# 10

Il y avait deux bougies sur la table qui faisaient scintiller les couverts, l'ambre dans les verres et les yeux de Julie. Alakipou était très embarrassé, il ne savait pas très bien par quel bout commencer, comment engager le dialogue avec une Occidentale. Déjà, il fallait remercier les esprits qu'elle soit venue seule et pas affublée de sa gravure de mode à qui, soit dit en passant, il toucherait bien quelques mots. Certes, il l'avait beaucoup écoutée entre l'aéroport et l'hôtel, mais pas assez ; il ferait donc à minima.

Elle était en train de rire à pleines dents d'une histoire du fleuve qu'il venait de lui servir en pilotage automatique et il profita qu'elle avale une gorgée de vin pour commencer :

– Il y a un homme dans ta vie ?

Bouche bée, elle le regardait comme une pièce de musée. L'escogriffe lui avait dit un jour : « Quand les hommes, surtout les hommes, parlent sans artifice, c'est que ce qu'ils veulent dire réellement est encore plus loin que leurs mots. N'oublie jamais cela mon petit. » Le souvenir de son sourire attentif était plus présent que la rumeur du restaurant ou que la lueur des bougies et Julie se mit en garde, il y avait quelque chose de naïf et de cruel chez son vis-à-vis, mais elle aimait bien la lueur de ses petites lunettes et la rondeur de ses joues.

– Il va falloir me dire ce que tu attends de moi, Alakipou, maintenant.

Ils se mesuraient des yeux par-dessus les parfums de crevettes.

– Moi ? (Il sourit.) Tu as des chaussures de marche ? (Et se penchant vers elle.) Une chose après l'autre… chaque question a son temps.

Elle laissa descendre le silence qui se recouvrit doucement d'un voile d'ambiance. Des femmes riaient à la table d'à côté, des bruits de couteaux, de fourchettes, Julie promenait les yeux sur tous ces bruits, on aurait pu se croire à Paris, le ronronnement des climatiseurs avait fait taire les crapauds et criquets, transformant la nuit tropicale en nuit ordinaire. Elle se sentit décalée, fatiguée, inappropriée, inadaptée, et continua à avaler ses crevettes sans les décortiquer.

– Il faut que tu enlèves les écailles autour de la queue, sinon tu vas digérer toute la nuit.

Un temps pour chaque question.

– Alakipou, on part où et quand ?

– Demain, à 5 heures. Et tu devrais te décontracter, ça ne sert à rien d'être prêt à bondir quand il n'y a pas de proie. Tu gaspilles…

– … Mon énergie, oui, je sais, on me l'a déjà dit.

Il lui accorda un long regard ; petit à petit réapparaissait l'espace qu'ils avaient tressé au moment de leur rencontre.

– Tu sais, je suis une teigne, Alakipou.

– Et moi un têtu ! Mon père disait toujours que si les noix de coco étaient aussi dures que ma tête, on n'aurait jamais connu la saveur de leur chair. Alors, tu peux craquer sur un mec ou pas ?

Julie explosa de rire. Elle était totalement sûre qu'il ne draguait pas, c'était autre chose.

– Je ne te le dirai pas.

– Eh bien, tu vois, sourit-il en ramassant l'addition, ça fait partie des choses qu'il va falloir que tu dises. Alors, autant t'exercer…, dit-il en se levant. Demain matin, 5 heures, je vous récupère toutes les deux. Que tes rêves soient riches.

Puis il disparut.

« Que tes rêves soient riches ! » Comment pouvait-on s'exprimer ainsi ? Voilà ce qui lui plaisait chez Alakipou, depuis les quelques heures à peine qu'ils se connaissaient, il n'avait pratiquement prononcé que des mots qui faisaient sens, c'était un homme de paroles. Elle en avait déjà croisé comme cela, qui étaient restés gravés dans son disque dur ; c'était à l'autre bout de la terre, les Canaques. Ces hommes-là soufflaient les mots et déjà cette musique convoquait l'importance, ensuite, ils allaient toujours au bout d'un cheminement sans jamais se perdre, leur raisonnement était comme un chemin, en le suivant tranquillement on allait forcément quelque part et à l'essentiel. Elle se souvenait de cette phrase que lui avait offerte un copain canaque qu'elle avait attendu deux heures pour aller à la pêche. À ses reproches, il avait seulement dit, tapotant son poignet et rigolant : « Julie, tu as la montre, moi j'ai le temps ! »

Souvent cette phrase la hantait, elle se la mettait en boucle comme un mantra quand elle perdait pied ou qu'à force de bousculer son corps et le pousser hors de ses limites, ce corps ne savait plus quels étaient ses désirs.

Elle fixa son attention sur un couple qui visiblement venait d'arriver dans le pays, leur peau transparente et leurs vêtements trop appropriés le disaient, en revanche eux ne se racontaient pas grand-chose et même rien du tout. Assis l'un en face de l'autre, ils ne parlaient pas, ne se regardaient pas mais accomplissaient de manière parfaitement synchronisée les gestes automatiques qui leur permettaient de se nourrir ensemble. Se passer le pain, le beurre, le sel. Demain, ils partiraient en excursion, seraient super attentifs à leurs camarades de jeux, les compagnons rêvés exemplaires, ils feraient des photos et au retour partageraient tout cela avec leurs amis respectifs en ayant passé huit, dix jours à ne rien se dire. Elle revint à son vis-à-vis.

C'est en se bagarrant contre sa solitude qu'elle avait trouvé le forum de discussion de l'Amérindien. Elle y avait participé pendant deux ans, racontant d'elle-même ce qu'elle pouvait raconter, c'est-à-dire le bac à 12 ans, les études d'ingénieur, l'apprentissage en Chine avec son maître des médecines naturelles. Rien sur ses exploits pour le gouvernement, rien non plus sur ses « dons » ou cette clairvoyance particulière qu'elle avait développée en terre asiatique, rien non plus sur ses préférences sexuelles et sa pratique des arts martiaux.

Alors, elle savait que les questions d'Alakipou n'étaient pas « n'importe comment ». Parce qu'en fait, à tout bien réfléchir, elle avait été quasiment convoquée sur le forum de lecture. Son ordinateur avait clignoté comme un agonisant et elle avait trouvé un laconique message qui lui demandait de se rendre en Amazonie avec la date, l'heure, la destination, le numéro de vol. Le plus extravagant, c'est qu'elle ne savait pas de qui venait le message, de personne, de nulle part ? Simplement, dans les forums de discussion, elle avait vu apparaître comme tant d'autres la signature d'Alakipou le poète. Ainsi, pour l'instant, son seul lien avec tout cela c'était lui, et sa seule intuition était qu'elle n'était pas la seule à avoir reçu le message.

Elle plia sa serviette et partit rejoindre Maïla. Il était tard, elle était fatiguée et l'escogriffe n'avait pas rappelée.

# 11

Félicité ouvrit tout grand les volets et les fenêtres de sa chambre afin que le souffle lointain de la forêt vienne laver la petite pièce de tous les effluves d'amour et de colère qui y avaient transité cet après-midi-là, puis elle passa sous la douche, remerciant le Seigneur qu'elle priait tous les jours pour le bonheur que lui procurait cette eau sur son corps enfiévré. Elle resta longtemps sous la douche, réfléchissant aux aléas de sa vie, se repassant le film des dernières heures jusqu'à l'image désopilante des mollets de Philibert dans l'escalier de Lulla. Et là, elle explosa de rire : s'il n'était pas ridicule ce Philibert, dressé sur ses ergots dans l'escalier de Lulla, terrorisé par la colère de sa femme et incapable de renoncer à ses ébats d'après-midi avec elle ! Parfois, elle se demandait quand même si tout cela était bien chrétien et si le plaisir qu'elle partageait avec le facteur était bien droit dans le chemin que lui traçait le Bon Dieu. Pourtant, elle essayait, elle essayait tous les jours d'être parfaite, elle croyait au bonheur qui allumait des étoiles dans les yeux du facteur quand il la serrait dans ses bras maigres, elle croyait au bonheur qu'elle arrachait à son propre plaisir quand l'orgasme lui empoignait les reins, faisant d'elle cet ouragan sucré qui emmenait dans une spirale infinie tous les hiers qui l'avaient meurtrie, elle croyait au bonheur qu'elle quémandait dans les yeux des enfants, surtout dans les yeux de Marie. Marie ! Non de non ! Elle accéléra le mouvement, enfila un chemisier immaculé sur un jean dont elle ne réalisait même pas qu'il lui moulait les fesses à encorner un diable, attrapa des baskets et se précipita dans la chaleur déclinante qui emportait le jour.

« Pourvu que Lulla ait pu joindre l'ambulance… », elle n'avait même pas eu le réflexe d'essayer d'appeler depuis son téléphone, peut-être qu'il fonctionnait à nouveau. C'était tellement courant à Campan : les pannes inexpliquées, les réparations inexpliquées ; cet endroit était oublié de Dieu, un jour elle partirait ! Tenter ailleurs ce qu'elle n'avait pu réussir ici, elle ne savait pas bien quoi, mais tenter… un jour !

Quand elle se pointa chez Elsa, l'ambiance avait beaucoup changé. Il y avait au moins trois cents personnes, qui débordaient de la maison jusqu'à la rue en piétinant allègrement la truculence du jardin.

– Faites attention où vous mettez les pieds ! C'est le jardin d'Elsa ! Pas les bougainvilliers ! cantonna-t-elle.

Tout le monde l'agrippait :

– Rudy, Félicité, Rudy, il pète un câble. Il faut faire quelque chose. La chabine est revenue, Félicité, elle est dedans !

Celui qui parlait l'air matois était un RMiste, intime copain de Philibert. Félicité le gratifia d'un « tchip » retentissant et passa son chemin.

– Il paraît qu'Elsa se meurt… Cette fois c'est pour de bon, chuchotait-on.

C'est alors que Marie arriva, talonnée par un Tiouca qui avait l'air complètement hagard. Elle s'empara de la tiédeur de la main de Félicité et c'est ainsi armurée qu'elle pénétra dans la maison.

Rudy était toujours à la même place, debout dans son impuissance, les poings serrés sur une colère nouvelle qui lui déchirait les entrailles d'une douleur plus forte que toutes celles qu'il avait connues. Si quelqu'un, qui que ce soit, lui avait expliqué que cela s'appelait le chagrin, il lui en aurait collé une à deux mains.

Dans la petite chambre, il y avait du monde, le responsable du temple, mais aussi le curé et aussi le Chinois qui vendait le poisson séché en adorant Bouddha et aussi le boucher qui, quand il ne découpait pas la viande, versait des offrandes à ses dieux à six bras sur son autel multicolore. Il y avait du monde sauf le médecin, pas l'ombre d'un infirmier, et des voix de femmes derrière commençaient à psalmodier des chants d'une tristesse et d'une solennité déchirantes. Félicité échangea un regard avec la chabine qui secoua la tête. Dans le murmure aérien des notes qui montaient, le petit corps d'Elsa se battait encore avec la mort et tout s'arrêta quand la fièvre de son regard tomba sur le visage de Marie. On eût dit, et c'est ainsi que le racontèrent les témoins, que les bruits, les odeurs et la foule s'écartèrent pour laisser passer la paix, car Elsa sourit, d'un lent et beau sourire qui étira ses lèvres jusqu'à ses yeux et ce sourire regardait Marie comme s'il la voyait pour la première fois. La petite s'était tue, il y avait bien de l'eau sur son visage, mais cela ressemblait davantage à la pluie quand le ciel est généreux qu'à un déluge de chagrin. Entre elles, il n'y eut pas un mot, seulement un souffle qui sortit une dernière fois de la bouche d'Elsa : « Marie », comme une offrande, et elle ferma enfin les yeux.

C'est ainsi que mourut Elsa, c'est en tout cas ainsi qu'on le raconta dans le village à tous ceux qui n'étaient pas présents ce jour-là dans la petite maison du bout de la rue. On dit aussi que l'ambulance arriva fort tard à grand renfort de « pin-pon » et de crissements de pneus et que, comme d'habitude, Campan se trouva scindée en deux camps, prêts à en découdre : celui de ceux qui étaient pliés de rire devant le ridicule de la situation, et celui de ceux qui laissaient monter en eux la colère d'être toujours les laissés-pour-compte d'un système qui allait mesurer son efficacité ailleurs ; toujours ailleurs.

Mais de toute façon, tout le monde s'accorda au moins sur la certitude qu'Elsa avait réalisé une mort magnifique, bien plus magnifique que sa vie, et pour ce moment magique, chacun lui disait merci, du fond du cœur.

Son mari avait déposé sa colère en même temps que le sourire d'Elsa illuminait la chambre mortuaire ; il n'était plus qu'une loque sanglotante sur laquelle personne n'osait poser le regard.

Quand il fut bien clair que les yeux d'Elsa étaient éteints à tout jamais, les chants redoublèrent de vigueur pour étouffer les sanglots qui se perdaient dans la foule, et les murmures des conversations se glissèrent doucement au travers des fenêtres ouvertes. Félicité et la chabine s'étaient rapprochées de Marie, l'une pleurait bruyamment, l'autre s'essuyait furtivement les yeux avec le dos de sa main, qu'elle avait fort potelée. La petite Marie, elle, étalait sa peine d'enfant sur un visage extasié, encore tout illuminé du seul et dernier sourire de sa mère.

– En fait, je m'appelle Élisabeth, dit la chabine à l'oreille de Félicité. Et mon père m'appelle Lisa.

Félicité l'enveloppa d'un air reconnaissant, avec le sentiment que cette femme-là venait de lui dire la seule chose qu'elle supportait d'entendre, là, à ce moment.

Le silence s'étira entre elles.

– Il faudra faire quelque chose pour la petite, on ne peut pas la laisser avec cette brute épaisse !

Félicité la regarda, effrayée :

– Mais c'est son père, quand même !

La chabine lui renvoya placidement :

– Eh bien, regardez-le !

Elle le regarda. Rudy était répandu sur un banc près de la fenêtre, et visiblement, quelques âmes charitables avaient déjà commencé à soulager sa peine en lui servant verre sur verre. Il en tenait une bonne et avait un mal fou à garder sa pogne fermée sur un gobelet dans lequel dansait un liquide ambré qui n'était pas du café. Il dodelinait de la tête, mêlant ses larmes et sa morve dans un désespoir qui l'excluait du réel.

– Un chagrin pareil, ça se respecte, fit la chabine en glissant ses yeux clairs vers Félicité.

Pour le coup, elle se demanda pourquoi et comment elle avait pu estimer que cette femme était une imbécile. Non seulement elle n'était pas sotte, mais en plus elle pouvait être drôle, ce qui, vu la circonstance, était super malvenu. Mais, oui, elle était drôle. Félicité sentit monter le fou rire, parce que, non, Rudy exhalant un respectable chagrin, c'était trop fort pour elle, trop dingue !

– Élisabeth, vous ne parlez pas sérieusement. Il… il l'a battue comme du manioc toute sa vie et…

– Chut, fit-elle dans un regard vers Marie, bien sûr, je sais, mais appelez-moi Lisa. Et dites-moi « tu », tant qu'on y est.

Puis elle contempla Félicité de ses yeux qui lui parurent glacés.

– Vous êtes vraiment étrange, Lisa… J'attendrai un peu pour le « tu ». Elsa était ma cousine et je ne l'avais jamais vue sourire avant. Si, peut-être une fois, nous étions toutes petites, à l'église, le jour où elle a avalé l'hostie pour la première fois. (Elle balaya le lit de la main.) Elle avait cet air-là, c'est vrai, exactement cet air-là. (Elle se leva.) Il faut que je foute le camp d'ici !

Brutalement, Félicité avait senti la colère l'inonder comme la mer se gonfle à la pleine lune. Une colère sans sommation, une envie de gifler la morte et de lui hurler à la face : « Alors, tu savais l'étirer ta putain de bouche qui aurait mis le soleil dans les yeux de ta fille ! Alors, tu l'avais en toi ce putain de sourire de merde qui a rendu fous tous ceux qui t'aimaient ! Parce qu'on ne le voyait jamais ce putain de merde de sourire ! Ou est-ce qu'on n'était pas assez bien pour… Y en avait que pour l'autre, là-haut, celui qu'est jamais là quand on l'appelle, mais qui demande qu'on lui lèche les couilles au moins une fois par semaine, dans cette putain de gigantesque partouze qu'est la messe du dimanche ! »

Quand elle réalisa qu'elle avait parlé à voix haute, il était trop tard. Autour d'elle, le silence était épais comme le goudron et aussi horrifié que les yeux que la chabine levait vers elle. Seule Elsa souriait dans son éternité.

Ce fut Marie qui « rechapa » la situation en refermant ses bras autour de Félicité :

– Ne pleure pas Félicité, ne pleure pas, maman est tellement heureuse maintenant, tu vois bien elle est heureuse, avec le Bon

Dieu ! Il faut comprendre ! Elle voulait que tu m'emmènes ! Tu m'emmèneras, hein ?

L'autre miracle fut que les conversations reprirent lentement, comme extirpées de l'invraisemblable sortie de cette femme que l'on connaissait si bonne et toujours si douce, et que Félicité put enfin toucher le visage d'Elsa avec ses mains et l'embrasser et tout et tout, et que la chabine mit de l'ordre en exigeant que tout le monde sorte, afin que l'on procède à la toilette de la morte et qu'on la pare pour la veillée, comme il se doit, à Campan, comme ailleurs.

*

Ils allaient en silence dans la nuit qui était aussi sombre que la gorge du serpent. Ce soir, les étoiles étaient trop loin et leur lumière ne passait pas l'obscurité, quant à la lune, elle refusait de décoller son croissant famélique de l'horizon. Tiouca marchait devant à grandes enjambées, précédant Félicité, il avait collé son pas au sien, refusant de la laisser partir seule chez elle à pas d'heure. La chabine, qui les avait vus quitter la maison d'Elsa, pensait surtout qu'il avait voulu lui tenir la main après son suicide verbal de tout à l'heure pour la protéger des autres et de sa propre folie.

Félicité marchait en comptant ses pieds, comme elle le faisait déjà toute petite quand elle voulait chasser la peur et son cortège d'ombres : un pied, deux pieds, trois pieds, quatre pieds... quatre-vingt-huit pieds. Ses yeux lui brûlaient le visage, son cœur lui battait les tempes, elle avait du mal à se souvenir de son nom. Elle regardait l'ombre large du dos de Tiouca juste devant elle, et suivait comme on se noie.

Lui savait que s'il ne parlait pas, elle ne dirait jamais rien. Il avait peur de son silence, mais d'un autre côté, il ne lui avait plus jamais adressé la parole depuis la douloureuse affaire des macaques. Il se racla la gorge :

— En même temps, Félicité, si Elsa n'avait pas souri cette fois-ci, elle ne l'aurait plus jamais fait et Marie aurait été malheureuse toute sa vie, non ?

Cent vingt, cent vingt-et-un... cent trente-trois...

– J'arrive pas à me rappeler le visage de ma mère, guerrier, j'ai beau essayer, j'arrive pas.

Deux cent dix, deux cent onze pieds. Ils continuèrent sans échanger ni regards, ni paroles. Le ciel était lourd, mais plus ils avançaient, plus le silence s'allégeait jusqu'à n'être plus qu'un fil ténu qui les liait comme un serment. Campan, la nuit, était comme un îlot défriché, étouffé par la jungle. La Grand-Rue, qui en fait n'était pas si grande que cela, transversait des sentiers qui partaient vers nulle part au gré des baraquements sauvages que la vie avait poussés çà et là. Tout du long des flaques de lumière tombaient mollement des lampadaires que la municipalité n'avait pas renouvelés depuis des décennies. Parfois, deux ou trois d'entre eux rendaient l'âme, créant des trous noirs, percés par les fenêtres à travers lesquelles on apercevait des gestes tranquilles de la vie ordinaire. Ce soir, il n'y avait pas une loupiote, pas un mouvement, le dernier souffle d'Elsa avait aspiré toute l'énergie du village. Félicité frissonna dans la moiteur du silence ; elle écoutait la respiration de Tiouca et cadençait ses pas sur son rythme pour ne pas briser la magie.

Trois cents, trois cent un, trois cent deux, trois cent trois pieds...

Jamais, au grand jamais, elle ne s'était sentie découragée par rien, elle avait toujours mordu sa vie à pleines dents, même les jours où il y avait plus d'os que de chair à attraper, mais cette fois, elle était trop fatiguée. Elle avait juste la force de poser ses pas dans une trace sans regarder, sans penser. L'autre qui avait chez Elsa prononcé ces paroles horribles, l'autre l'avait terrassée. K.O. debout pour le coup, elle se persuada qu'elle ne s'en relèverait pas, d'autant qu'elle avait beau chercher, elle ne retrouvait pas la rage qui lui avait pris la gorge et l'avait serrée jusqu'à sortir tout ce jus mauvais qui sommeillait en elle.

Quatre cent dix, quatre cent onze...

– Tiouca, pourquoi tu n'es jamais revenu ?

La question resta suspendue.

Tiouca écrasait des feuilles mortes et Félicité trottinait.

– Marie était chez moi tout l'après-midi… (Il finit par jeter un œil par-dessus son épaule.) Elle cherchait ta grand-mère, elle pensait qu'elle aurait les plantes pour faire tomber la fièvre et guérir Elsa.

Félicité stoppa sa marche net. C'était juste trop, là, tout de suite, trop.

– Ma grand-mère est morte depuis longtemps, tu dis des sottises.

Et elle s'éloigna de lui à toute vitesse. Il la regarda s'enfuir sans chercher à la rattraper. Il la suivrait de loin jusqu'à sa maison, mais il lui cria quand même :

– Elle n'est pas morte, je l'aperçois de temps en temps à l'entrée de Bois Peut-Être ! Et ton ragoût disparaît chaque semaine ! (Il termina dans sa barbe.) Sauf cette semaine.

Il la rejoignit devant sa porte, pris d'envie de l'envelopper sur sa poitrine et de calmer l'affolement de ses yeux. Elle tremblait de tout son long, les bras pendant de chaque côté du corps, tellement perdue que Tiouca se jura de ne jamais en parler à personne.

– Elle n'est pas morte, Félicité, tu le sais bien, toi qui poses chaque semaine ton ragoût sous mon ajoupa. Tu sais, elle le récupère, ou elle l'envoie chercher par les Indiens… On dit qu'elle n'a pas toute sa tête, mais je crois qu'elle va bien. (Il se sentait embarrassé par son regard, trop fixe, trop vide, trop loin, et son visage qui aspirait la lumière du réverbère en se refermant. Il continua.) Je l'ai aperçue quand même deux fois ces derniers temps, deux fois, elle est très vieille et elle est vieille depuis un paquet de temps. Ça lui fait quel âge Félicité ? En fait, je suis sûr que tu lui manques, parce que, quand même, tu es sa seule famille. C'est tout ce qu'il reste.

Il occupait le silence tant bien que mal, il n'avait jamais été doué pour les mots et s'en accommodait d'autant mieux qu'ils ne lui servaient pas à grand-chose. La plupart de ses conversations se déroulaient avec lui-même, sans beaucoup de phrases, ou avec la nature, et là il balançait des paroles dans le désordre, comme des musiques improvisées, ou encore, mais très rarement, avec des gens, et là généralement, il écoutait sans ouvrir la bouche.

Félicité avait récupéré ses clés au fond du panier qui lui servait de sac. Elle avait l'air mieux, elle s'énervait sur le cadenas de son rideau en marmonnant qu'il était temps qu'elle se fasse une porte normale pour entrer chez elle, car ce n'était pas une vie de batailler chaque fois qu'elle voulait rentrer ou sortir de chez elle, avec les grilles de son magasin.

– Je crois vraiment qu'il faut que tu ailles la voir, Félicité.

Elle allumait les néons.

– Pour quoi faire ? Elle s'en fout, la vieille. Non seulement elle a plus sa tête, mais en plus, elle m'a jamais supportée. Tu veux un rhum, Tiouca ?

Le guerrier aspirait à pleins poumons l'odeur de morue et de cochon salés qui s'exalait de l'étuve de la boutique. Il aimait cette odeur, elle lui disait toujours que la femme là, debout sous la lueur blafarde des tubes, lui avait ouvert sa porte et un peu de ses bras.

– Elle s'en fout pas, Félicité, elle s'en fout pas. Et je vais m'en aller.

– Quoi ? Où ? Où ? Mais où tu vas aller ? Dans ton tas de planches qu'un jour tu vas te faire griller ou assassiner par n'importe qui... C'est pas assez bien pour toi ici ? Tu aimes pas l'odeur ? Tu aimes pas Félicité ? Ici, ça sent le travail monsieur, la sueur du travail. (Elle faisait de grands pas en disparaissant dans la cuisine, revenant avec des verres, replongeant à la recherche d'une bouteille.) C'est pas comme toi qui fous rien d'une journée entière ! Comment on peut ne pas avoir honte de gaspiller le soleil du Bon Dieu... De le regarder passer sans bouger... Tu bouges pas ta vie, guerrier. Pourtant t'es pas mort ?

Elle fracassa un verre sur une petite table qui affichait 124,90 euros, y laissa couler une bonne rasade de rhum, et y goûta avant de le tendre à Tiouca. Félicité avait des yeux grands comme des miroirs et tellement sombres qu'on avait peur de s'y noyer, c'est en tout cas comme cela que Tiouca voyait les choses. Et il n'aimait plus du tout être seul avec elle, ni qu'elle le regarde sans bouger les cils comme elle savait le faire.

– Je voudrais que tu restes Tiouca… Sa voix était comme une lampée de rhum quand tu as trop soif pour boire de l'eau.

– Au revoir Félicité. Si tu as besoin de moi ou quoi que ce soit d'autre, tu sais comment faire. Mais tu devrais aller la voir.

Une fois qu'il eut été avalé par la nuit, Félicité tomba dans un fauteuil qui affichait 207 euros et enfonça son visage dans ses mains. La vieille était partie un jour sans rien dire à personne. Au retour d'un aller à la capitale, Félicité avait trouvé le réchaud froid comme la mort alors que la vieille avait coutume de se bourrer de café toute la journée, la maison et la boutique étaient propres comme un sou neuf, astiquées même là où ce n'était pas possible, derrière les cartons dans le dépôt. Quand Félicité se jeta dans la chambre, elle réalisa tout de suite que manquaient les magnifiques robes immaculées que sa grand-mère conservait comme des reliques dans son armoire. Dans un exceptionnel moment de générosité, une fois, la vieille lui avait promis de les lui donner quand elle serait grande, et ce jour-là, les yeux secs, Félicité contempla sa solitude après la disparition de sa grand-mère et des grandes robes. Elle n'en parla à personne et fit le compte de ce qui lui manquait en même temps que sa grand-mère. En fait, rien de nouveau, elle avait toujours manqué de la bonté d'un regard, de la complaisance d'une oreille, sans parler de l'impensable : quelques caresses distribuées comme ça, entre les taloches et les petites méchancetés comme le démêlage des cheveux. Elle avait gardé les yeux secs et brûlants quand les gens du village avaient commencé à lui poser des questions sur l'absence de la vieille. La rumeur disait qu'elle était chez les Indiens dans la forêt, c'est ainsi que Félicité qui cherchait un signe se mit à lui poser chaque semaine une gamelle de son plat préféré dans l'ajoupa de Tiouca, parce que celui-ci s'étalait au commencement de la forêt. Au bout de plusieurs mois, elle s'était dit que la vieille ne pouvait survivre, à son âge, dans l'environnement minimum et implacable des bois. Cela dit, la rumeur racontait que les Indiens l'avaient récupérée et s'occupaient d'elle. Peut-être, mais Félicité savait que sa grand-mère était partie sans les médicaments qu'elle avait obligation de prendre pour ralentir l'invasion de la maladie. Déjà la mémoire du présent lui échappait, tous ses repères effrités, mangés par un passé qui résurgeait, gonflé d'impérieuses lucidités.

Félicité revisitait tout cela, enfermant l'univers dans l'ombre de ses paumes, peut-être qu'elle allait pleurer, peut-être qu'elle allait enfin pleurer, et alors elle pourrait repartir…

# 12

Tiouca fuyait. Il avait bien trois quarts d'heure de marche dans une obscurité plus profonde qu'une tombe avant d'arriver à son ajoupa. Mais ses pas connaissaient le sentier mieux que sa tête, cela lui laissait tout le temps de réfléchir et, s'il voulait, il pouvait parler à la lune, même si, ce soir, elle ne montrait pas le bout du nez. Il était en train de lui expliquer que « non, non », il n'était pas du tout en train de se déchirer les boyaux à se carapater comme un lâche qu'il avait toujours été pour mettre le plus de distance possible entre le regard de Félicité et lui. Que « oui, oui », il allait quand même s'occuper un peu de ne pas la laisser s'emmurer dans la même solitude que lui parce que « non, non », la solitude c'était pas fait pour les femmes, surtout une femme comme elle qui avait tant de surface de peau à caresser, tant de douceur de bouche à embrasser, et que ma foi c'était un vrai crime contre l'humaine nature qu'un cul comme celui de Félicité ne serve qu'à s'asseoir, et que « oui, oui », c'était normal qu'elle s'envoie en l'air avec plein de types qui devaient être fous d'elle et qui étaient assez courageux pour accepter la noyade dans ses yeux. Il soliloquait tout cela en traçant dans la nuit, quand il perçut un bruit différent. Ça faisait « tshiit, tshiit » dans les fourrés, comme un frottement qui n'était pas au rythme de la brousse. Il y avait quelqu'un qui courait en même temps que lui. Il n'était plus très loin de Bois Peut-Être et, de toute façon, il n'avait pas peur. Ses lâchetés n'habitaient pas cet espace-là, sa relation avec la nature était encore pleine d'énergie et de vérités, c'est seulement avec les humains que ça merdait ; pour tout le reste il se débrouillait assez bien. Il s'arrêta pour uriner – il avait bu trop de bières comme d'habitude – et aussi pour écouter. Il n'y avait plus que le bruit de sa pisse qui giclait sur une large feuille de giraumon, le « tshiit, tshiit » s'était arrêté. Il remit son sac à l'épaule et continua à s'enfoncer dans la nuit, la main sur la lame qui l'accompagnait jusque dans son sommeil. Tiouca savait qu'il n'avait rien à donner à personne, ni à se faire voler, on lui prendrait quoi ? Son couteau ? Le cordon qu'il se nouait autour des reins ? Ses papiers ? Ils étaient enterrés quelque part dans une boîte en fer-blanc. Il était « involable », mais dans ce coin du monde on avait parfois vu des choses extravagantes, et des hommes et des femmes qui allaient plus nus que le dos d'une main s'étaient bien retrouvés la gorge fendue d'une oreille à l'autre sans que l'on ait jamais compris ni par qui ni pourquoi, par conséquent, il convenait d'être prudent même pour un type comme lui.

– Psstt… Tiouca, c'est moi… C'est Lune.

Il remisa sa lame et relâcha les épaules. Il connaissait bien Lune, c'était une gamine très dégourdie qu'il avait sauvée de la morsure d'un serpent. Elle venait souvent le voir avec ses livres de classe et lui posait plein de questions sur tout ce qu'il y avait dans les pages et à l'extérieur de son univers. Au début, accroché qu'il était à sa paix tel un naufragé à son rocher, il n'avait rien voulu entendre et l'avait envoyée paître. Ensuite, il avait essayé le silence et c'est là qu'elle avait trouvé la faille. Elle pouvait le suivre pendant des heures, le bombardant d'une déferlante de paroles avec des points d'interrogation partout, et comme il ne disait rien, elle n'arrêtait pas de trottiner et de parler. À la fin, il s'était assis, s'était roulé une cigarette et elle s'était tue à ses côtés. Après, elle avait commencé à répondre à ses propres questions et il corrigeait quand elle se trompait, surtout en maths et en physique et en histoire-géo. En fait, il s'était vite rendu compte qu'il aimait bien ça, et Lune avait un physique tellement ingrat avec tous ces boutons d'acné sur sa peau grasse, ses rondeurs mal réparties, que c'en était reposant. Ils avaient tissé lentement la toile d'une amitié de passage qui s'en irait sûrement avec la vie, parce que, vraiment, elle ne reposait que sur un amoncellement de paroles.

– Comment tu peux être dehors à cette heure, Lune ? Où sont tes frères ?

– Ils sont chez nous, mais il fallait vraiment que je te parle.

Elle avait l'air complètement survoltée, Tiouca se demanda si elle n'avait pas bu.

– Ce soir ? À cette heure ? Il est plus de minuit, vous perdez tous la tête en ce moment !

Lune habitait un ajoupa sur les berges, là où la rivière s'enfonçait vraiment dans la brousse. Sa mère était morte en poussant trop fort pour la sortir du ventre qui avait déjà donné quatre garçons à la tribu dont son père était le chef. Rupture d'anévrisme, à l'hôpital ils n'avaient pu rien faire d'autre que mettre le bébé vagissant entre les bras de l'aîné des garçons, le père avait détourné le regard… Elle avait donc poussé avec les herbes au bord de l'eau, au milieu des garçons qui la protégeaient de tout et ne lui enseignaient rien. Son père pensait que l'école s'en chargeait pour partie et que les autres femmes de la communauté s'employaient au reste. En fait, Lune aimait bien sa vie, elle avait seulement le sentiment d'un appétit qu'elle n'arrivait pas à rassasier. Elle se jetait avec voracité sur tout ce qui passait à portée de son regard : les livres et les journaux, particulièrement les journaux, provoquaient chez elle une véritable frénésie. Pas le quotidien du pays qui mettait bien vingt-quatre heures à remonter jusqu'à Campan, mais surtout les hebdomadaires, qui, eux, mettaient une semaine pour traverser la mer et atterrir chez Félicité. Tous les jeudis, elle attendait la livraison devant les grilles du magasin ; elle aimait bien *Le Nouvel Obs* et *Paris Match* et, une fois par mois, le *Brasilio* qui arrivait de Belém au gré des mouvements sur le fleuve. Elle comparait la manière dont les hommes écrivaient le monde et décida que c'était important. Certes, il y avait déjà la langue qui mettait des musiques différentes dans les mots, mais il y avait aussi les préoccupations ou questions de chacun ; elles étaient…

– Tu comprends, Tiouca, avait-elle dit au guerrier un jour de monologue, tu comprends, c'est comme deux planètes différentes. (Puis en posant le menton sur son poing fermé comme si elle répondait à une question qu'elle se posait depuis longtemps :) Je crois qu'en France on se noie proprement dans plein de détails, tu vois, alors qu'au Brésil on nage salement dans plein de trucs essentiels.

Après un long silence, Tiouca lui avait renvoyé :

– Et moi je crois que tu n'en sais rien, en tout cas que tu n'en sais pas assez pour parler aussi fort !

– Tu dis comme mon père… mais, Tiouca, je ne crois pas que je vais attendre qu'on me donne l'autorisation de parler pour parler, sans quoi je parlerais jamais.

Il se gratta la tête.

– Arrête, vous les filles des tribus, vous pépiez sans arrêt comme des moineaux.

– Je crois que je serai journaliste quand je serai grande. Au Brésil.

À l'époque elle avait 12 ans, aujourd'hui elle en avait quatre de plus et passerait son bac dans deux ans. Jamais, au grand jamais, elle ne se baladait à ces heures de la nuit toute seule sans aucun de ses frères.

– Tiouca, il se passe des choses avec la vieille… J'ai besoin que tu m'expliques.

Il s'engagea dans le sentier à sa suite, il allait la ramener jusqu'à sa porte puisque c'était son job du jour, et puis il allait dormir et sortir de la vie des autres pendant au moins deux jours.

Lune parlait en marchant. Là-haut, deux têtes d'épingle s'allumèrent dans l'opacité du ciel. Ce soir, les grands arbres étaient aveugles et Tiouca se sentait fatigué, très fatigué.

– Alors un jour, elle leur a demandé de l'attacher, de l'attacher n'importe où quand arrivaient les maux de tête. (Elle marchait en levant les yeux vers lui.) Je pense, Tiouca qu'elle ne voulait pas se perdre. J'ai lu beaucoup d'articles sur la maladie d'Alzheimer et je sais que c'est ça, sa maladie. On sait plus où on est, on sait plus qui on est, on se perd, on reconnaît personne. On déconne à fond quoi! (Elle s'énervait.) Alors nous, on l'attache pour pas qu'elle se fasse de mal ou qu'elle en fasse à quelqu'un et puis aussi parce qu'elle dit des choses et les anciens pensent que ce sont des choses importantes. L'esprit qui met des mots dans sa bouche ne s'est jamais trompé. (Elle accorda son pas au sien.) Tu sais, la première fois c'est elle qui est venue nous voir avec les cordes et nous a demandé de l'attacher. Elle avait trouvé la grotte, celle où l'on ne doit pas rentrer. (Elle marqua une pause, il percevait à peine le blanc de ses yeux.) Et je te jure que ça a été un grand moment quand mon père et mes frères ont compris qu'elle vivait là depuis un moment en buvant l'eau de la source et en suçant les racines et puis ton ragoût, une fois par semaine.

Il décolla les lèvres.

– C'est pas mon ragoût, c'est celui de Félicité.

Elle continuait.

– Et surtout, ils ont réalisé qu'elle vivait dans la grotte et qu'elle y était bien. Elle avait fait bouger la malédiction, alors ils se sont occupés d'elle et toute la tribu a été d'accord. (Elle accéléra le pas et son débit.) C'est surtout mes frères qui s'en occupent, moi je l'ai fait hier pour la première fois… et j'ai eu très peur.

Le silence et le bruit des pas sur le limon des feuilles, Tiouca s'arrêta pour l'observer.

– Peur de quoi?

– Peur d'elle! Elle est comme un gros insecte qui crache des mots que les anciens accommodent pour faire des paroles. Tu ne le répéteras à personne s'il te plaît Tiouca? S'ils savaient que je te parle, ils m'enverraient au Surinam et m'empêcheraient d'en sortir. Et moi, je mourrais d'ennui. (Elle reprit sa marche, ils étaient en train de passer l'ajoupa de Tiouca, sa maison à elle était plus loin enfoncée, entre la rivière et la jungle, et elle se signalait par la barcasse qui se balançait au bout d'un ponton de fortune.) On a été obligés de changer la corde, parce qu'elle se débattait et qu'elle se blessait. Alors on lui a fait des menottes doublées de tissu, raccrochées à deux grandes chaînes, tu vois ? C'est moi qui ai cousu le velours, je l'ai mis épais comme un coussin, et tout blanc, comme ça, on le lave dès qu'il est sale.

Tiouca essayait d'imaginer la tête du procureur si lui arrivait à l'oreille le traitement infligé à une des ouailles de la République. Il étira un grand sourire sur sa face, jusqu'aux yeux, et le médecin-chef de l'hôpital, il aimerait lui balancer l'information, juste pour voir son petit corps de coq crépiter de colère, de commisération toute faite pour les « sauvages qui vivaient ici », et mettre enfin deux bonnes claques à ses certitudes. Après tout, si ses souvenirs étaient bons, il avait prédit à la grand-mère de Félicité un sursis de deux ans, or ça faisait plus de cinq ans qu'elle se faisait ligoter par les Indiens, et pour l'instant ça marchait plutôt pas mal. Alors, il avait des spasmes de rire qui lui remontaient la colonne vertébrale. « C'est pour ça que j'aime ce pays. » Il demanda :

— Qu'est-ce qu'elle dit de si important, la vieille ?

— Elle parle tout le temps d'un enfant qui doit partir. Tout le temps, rejoindre sa mère, enfin je ne sais pas. Hier, c'était la première fois que je l'approchais pendant la crise et c'est moi qui dois ramener sa parole à mon père, afin qu'il la donne au chaman qui saura quoi faire.

Ils se turent, la nuit était saturée de sons. Tous deux connaissaient chaque souffle des animaux, chaque mouvement des grands arbres, chaque chuchotement de la rivière, et ils attendaient toujours toutes ses improvisations qui font bouger l'imaginaire des hommes.

— Qu'est-ce qui te fait peur cette fois ?

— La vieille.

Il réfléchit.

— Pourquoi ?

Elle chercha ses mots.

— On a de plus en plus de mal à la calmer. Après le bain, c'est moi qui ai fait le massage, elle a des gros nœuds dans le cou. Elle est chargée, et on fait de plus en plus vite pour l'attacher de plus en plus fort. Je ne suis pas sûre que ce soit bien. Elle se débat beaucoup et…

– Et tu demandes si ça lui fait encore du bien ? (Une éclaircie apparut dans les frondaisons, une respiration dans l'obscurité, il ralentit le pas.) Tu sais, Lune, sa petite-fille m'a dit que les médecins lui laissaient très peu de temps à vivre, et regarde aujourd'hui, elle est toujours pleine d'énergie.

Elle s'arrêta à la hauteur du ponton, ils étaient arrivés.

– Sauf que je ne sais pas si son énergie est très positive aujourd'hui. J'ai attendu très longtemps avant de la détacher, elle ne revenait pas, Tiouca, malgré les herbes, le bain, les massages. Elle ne revenait pas et après, sous sa moustiquaire, dans son sommeil, elle m'a fait très peur.

– Comment ça ?

– Rien que la regarder. Rien que la regarder, j'ai eu envie de partir en courant ; alors je t'ai cherché.

Voilà : tout était dit. Tiouca remit ses pieds dans la direction de sa maison et lui jeta en partant :

– Je vais demander à tes frères de m'emmener la voir. En attendant, tu fais comme tu dois faire, tu vas écrire mot à mot ce que la vieille a craché et tu vas le donner à ton père. (Il lui tapota le bras et s'en fut.) À demain Lune ! Et dors un peu…

Lune le regarda disparaître et s'assit sur le cercle de pierre qui marquait l'entrée de l'ajoupa familial. Elle avait mal au cœur et était habitée par l'image de la vieille, enveloppée comme un insecte dans sa moustiquaire. « Qu'avait-elle dit, déjà ? Ah, oui, l'enfant. » Il fallait qu'elle se rappelle mot pour mot, ce serait plus simple. Elle allait chercher un cahier, un crayon et tenter de ne pas réveiller ses frères…

# 13

L'église vibrait sous sa charpente. Par les blessures du béton s'échappait un chant qui attrapait les entrailles et les emmenait là où il est plus simple de pleurer que de se battre.

Julie ne se posait même plus la question de comprendre ce qu'elle faisait là. Elle n'avait pas voulu entrer dans la cérémonie quand Alakipou lui avait expliqué qu'il devait s'arrêter dans ce village perdu pour un enterrement. Elle était donc restée dans la voiture avec Maïla, mais l'habitacle était vite devenu un four inconfortable, alors Julie était sortie après avoir baissé le volume de la radio ; et c'est là que les chants l'avaient cueillie au plexus.

Ici, les enterrements se faisaient toujours dans le cagnard de l'après-midi, car il fallait laisser du temps pour le cimetière avant que la nuit ne tombe. Julie avait vu passer une procession d'hommes et de femmes corsetés dans des costumes trois-pièces, sombres pour les hommes, et de dentelles ou moirés scintillants pour les femmes, sous un soleil de plomb. Il y avait quelque chose de pathétique à souffrir ainsi pour accompagner un disparu.

Alakipou lui avait dit que le défunt était une défunte, une femme qui était partie comme elle avait vécu, sans bruit, laissant une gamine et un alcoolique, tous deux encombrés d'un chagrin que seul le temps pouvait gérer.

Elle était née là, avait précisé l'Indien, et elle était morte là, sans avoir bougé de toute sa vie. Pour Julie, c'était aussi incongru qu'un iceberg en plein désert. Elle promenait ses yeux sur la petite place bordée de trois ruines élégantes qui annonçaient : mairie, poste, presbytère, et l'église que flanquaient des arbres géants était de loin ce que Campan avait de mieux à offrir aux gens de passage. Elle était fière et droite dans ses vieilles pierres, et son clocher semblait bizarrement rafistolé avec des matériaux qui disaient merde au reste.

« Tout cela est charmant, se disait Julie, mais j'aimerais bien boire un coup quelque part et continuer la route. » Elle traversa vers la fraîcheur, la terre était rouge et sèche et partait en poussière sous ses baskets, le ciel d'un bleu impitoyable. Il y avait dans l'air quelque chose d'inachevé, comme si la vie ici n'était qu'à son début, ou bien était-ce un air de nulle part ?

Un chien de plusieurs races au moins pissa contre un arbre, un iguane s'affola au milieu de la rue, sinon il n'y avait de vivant que la vibration du chant qui s'échappait de l'église. Julie s'arrêta pour inspirer un grand coup ; elle aimait bien cet endroit.

Elle se tourna vers Maïla qui s'extirpait de la voiture pour lui faire partager son bien-être. Seigneur ! Maïla était affublée de talons de dix centimètres, là elle atteignait au moins le mètre quatre-vingt-dix.

Cette fille était hystérique et le spectacle de son déhanchement qui traversait la place accablée de lumière déclencha un fou rire qui plia Julie jusqu'aux larmes.

– Tu devrais les enlever et les tenir à la main !
– Quoi donc ?
– Tes échasses.
– Très drôle !
– Maïla, sans déconner, tu as vu où on est ici ? Tu n'avais rien de plus approprié à enfiler pour faire des kilomètres entre la piste et la brousse ?

Maïla ronchonna :

– En même temps, c'est pas tout à fait comme si tu ne m'avais pas vue entrer dans la voiture, je te rappelle qu'on vient de faire plus de 100 bornes ensemble dans le même véhicule, mais comme d'hab' ce qui t'excite c'est de m'humilier !

– Devant qui ? les iguanes ?

– On devrait rentrer, j'ai trop chaud.

Maïla franchit les derniers mètres qui la séparaient de la pénombre et pénétra dans l'église au moment où s'élevait un vigoureux « Tu es mon berger, Ô Seigneur ! Rien ne saurait manquer où tu me conduis »…

L'endroit était bondé, il y avait du monde jusque sous les vitraux, près du bassin en pierre où l'on devait baptiser les nouveau-nés. Julie se glissa près d'une grosse femme couverte de taffetas qui dégageait des effluves de naphtaline, de transpiration et de parfum à trois sous ; elle chantait avec conviction et des rigoles de sueur sillonnaient le masque de poudre sur son visage. Elle s'épongea avec un mouchoir immaculé tandis que son autre main agrippait un livret de cantiques. Elle considéra Julie d'un regard oblique et, apparemment satisfaite de ce qu'elle découvrit, lui tendit le livret en posant dessus un index impérieux et boudiné, bien décidée à partager son chant avec sa voisine.

Il régnait là-dedans une atmosphère quasi électrique, Julie se sentait perdue au milieu de tous ces dos tendus dans une ferveur exaltée. Au premier rang, elle aperçut un géant au teint clair et aux cheveux ras, une fillette dont les bras grêles s'échappaient d'une robe grise, une Négresse aux formes rebondies bien prises dans un moiré pourpre, une grosse à la peau dorée dans un lin froissé avec une grande capeline qui interdisait à quiconque de prendre place à un mètre à la ronde. De l'autre côté de l'allée principale, une brochette de gamins, au moins cinq, roides sous leurs cheveux empesés, un petit homme sec qui dressait sa mâchoire prognathe vers l'autel, et enfin, en bout de banc, un grand type maigre aux cheveux délavés, debout dans un invraisemblable mélange de couleurs.

« Rien ne saurait manquer où tu me conduis… »

Julie promena ses yeux à la recherche de Maïla. Elle était de l'autre côté de l'allée centrale, isolée par sa grande taille et par un air extasié, comme si Dieu en personne était en train de lui susurrer des mots particuliers à l'oreille. Mieux, elle s'était mise à chanter avec une telle conviction que ses voisins immédiats levaient vers elle des regards perplexes. Mais Maïla ne voyait rien, elle avait les yeux fermés et connaissait les chants par cœur. Julie la laissa à sa dévotion, se promettant d'y réfléchir plus tard, et se prit à observer la cérémonie. D'abord l'église était joyeuse, avec des vitraux de toutes les couleurs, et le soleil y redessinait des scènes bucoliques dont les animaux et les plantes étaient étrangers à ce pays, où Jésus et ses disciples penchaient leurs visages roses et extasiés sur la misère du monde. Mais cela ne semblait perturber le chagrin de personne ; tous ces gens avaient de la peine, une vraie peine, qui ne ressemblait guère à la tristesse mondaine qu'on arborait aux rares enterrements où elle s'était rendue, souvent par convenance.

Le mois dernier, c'était un collègue de l'escogriffe qui avait largué les amarres sans préavis. En réalité, personne au bureau n'avait eu le temps de réaliser qu'il partait avec une hépatite foudroyante ; Julie s'était rendue à l'église Saint-Sulpice qui, froide et muette, enveloppait tout le monde dans sa morosité glacée. L'escogriffe, le dos raide comme une barre à mine, soutenait une vieille dame aux yeux battus et c'était bien le seul petit espace de vrai chagrin que Julie avait détecté dans la marée de visages compassés venus accompagner le défunt. Pour le coup, elle s'était sentie gênée : d'être là, de n'avoir jamais connu le mort, d'assister à l'intimité de son départ et de constater à quel point il laissait peu de sentiments derrière lui. Alors qu'ici, elle se sentait emportée par une foultitude d'émotions : c'était aussi bon que de sucer le pouce.

Elle matait le dos de la gamine, là-bas, au premier rang, dans une diagonale qui lui livrait des profils renversés de tristesse, des yeux mouillés, des mouchoirs qui essuyaient les fronts, tamponnaient les cous, atterrissaient sur les paupières, furtivement. Il y eut une première salve de sanglots quand le géant quitta son banc pour aller au pupitre où se disait l'homélie. Il s'approcha du micro sans dénouer les mains qu'il avait jointes dans une prière compulsive, ses yeux étaient rouges jusqu'au milieu des joues et ses paupières froissées comme celles d'un crocodile. Il ne parla pas longtemps et il avait l'air tellement désespéré que personne ne l'écoutait. Julie eut le sentiment que, dans son langage très rudimentaire, il avait raconté son engagement auprès d'une femme qui lui jouait la pire des entourloupes en mourant comme ça, sans rien dire, avec le sourire. En lui laissant… Et là, il se tourna vers la petite fille et explosa en sanglots tellement profonds, bruyants, qu'il ne termina jamais sa phrase et fut raccompagné à sa place par deux enfants de chœur.

Quand la petite fille se dirigea à son tour vers le micro, Julie pleurait depuis longtemps comme tout le monde sauf qu'elle, elle n'avait pas prévu de mouchoir et s'essuyait avec la manche de son chemisier.

Une voix minuscule, mais précise :

– Maman, je voudrais te dire que je t'aime et que je t'aimerai toujours et que je voudrais savoir si tu m'aimes pendant ta mort parce qu'elle va durer longtemps et que je ne peux pas supporter que tu ne m'aimes pas pendant longtemps, sans quoi ça m'étouffe, ça me fait mal au cœur et à la tête et j'ai encore besoin que tu me caresses et m'embrasses et encore plus que tu me souries. J'espère que tu seras bien là-bas, même si je ne peux plus veiller sur toi…

Il y eut un silence avant que la petite ne puisse plus rien faire d'autre que de manger ses larmes en regagnant sa place.

Julie sanglotait au milieu de tous ces dos qui lui donnaient le sentiment d'être encore plus petite. Il n'y avait rien à dire, rien à penser, cela faisait une vie entière qu'elle n'avait pas pleuré ainsi et il fallait qu'elle sorte de cet endroit. Elle rencontra le regard d'Alakipou, ses yeux étaient secs et scrutateurs ; il la suivit sur le perron de l'église.

– Très émouvant n'est-ce pas ?

Julie renversa la tête contre le mur. Elle sentait la chaleur des pierres contre son dos, dans ses oreilles, étonnamment, il y avait le murmure de la mer et le chagrin refluait doucement sans plus de raison d'aller que de venir. Elle se sentait différente, encore plus différente…

– Alakipou, puisque tu sais tout, (elle se redressa) et que tu m'espionnes sans arrêt, dis-moi pourquoi. Pourquoi je me sens si bien ici ?

Il remonta ses lunettes avec l'index.

– Toi seule sauras. Un jour. Et d'ailleurs, peut-être que tu ne te sens pas si bien que ça.

– Si. Je me sens… Comment dire… Ici, on ne se raconte pas d'histoires, n'est-ce pas ?

– Oh si !

Il fouilla dans la poche de son pantalon, en sortit une cigarette roulée et l'alluma.

– Ici, on se raconte plein d'histoires, des histoires pour faire peur, des histoires pour faire rire, pour se donner de l'importance, pour dégommer les ennemis du moment, pour draguer, pour faire passer le temps, pour dire le temps qui passe, les temps passés, pour dire du mal des autres… Et des mensonges aussi, il y a toutes sortes de façons de se raconter des histoires. (Et d'une voix douce.) Et c'est partout pareil, non ?

« Non, pas partout pareil », se répétait Julie en se décollant du mur. « Pas partout. » Plus les jours se succédaient, plus sa curiosité du début s'usait. Elle n'avait même plus les mots pour interroger Alakipou, ils étaient partis en même temps que l'urgence de savoir. Ici, le temps était matière, on l'habillait, le déshabillait, le déplaçait, le déposait parfois aussi. On l'oubliait, ou plutôt on ne calculait plus parce qu'il ne comptait plus. Ses mots s'évanouirent dans le murmure des cantiques qui passaient le portail. Elle avait pensé à voix haute et Alakipou la considérait, la tête penchée sur son épaule.

– C'est bien, fit-il, c'est bien comme ça. Nous arriverons demain à la fin du jour, il faudra encore une semaine pour que tout se mette en place, et alors, l'heure sera venue.

Julie ne posa aucune question, elle n'en avait pas envie, elle savait seulement qu'elle resterait dans ce pays le temps qu'il faudrait et ça ne regardait qu'elle. Même l'escogriffe n'avait rien compris, elle avait fini par le joindre au téléphone, il lui avait semblé très loin, pourtant elle l'avait appelé de tous les endroits du monde et toujours il avait été comme une boussole, son nord à elle, qui savait interroger ses angoisses et combler le vide de ses silences. Là, il n'avait pas pu, elle avait même senti un fond de reproche dans sa façon de l'interroger sur les raisons de sa présence ici. Rien de précis, mais il lui avait appris à ne jamais se déplacer sans savoir où et pourquoi. Or là, elle ne savait ni l'un ni l'autre, et pire, cela ne lui manquait pas. Ici, elle avait envie d'attendre : attendre qu'Alakipou lui permette de pénétrer dans sa maison secrète, attendre que quelqu'un lui raconte l'histoire de la femme qu'on enterrait aujourd'hui, attendre que tous ces gens sortent de l'église afin qu'elle mette des visages sur tous ces dos qu'elle avait devinés – surtout la petite fille, et aussi la dame au chapeau –, attendre que le soleil s'endorme puis se réveille, pour s'exciter sur ce que demain peut apporter. Elle avait longuement parlé avec Maïla, ou plutôt à Maïla, de tout cela. C'était reposant, Maïla était l'oreille la plus inattentive qu'elle ait jamais croisée, cela lui permettait de mettre ses mots et ses idées en musique, comme on écrit la partition de la symphonie que l'on va interpréter.

De ces conversations avec elle-même, il ressortait qu'elle était amnésique de toute envie, de tous désirs, ceux qui lui venaient en ce moment étaient neufs, vierges et légers.

Elle posa son sac à dos, il lui sciait les épaules, et inspira profondément comme lui avait enseigné son vieux maître de tai-chi. L'air était brûlant et humide, depuis quelques minutes une brise légère soulageait les arbres de la poussière et charriait une infime odeur de pluie. Au loin, un moteur pétarada. Julie se dit qu'elle pouvait presque savoir à quelle heure exactement la pluie arriverait. Elle croisa les yeux d'Alakipou et désigna le corbillard qui s'allongeait sur la place.

– Il est loin le cimetière ?

Il l'observait avec curiosité.

– Un ou deux kilomètres, c'est à l'intérieur des terres.

Elle souffla, pendant qu'un vélomoteur finissait sa course sous les arbres.

– J'aimerais y aller.

Alakipou orienta son visage lunaire vers les soubresauts de la moto et sourit au garçon qui en descendait.

– Salut Jonathan, toujours en retard ?

– Je viens de loin *man* ! Et j'ai pas ta super Porsche qui aspire les kilomètres et l'essence.

Il souriait à pleine bouche. Julie le regarda avec attention : ce garçon avait l'air d'envoyer sa beauté à la face du monde, c'était à peine supportable. Il l'effleura d'un salut distrait et balança ses locks vers Alakipou.

– Ça tombe bien, j'ai vraiment besoin de te voir. Trois jours que je te cherche ! (Il plissait les yeux.) La fille à ton bureau, elle savait même pas où te joindre, tu vois comme ça fait sérieux, pour un grand chef d'entreprise !

Alakipou rigolait, pour lui Jonathan était comme une énigme amusante. Il avait la désinvolture des nantis et la ruse des petits, en fait l'Indien se demandait s'il avait vraiment récupéré le pire des deux rivages, et cherchait à deviner où il cachait le meilleur de lui-même. Il considérait Jonathan comme un cas très périphérique, mais intéressant.

– Alakipou, je veux être sur le coup.

Jonathan murmurait en envoyant ses yeux dans tous les sens comme s'il cherchait à débusquer les ombres dans les flaques de soleil.

– Ça ne peut pas se faire sans moi. Je sais que c'est un gros coup et toi, tu sais que je peux avoir plein d'infos supra-importantes et je connais la brousse.

Alakipou souriait comme on sourit à une bonne blague, mais ses lunettes brillaient, vitrine des deux icebergs qu'il avait au fond des orbites. Julie ne l'avait jamais senti comme cela, autour de lui elle voyait parfaitement trembler l'ombre d'une grande colère. Elle lui prit le bras.

– Je t'attends à la voiture.

De là, elle captait la scène et observait leurs auras. Celle du garçon, floue, traversée d'escarbilles comme des éclats de lumière qui cherchaient leur chemin. Celle d'Alakipou, rouge sombre, s'allégeant d'un bleu aérien au fur et à mesure de la conversation. Cet homme avait un grand pouvoir sur lui-même, en un sens c'était un maître, et cela, Julie l'avait perçu dès le début. L'autre garçon était très brouillé, pour comprendre il aurait fallu qu'elle passe du temps avec lui, mais en réalité il était beaucoup moins secret qu'Alakipou.

Julie ferma les yeux, elle aimait ces moments où elle se laissait aller à toutes ces sensations qui étaient toujours en embuscade autour d'elle.

La première fois que ça lui était arrivé, elle était gamine et avait eu très peur : il lui avait semblé que plein de visiteurs indésirables, et en tout cas inconnus, bousculaient son intimité et voulaient pénétrer son cerveau, son cœur, son ventre. Elle avait hurlé et le médecin chez qui l'affolement de sa mère l'avait conduite lui avait refilé de l'Aspégic. Elle se tenait la tête en hurlant un refus qui n'arrivait pas à la protéger de l'invasion, elle regardait sans voir les faces penchées vers elles et les bouches qui s'agitaient en silence en mâchant des mots qu'elle n'entendait pas. Elle était terrorisée quand, soudain, il lui apparut comme une certitude que la bouche inconnue qui malaxait tout près d'elle cachait une blessure, un bobo de douleur tout au fond. Elle arrêta de hurler et dit d'une voix calme au médecin :

– Tu as un très gros bobo dans le ventre, ça doit te faire très mal, tu sais, là où c'est marron tout autour.

La suite, elle ne s'en souvenait pas bien. Elle croyait se rappeler que sa mère était très en colère contre elle, que le médecin avait porté une main à son estomac en marmonnant des choses qui ne l'intéressaient pas, qu'elle avait avalé un autre Aspégic. Peut-être pas dans cet ordre, mais ce qu'elle savait, c'est qu'elle avait fini d'avoir peur des invasions au moment où elle avait parlé au médecin de ces bobos qui lui faisaient des taches marron sur l'estomac.

Elle avait donc recommencé encore et encore, partout, parce que c'était tout le temps, à l'école, à la maison, dans la rue, au parc le dimanche, ou au cinéma, ou avec les amies de sa mère. Il y avait cette couleur autour des gens et personne pour lui en expliquer le langage. Alors, elle disait comme elle sentait : elle n'aimait pas le marron et le rouge, cela lui faisait des larmes, le bleu en revanche, c'était bien, ça l'apaisait. Beaucoup plus tard, quand on cessa de se moquer de ses « dons » et qu'elle ferma sa bouche sur le silence, elle comprit qu'elle s'était beaucoup trompée et elle déposa tout cela avec le reste, comme un paquet dans un coin de son grenier secret qu'elle ne devait vider que bien des années plus tard, dans le jardin de l'escogriffe.

Elle sourit en y repensant, il était bien sec ce jardin, comme ces espaces zen dont les cactus disséminés et les pierres blanches disaient autant de tristesse que de beauté. Toujours est-il que l'escogriffe avait fait bon usage de sa moisson. Tout avait été répertorié, analysé, soupesé, quantifié, et elle était partie avec lui aux quatre coins du monde pour affiner avec les spécialistes tous ces talents qui l'encombraient et dont elle ne savait quoi faire.

Pour l'heure, elle regardait l'azur réinvestir peu à peu la couleur d'Alakipou et le rouge envahir l'espace du garçon. La cérémonie se terminait et tous ces gens allaient sortir. Pour Julie, c'était un moment de son nouveau présent dont elle attendait une petite eau de bonheur. Elle lâcha son sac sur le siège arrière de la voiture et s'adossa à l'aile brûlante pour observer.

C'est Maïla qui apparut la première, avant la sortie du cercueil, entourée d'un vol de filles enjupannées qui parlaient entre elles et avec elle, comme si elles avaient toujours vécu ensemble. Elles avaient les yeux et l'attitude de rescapées qui remontaient d'une longue plongée en apnée. Maïla était trempée sur ses talons qui la dressaient au-dessus de tout le monde et ses yeux étaient rouges. Elles arrêtèrent de pépier quand le cercueil apparut, porté par quatre balèzes qui ne devaient pas couper le bois que le dimanche.

Alakipou et Jonathan s'étaient écartés et Julie suivit le regard de l'Indien qui s'arrêta sur la petite fille qui ouvrait des yeux noirs, secs et brillants comme l'onyx. Il n'y avait de place pour personne ni autour, ni avec elle. Julie était impressionnée par la force que dégageait sa tristesse, une énergie qu'elle n'arrivait pas à qualifier.

Derrière elle, le colosse au regard fou titubait en se collant au cercueil, puis la femme au visage impressionnant de beauté laissait dégouliner l'eau sur son visage sans quitter des yeux le dos maigre et tendu de la petite fille. La grosse à la peau dorée distribuait des taloches à une marmaille endimanchée, tout en s'accrochant au bras du petit homme sec à l'air autoritaire. Plus loin, le chagrin s'estompait, les conversations accompagnaient la sortie de l'église et, entre les murmures, on percevait la cassure d'un rire. Julie savait bien que la vie était aussi implacable que la mort et il lui sembla qu'ici tout était à sa place.

– Elle, c'est la gamine de la morte, son mari à côté. Ils n'ont jamais eu d'autres enfants. Tout le monde sait qu'il la battait tout le temps. (Jonathan parlait près de son oreille sans remuer les lèvres, comme on fait à l'école quand on triche. Julie se dit qu'elle allait avoir du mal à aimer ce garçon.) On se demande ce qu'elle va devenir la petite Marie, moi je l'aime bien, mais elle est étrange. Là, c'est Félicité, elle est booonne… Au lit, je veux dire, c'est une bombe ! (Il souriait.) Et la femme qui lui parle à l'oreille, c'est la femme de son amant, le facteur, le prétentieux qui lui marche sur les jupes. (Jonathan étala sa satisfaction avec un ricanement.) Tous pourris, ils sont tous pourris.

Il l'agaçait.

– Pourquoi tu restes ?

Sa voix était impérieuse, elle n'avait pas envie qu'il nomme les choses, les gens, et déshabille les mystères, en même temps il lui était étonnamment familier.

– Dans le pays ? Et pourquoi je partirais ? Toi, t'es venue chercher quoi ? (Il la toisait de toute la largeur de ses paupières, son regard racontait qu'il avait très envie de lui dire des choses, mais qu'il ne savait trop par où commencer. Derrière ses cils recourbés comme ceux d'une diva, il y avait de l'arrogance, mais aussi un désir de mépris, de menace, un air d'« au sortir de l'enfance ».) Qu'est-ce que tu trafiques avec Alakipou ? Je sais tout, tout ce qui se passe par ici jusqu'au Brésil. Et j'aime pas qu'on marche sur mes plates-bandes, il va falloir se mettre ça dans la tête.

Julie levait la tête vers son profil, ses yeux liquides étaient brumeux, de près sa peau était comme une soie improbable à donner envie d'y poser les doigts doucement pour garder la couleur.

– Tu es très beau.

Il eut l'air encombré par l'adjectif, bougea d'un pied sur l'autre, les mains dans les poches de son immense pantalon.

– Je m'appelle Jonathan.

C'est la première fois qu'il la regardait.

– Je sais, j'ai entendu.

Elle alla vers Maïla qui vacillait sur ses talons au milieu d'une ribambelle de filles qui semblaient ausculter avec intérêt tout ce qu'elle portait sur le dos. Elle commença par ses chaussures, c'est le premier cadeau qu'elle fit aux gamines qui l'entouraient, après il y eut son collier en cristal et plastique, puis vint le boléro qui couvrait le chiffon transparent qui lui masquait à peine les seins, la ceinture qui retenait le pantalon bouffant qui s'arrêtait aux mollets. Julie la rejoignit au moment où cela risquait de devenir critique. Elle connaissait suffisamment Maïla pour savoir qu'elle irait jusqu'à la ficelle qui lui servait de culotte. C'est vrai qu'elle était d'abord généreuse, sans ostention et sans frein.

– Qu'est-ce que tu veux faire Maïla ? Tu veux aller au cimetière ou on continue ?

– Je vais au cimetière. Elle s'appelait Elsa. Je veux dire, la morte. Et après j'irai chez elle avec tout le monde pour voir sa photo.

Julie soupira :

– Je vais voir ce que veut faire Alakipou.

L'église continuait à dégorger tout un tas de gens qui s'interpellaient pour organiser l'accompagnement d'Elsa. Alakipou distribuait des accolades et s'arrêta face à un garçon aux cheveux longs qui semblait l'attendre. Ils se parlèrent sans se toucher et se dirigèrent vers la voiture, la tête penchée sur une conversation que personne ne pouvait partager. Alakipou suçotait une branche de ses lunettes chaque fois qu'il écoutait.

Julie avait le cœur qui pinçait, d'un coup, il y avait trop d'espace dans cet endroit où elle n'existait pas.

– Alakipou ! Maïla veut aller au cimetière.

– Lulla, je te présente Julie. Julie, Lulla. Lulla vient avec nous à Awala. On doit y être avant la nuit noire, il faut partir maintenant !

– Parle-moi d'elle. Elsa, c'est ça ?

– Elle est juste morte, Julie.

– Sans doute mieux qu'elle n'a vécu, enchaîna le dénommé Lulla.

– Pourquoi ?

– Parce qu'elle a souri... et c'était la première fois. (Il s'interrompit comme on fait une prière.) Vous êtes contente d'être ici ?

– Oui. Enfin, je crois.

Elle était perplexe et fixait les boutons d'acné sur le front du garçon. L'odeur de la pluie arriva avant les premières gouttes, la petite place soupira d'aise et la lumière s'enfuit, laissant des trombes d'eau envahir l'horizon.

Les hommes se battaient avec la pluie pour enfermer précipitamment le cercueil dans le corbillard, mais visiblement il y avait un problème : les portières étaient verrouillées et le chauffeur avait disparu. L'eau tombait en hallebardes, et on n'y voyait plus à deux mètres. Tout le monde courait vers le seul endroit abrité. C'est ainsi que l'église se remplit à nouveau et que le cercueil resta tout seul sur son trépied, au milieu des trombes. Au centre de la place, il y avait une fille aux pieds nus qui dansait sous la pluie, les bras ouverts et le visage vers le ciel. Julie s'était réfugiée dans la voiture, capote relevée, avec Alakipou et Lulla. Elle n'oublierait jamais l'image de cette fille aux pieds nus qui dansait à côté d'un cercueil, sur une place déserte, au milieu de la brousse. Elle l'appela sans conviction pour qu'elle n'entende pas et continue encore. Quoi qu'il advienne, Maïla lui avait donné ce moment de pur bonheur. Eh oui, la vie était aussi implacable que la mort.

# 14

Suzanne était debout face à la fenêtre, elle regardait la pluie, c'était bien dans ces moments-là qu'elle détestait le plus ce pays. En bas, la pelouse se gorgeait de plaisir, l'herbe luisait dans le jour qui foutait le camp et les arbres au loin disparaissaient dans une brume végétale. Le ciel ne commençait nulle part et l'humidité réveillait une infime senteur de décomposition qui lui filait la nausée. Au milieu du parc, un buste de pierre, la tête renversée, les yeux morts. Suzanne avait toujours eu l'envie compulsive de lui tendre un parapluie quand il pleuvait. La pierre dessinait le buste d'une femme sans bras qui renversait la tête vers le ciel et ouvrait grand la bouche sur un cri silencieux qu'elle et elle seule entendait à longueur de temps, la nuit avant son sommeil, au matin quand elle s'éveillait, quand elle allait aux toilettes ou quand elle s'enfermait dans la salle de bains, à la recherche d'un plaisir solitaire qui lui laissait le clitoris en sang et ne venait jamais.

Au bout du compte, Suzanne avait admis qu'elle criait par sa gueule de pierre et qu'elle criait tout le temps. Aujourd'hui comme tous les jours, elle avait plein de choses à faire. Depuis le matin, le téléphone sonnait sans arrêt et elle ne répondait pas, c'était sans doute Lionel, il appelait jusqu'à cinq ou six fois par jour quand il était coincé au palais, ou encore Mathilde, ou Véro, ou Solange, ces filles dont elle croisait tous les jours le désœuvrement luxueux de femmes de hauts fonctionnaires. Entre la bibliothèque, les répétitions théâtrales, la piscine, le Lion's Club, les excursions épuisantes sur le fleuve, les cours d'alphabétisation pour les enfants d'immigrés, les virées onéreuses au centre commercial, elle avait usé tous les plaisirs de la capitale.

Elle était débordée et culpabilisait de ne pas s'y mettre tout de suite. Son espace secret de bonheur, c'était ce grand cabas qu'elle cachait dans la penderie du dressing, immense pièce vide dont les « murs placards » n'arrivaient même pas à accrocher la peinture. Tout y était verdâtre, bouffé par l'humidité. Au début, Suzanne s'était battue, elle voulait que tout soit si clair et si blanc. Les ouvriers s'étaient succédé dans la vieille maison pour essayer de la sauver de la décomposition, mais elle avait résisté et recommençait inlassablement à se défaire en invitant toutes les moisissures et autres parasites qui voulaient bien s'y installer. Au bout de deux ans, Suzanne avait baissé les bras en faisant le compte de son naufrage. Son fils s'évanouissait de sa vie tous les jours un peu plus – elle se souvenait vaguement de l'époque où elle était dingue de lui, il était si beau, il avait 5 ans : « Jonathan chéri, comment tu me trouves ? (Elle tournoyait dans des voiles de soie.) – Tu es belle maman. (Il la regardait tellement sérieusement.) Mais j'aime pas quand tu sors, parce que tu me laisses. » Elle s'envolait dans un tourbillon de baisers et de caresses et s'accrochait au bras de Lionel. Il avait une sacrée allure, le procureur. D'ailleurs c'était encore vrai.

Elle alluma une cigarette. Juste retarder le plaisir de se décoller de la fenêtre et d'aller lentement au placard. Sortir le cabas, le ramener vers son lit. Elle tendit l'oreille vers les bruits du rez-de-chaussée : des voix, de la vaisselle entrechoquée… Un dîner ! Elle avait oublié, il y avait un dîner.

Quand monsieur le procureur invitait, c'était la femme du procureur qui recevait. Elle était bien incapable de se rappeler qui Lionel avait invité ce soir. Lionel, cet inconnu.

À l'époque où elle était curieuse des mystères de la vie, jamais elle n'aurait pu imaginer que l'on puisse désapprendre à connaître un homme en vingt ans de vie commune. Comme si chaque seconde passée avait enlevé une miette d'une image qui refusait de pâlir avec le temps.

Elle tira sur sa cigarette et noua ses bras autour de sa poitrine, elle avait froid, ses yeux avaient froid de toute cette eau qui dégoulinait de nulle part, son corps avait froid de toutes ces heures qui fuyaient sans caresses. Elle allait au hammam deux fois par semaine et réclamait le même masseur qui lui malaxait les muscles, tandis qu'elle serrait les paupières sur ses yeux secs.

– Bertide ! Bertide !

La silhouette confortable de la femme de ménage s'incrusta à l'entrée de la chambre, comme si elle attendait derrière la porte. Bertide était comme ça, toujours en embuscade, jamais très loin de Suzanne. C'était agaçant et rassurant d'être veillée comme une casserole de lait sur le feu. Parfois, Suzanne avait l'impression que les yeux de cette femme l'épiaient dans les moindres recoins de son intimité et qu'elle n'était jamais seule.

– Qui vient dîner ce soir ?

– Eh bien, madame (elle comptait sur ses doigts), il y a le préfet et madame son épouse, il y a monsieur le député et son épouse, maître… maître… vous savez, celui qui défend les Brésiliens, j'oublie son nom, mais il vient avec une dame qui a un restaurant avenue Jean-Jaurès. (Bertide plissait le front, sa lourde masse bougea d'un cran, elle continua d'énumérer.) Et puis il y a aussi ce journaliste d'un journal français et monsieur a invité la chanteuse, celle qui chante si bien avec une voix comme les Américaines, et puis le directeur de la police, je crois qu'il vient seul. Avec monsieur Jonathan, s'il est là, on a douze couverts. J'ai fait un consommé de légumes et des écrevisses au riz et aux légumes et un sorbet à la mangue. Monsieur a précisé que ce n'était pas la peine pour le fromage et on a sorti les vins de la cave et du champagne.

Suzanne se passa la main sur le visage. Il allait falloir s'habiller, se coiffer, agrafer un sourire sur son visage pendant quatre bonnes heures, et relancer les conversations quand elles se mourraient d'ennui, et croiser le regard attentif de Lionel qui ne la lâcherait des yeux que quand il s'adresserait aux gens d'importance autour de la table.

Elle était exténuée et sentait le hurlement qui bloquait le fond de sa gorge. Si au moins Jonathan pouvait ne pas être là, elle serait plus légère et pourrait enfermer son cri dans les bulles de champagne.

– J'ai préparé votre robe verte, vous savez, la dernière, elle va tellement bien avec vos yeux !

– Bien, Bertide, bien. (Elle hésitait.) Vous croyez que Jonathan…

Bertide baissa la tête sur le chiffon qu'elle serrait entre ses doigts, elle avait du mal à comprendre ce qui se passait dans le crâne de cette mère qui craignait toujours de partager des moments avec son fils.

– D'après ce que je sais, il est parti sur sa moto pour un bon moment et avec cette pluie il ne va pas revenir de sitôt. À mon avis, il va dormir là où il est.

– Donc il ne sera pas là, enchaîna Suzanne avec apaisement. Merci Bertide.

La femme disparut, emmenant avec elle des relents d'oignon et de terre. Suzanne avait mal au dos, elle s'approcha de la buanderie et sortit le cabas.

Derrière la porte, Bertide écoutait. Cela faisait cinq ans maintenant qu'elle travaillait chez les Gandri, cinq ans qui avaient bousculé son indifférence. Elle avait vu passer tellement de procureurs dans cette maison que, très franchement, elle s'en foutait de qui ils étaient. Quand elle avait quitté son village bushinengué à l'âge de 15 ans, elle n'avait qu'une idée en tête : travailler vite, gagner de l'argent pour assurer son indépendance, rencontrer le gentil garçon qui deviendrait le père de ses enfants et faire couler la vie doucement le long du fleuve. Évidemment, rien ne s'était déroulé comme elle le souhaitait. Il n'y avait pas eu de gentils garçons, rien que des bons à rien qui voulaient profiter de la chance qu'elle avait de travailler dans une grande maison. Alors bien sûr, pas d'enfants mais beaucoup d'avortements qui avaient peuplé le ciel de petits anges de toutes les couleurs. Et puis elle était arrivée, madame Gandri, Suzanne. Elle était tellement jolie, tellement misérable aussi, juste la fille qu'elle aurait rêvé d'avoir, avec sa peau sapotille et ses yeux aussi verts que les jeunes pousses de glycérias, et tellement toujours bien coiffée, ses cheveux sombres bien tirés autour du visage, des pommettes aiguës de chaque côté d'un nez tout droit et si fier. Il y avait bien cette tristesse qui habillait ses yeux, tout le temps, mais on s'y faisait, et d'ailleurs ce n'était pas de la tristesse, c'était plutôt comme un truc éteint qui voguait dans ses prunelles. Bertide avait bien essayé de la faire parler pour en savoir un peu plus ; elle avait eu envie de son histoire comme cela ne lui était pas arrivé depuis longtemps. Mais madame était très secrète, avec ce petit air en haut qui vous disait tout le temps que vous n'aviez pas gardé les bœufs ensemble. Bertide était donc restée à sa place et avait ramassé les miettes. Elle avait cru comprendre que Suzanne Gandri avait déjà vécu dans cette maison avant. Il lui avait échappé un cri de colère un jour où elle ne retrouvait pas un drap dans la buanderie bouffée aux mites et elle avait hurlé : « J'ai toujours détesté ces placards qui sont des pièges à ravets ! Quand j'étais petite, ça me rendait dingue. Rien n'a changé ici. » Puis elle s'était tue, clouant ses lèvres sur un pincement qui lui faisait des plis de chaque côté de la bouche. Bertide n'avait rien dit, mais elle avait laissé travailler sa tête sur l'éventualité que sa protégée avait déjà habité cette maison à une époque où elle n'y était pas encore employée, parce qu'elle se souvenait parfaitement de tous ceux qui y étaient passés au cours des vingt dernières années.

– Madame a déjà habité là ?

L'autre lui avait jeté un regard « mêlez-vous de vos affaires » qui avait un peu calmé son exubérance, mais pas sa curiosité. Elle avait donc enquêté chez toutes les commères du centre-ville qui zonaient autour du palais et qui avaient dépassé les 70 ans. En fait cela faisait pas mal de monde. La capitale avait enflé, gonflé, doublé, triplé de volume au cours des deux décennies, il était arrivé du monde de partout et cette intensité de vie se casait, se faisait de la place, se superposait. La ville dégringolait vers le fleuve et son élégance avait rejoint les baraquements champignons des sans-abri, sans-papiers, sans-avenir qui pullulaient de l'autre côté. Tout cela se croisait, se mélangeait, se jaugeait et s'effrayait du miroir imperturbable qui renvoyait une rive à l'autre.

Bertide soupirait, parfois il n'y avait pas une âme qu'elle connût ou reconnût dans ses déambulations affairées. C'est la marchande de pistaches qui étalait ses plateaux devant le cinéma qui lui avait donné la seule bonne information. Sa sœur aînée avait travaillé chez les procureurs, comme elle disait, dans la maison là-haut, et elle se souvenait très bien de la petite Suzanne. Dans les années soixante-dix, son père avait débarqué dans la maison. Fraîchement nommé, il était arrivé sous les yeux ébahis de la bonne société de la cité, affublé d'un boy qu'il avait ramené d'un pays là-bas, peut-être Madagascar. Personne ne comprenait ce que faisait exactement ce garçon trapu qui l'accompagnait partout en roulant les « r », enfermé dans un costume trois-pièces dont aucune canicule n'avait réussi à le débarrasser.

– Les gens riaient. Ah oui, disait la vieille marchande. Ils riaient, car le chauffeur était plus élégant que son patron, ma chère. Ils avaient la même couleur, sauf que le procureur Barnier avait un grand nez crochu et une tête tellement droite qu'on aurait juré qu'il avait mangé un balai avec le manche. Il était avec sa femme, une pauvre malheureuse qui était arrivée toute maigre et malade et qui s'est laissé charroyer par une mauvaise fièvre, une dengue ou quelque chose comme ça. Et puis, il y avait la petite avec des yeux verts comme sa mère, c'était une mulâtresse, tu comprends. Même avant la mort de sa mère, elle jouait toujours toute seule dans sa chambre, son père lui interdisait de sortir à cause des bêtes, et elle avait pas de copains. Pas assez bien pour elle ! (La vieille mâchonnait des cacahuètes qu'elle décortiquait d'une main, elle soupira en se frottant le genou de l'autre main.) C'était d'une tristesse quand j'allais voir ma sœur là-bas, on s'arrêtait de parler pour essayer d'entendre ce que faisait la petite dans sa chambre, elle marmonnait à tort et à travers, aux murs, aux chaises, à ses poupées. Pour moi… (Elle rajusta son foulard sur la tête.) Pour moi, elle était partie folle. Maintenant, elle est revenue, on sait pas, mais quand même elle a le mari, le fils... Mais la même maison, ttt, ttt... C'est difficile, c'est difficile !

C'est ainsi que Bertide comprit que les promenades de Suzanne dans la maison pouvaient avoir un sens qu'elle ne captait pas, et que son goût pour les tête-à-tête avec elle-même dans des pièces fermées à clé ne datait pas d'hier. Pour le reste, elle ne savait pas grand-chose, sinon que sa Suzanne était encombrée d'un mari qu'elle jugeait très ennuyeux, ça rigolait jamais là-dedans, et d'un gamin qu'elle n'avait pas l'air de reconnaître tous les jours. Elle était sûre qu'il lui faisait peur, elle aurait donné sa main gauche à couper – la droite on sait jamais. Et puis cette manie qu'elle avait de farfouiller dans ce grand cabas. Ah, elle était allée y jeter un œil, en toute discrétion... Après tout, elle faisait seulement son ménage, elle avait descendu le cabas de son étagère pendant que madame était en ville et avait regardé dedans. Ça lui avait fait battre le cœur à lui exploser le thorax, même si elle savait n'avoir rien à craindre puisque Suzanne était chez le coiffeur et c'était toujours long, elle avait même glissé la main pour mieux voir. Eh bien, il n'y avait rien, rien que du vieux papier, des journaux du temps d'avant, des lettres et des babioles enveloppées dans des tonnes de papier. Plus le bibelot était petit, plus il était étroitement serré dans des feuilles jaunies par l'âge, bien amarrées par des élastiques en plastique transparent. Et Bertide était restée là, les mains dans le cabas, les yeux ouverts sur les mystères de Suzanne, sachant que là, vraiment, elle ne comprenait plus rien.

Combien de fois n'avait-elle pas surpris Suzanne penchée sur son cabas ouvert, le dos courbé en une bosse qui commençait à s'installer doucement et définitivement sur ses épaules ? Des heures, cela pouvait durer des heures, elle entrait sur la pointe des pieds, Suzanne ne l'entendait même pas, envoûtée qu'elle était dans une attitude de dévotion qui la mettait hors du monde.

À vrai dire, tout cela l'effrayait un peu ; bien qu'elle en ait vu d'autres. Elle avait cherché dans tous les recoins une icône, une vierge, une statuette cachée qui aurait pu justifier cette prostration sacrée qui tétanisait la femme du procureur au moins une fois par jour, elle n'avait rien trouvé, absolument rien. Juste, ses fouilles approfondies lui avaient permis de débusquer de drôles de petits paquets, avec de drôles d'odeurs qu'elle identifiait parfaitement comme étant les fruits des trafics divers et multiples de Jonathan. Or, à part les emmerdements que cela lui avait valus avec le fils de la maison – il l'avait quand même menacée de mort –, toutes ses investigations ne lui avaient apporté aucune information sur Suzanne.

À travers la porte, elle entendait ses pas, doucement puis plus vite. « Ça y est, elle y retournait », elle soupira et entama la descente de l'escalier.

*

Suzanne entrait en jubilation. Les mains nouées sur la poitrine, ses jambes la précipitaient vers le placard du fond de la buanderie. Elle se hissa jusqu'à la dernière étagère, en extirpa un gros sac en cuir repoussé qui pesait des tonnes. Elle ahana jusqu'à son lit et s'étala dessus, le sac à ses pieds. Il était lourd, de plus en plus lourd, et c'était bien.

Puis elle se courba fiévreusement et commença à expertiser tout ce qu'il contenait. Les papiers d'abord, elle les lissa avec soin, dépliant chaque feuille pour en prendre connaissance comme si c'était la première fois. Ici, les comptes de son père : six mètres de tissu damassé en provenance de Hollande, mille francs. C'était du très beau tissu, elle s'en souvenait parfaitement, il avait été livré en même temps que les couverts en argent. Ce jour-là, il pleuvait des cordes à pendre un forçat, et la voiture, un vieux camion, avait crissé sur le gravier de la cour, sortant toute la maisonnée. Il faut dire qu'à l'époque, il y avait peu de véhicules de ce genre qui grimpaient jusqu'à la villa, et c'était une véritable attraction. Suzanne avait lâché ses poupées à qui elle lisait une histoire pour se précipiter à la fenêtre, son père était déjà sur le perron, impeccablement statufié dans cette autorité qui la laissait sans voix et sans force. Il avait fallu attendre une embellie pour que le boy décharge la voiture entre les gouttes. Elle s'était jetée jusqu'à la chambre de sa mère pour lui dire ce qui se passait dehors, oubliant que cette chambre était vide depuis que l'éternelle malade avait disparu, pfft, comme ça, un beau matin.

Suzanne se souvenait parfaitement, même l'odeur de la pièce où résistaient les relents de médicament lui envahissait les narines. Elle fit « pfft » avec la bouche et cela la fit rire. C'était drôle : « pfft » ! Ici, il y avait des petits paquets durs et compacts sous ses doigts. Celui-là, qu'est-ce que c'était ? La forme lui disait, peut-être un objet long et plat, un médaillon ? Oui, c'est ça, un médaillon ! Elle savait, c'était celui avec les doubles photos d'un couple vieilli par le sépia du papier. Un visage fermé, surmonté d'une coiffure à étage ; la femme ressemblait à son père, cela, elle en était sûre, avec ce même air hautain qui refusait de se mêler aux autres, la peau tendue sur les pommettes, les yeux petits et tirés vers les tempes sous la coiffure empesée. C'est sûr qu'elle avait les cheveux crépus, mais Dieu, comment avait-elle pu se les défriser au point d'arriver à étager cette coiffure sophistiquée sur le dessus de sa tête ? Il fallait qu'elle revoie la photo. Et puis l'homme, elle ne se souvenait plus du tout de quoi il avait l'air.

Maintenant, elle dénouait fébrilement le paquet, effeuillant les superpositions de papier dans une attente excitée, les oreilles saturées d'un bourdonnement continu : une feuille de papier, deux, trois, dix, vingt. Attention, il fallait faire très attention à ne pas déchirer, car il faudrait tout refaire après. C'était tout simplement jubilatoire. Ses doigts volaient autour des feuilles en mouvements rapides et efficaces. Elle savait le faire.

En bas, une porte claqua qui la fit redescendre sur son lit, elle regarda autour d'elle. Il y avait des papiers partout, le sac à ses pieds était éventré, elle avait le cœur battant et très mal au dos.

– Suzanne ! Suzanne ! Bertide, madame est là ?...

Le reste se perdit dans sa précipitation de jeter pêle-mêle les journaux, papiers, médaillon, sac, dans le grand placard, et son corps dans la salle de bains, en criant à la porte qui s'ouvrait :

– Je suis dans la salle de bains, mon ami ! Je suis dans la salle de bains, je suis dans la salle de bains.

Dans le miroir, elle entrevit les contours brouillés d'un visage, le cratère de ses yeux, la colère qui lui mettait le feu aux oreilles. Elle traça le contour de ses lèvres avec son index, sur le front. Il y a bien des bouches qui ne servent à rien, la sienne par exemple : elle y enfournerait de la nourriture tout à l'heure, en entendant des insipidités qui découperaient le temps en minutes, en quarts d'heure, en heures qui passent.

Elle plia soigneusement les vêtements qu'elle ôtait un à un, lentement, pour se calmer, comprima ses cheveux dans un bonnet en caoutchouc bien serré, et, ainsi armée, se glissa sous la douche. Pendant que l'eau coulait à côté de son corps, elle réfléchissait. Qui, qui aurait pu imaginer qu'elle allait tracer un chemin aussi dépourvu d'horizon ? Qui ? Sûrement pas son père, ou même elle, qui ne s'était jamais beaucoup occupée de se dessiner des lignes de vie. Même elle ne comprenait pas bien où elle s'était emmenée. Elle n'accusait personne, elle savait.

Elle sortit de la douche, sans qu'une goutte d'eau l'ait effleurée. Elle avait gardé cette habitude de faire semblant, depuis toute petite, quand son père qui ne pouvait vérifier lui criait « Suzanne, tu te douches ? », il suffisait de laisser couler l'eau du pommeau. Après, elle se campait devant le lavabo, prenait un gant, l'humectait et se savonnait tout le corps. Même chose pour enlever le savon, cela lui prenait un temps fou, mais elle aimait ça et puis elle avait moins froid. Elle avait réussi à continuer son rituel pendant vingt ans sans que Lionel s'en aperçoive ; c'était une de ses petites victoires qu'elle aimait bien dorloter.

– Lionel, qui vient ce soir avec le préfet ?

Elle s'étonnait toujours du son de sa voix et des mots qu'elle arrivait à prononcer pour dire que tout allait bien, que tout suivait son cours normal, au ralenti de sa fatigue.

Il irrupta dans la salle de bains au moment où elle passait un peignoir. Suzanne détestait le voir dans cette pièce, il lui rétrécissait son espace. Elle posa sa bouche sur sa joue en retenant son souffle, pour ne pas respirer son odeur de fin de journée. Elle n'aimait pas son odeur, il sentait le renfermé avec, loin derrière, un insupportable effluve, âcre, qui flottait avec persistance, se mêlait à son déodorant, à tous ces parfums chers qu'elle continuait de lui offrir à la moindre occasion.

– Mais Seigneur, Lionel, tu t'es rasé la semaine dernière ou quoi, pour piquer autant ?

Elle recula la tête en un geste très maîtrisé qui alliait avec hauteur dégoût et observation. Lionel Gandri était plutôt bel homme, il avait tous les artifices du futur vieux beau. Les tempes argentées, la taille bien prise dans des costumes impeccablement coupés, il n'était pas très grand mais dégageait une réelle autorité. C'est son front, presque trop large pour finir un visage, qui avait plu à Suzanne.

Ils s'étaient rencontrés à la fac, à Assas pour être précis.

Suzanne faisait partie des nantis des pays lointains dont les parents avaient les moyens d'offrir à leur progéniture leur premier contact avec l'univers le plus réac de France. Elle était en deuxième année de droit, sa première elle l'avait empochée dans les îles avant que son père n'estime que le niveau n'était pas suffisant. Aujourd'hui, elle se souvenait vaguement du jeune homme qui lui avait tendu la main alors qu'elle dévalait le grand couloir, harcelée par deux première année qui lui disaient des choses qu'elle ne voulait pas entendre. C'était quand même assez salé, si ses souvenirs étaient bons, ils la traitaient de sale bougnoule ou sale négresse, en l'exhortant à rentrer chez elle, le tout à voix basse, sans en avoir l'air et sans la lâcher d'une semelle. C'est à ce moment-là que ses livres lui avaient échappé des mains : il y avait le Code noir, dont elle avait vaguement l'intention d'extirper une thèse, et un *Discours de la méthode*, qu'elle avait emprunté à la bibliothèque, et curieusement, elle ne supportait pas l'idée que ses harceleurs puissent apercevoir son intimité, même pas le titre des bouquins qu'elle lisait. Elle s'accroupit autant pour cacher ses livres que pour les ramasser. C'est dans cette position que la peur la surprit, panique viscérale. Elle voyait deux paires de jambes en velours côtelé qui lui tournaient autour, elle entendait des syllabes comme des crachats, elle avait envie de lever le bras pour se protéger et rester là jusqu'à tomber en position fœtale. Ses yeux traquaient les paires de velours, personne ne se préoccupait de ce qui se passait dans ce petit bout de couloir. Suzanne avait entendu parler des ratonnades dont se délectaient certains étudiants, mais elle n'y croyait pas vraiment, c'était avant, se racontait-elle, à l'époque de son père. En fait, il y avait pas mal d'étudiants africains et même si elle ne les fréquentait guère, cela la rassurait. Après tout, ils étaient plus noirs qu'elle et il ne leur arrivait rien, à eux ! C'étaient plutôt les juifs qui en prenaient plein la gueule. C'est pour ça que ce jour-là, elle ne comprenait plus ce qui lui arrivait. Elle s'accrocha au bras du premier sauveur venu et c'était Lionel. Ce fut d'abord une main qui ramassa le Code noir, et puis une voix. Il ôta ses lunettes pour se présenter :

– Je m'appelle Lionel Gandri, je suis en dernière année. Ça ira ?

Suzanne regarda son front et vit le reste après.

Pour l'instant, il dénouait sa cravate en s'asseyant sur son lit à elle, comme s'il avait oublié qu'il avait sa chambre à lui, résultat d'une longue, très longue négociation entre les deux parties et vraie victoire pour Suzanne.

– Tu as l'air fatigué.

– Je suis… (Il ne la regardait pas.) Le préfet vient avec son épouse, le directeur de la po…

Il s'interrompit en même temps que son regard heurta une chiffonnade de papier pelure qui essayait de se planquer sous le lit.

– Tu as recommencé Suzanne !

Sa voix était comme un moteur qui s'éteint.

Elle sentit la boule lui exploser dans la gorge. Les mains sur les oreilles, elle hurlait, mais aucun son ne sortait de sa bouche. Elle se jeta sur son mari et le bourra de coups de poings, les yeux exorbités et gonflée de tout ce silence qui criait de sa bouche ouverte.

Lionel était originaire de Bourgogne, d'une famille de magistrats, comme elle. Quand ils commencèrent à se parler vraiment, ils tressèrent un espace étroit, délimité par la relation que chacun entretenait avec sa famille de magistrats. En fait, ils rirent beaucoup ensemble à cette époque-là. Il la protégea toute l'année, tant et si bien que le jour où il l'emmena dans son lit, ça lui parut extrêmement normal. Ensuite, il l'embarqua à Chalon pour lui présenter sa famille et ça se passa plutôt bien, tout était correct. Elle arriva même au mariage au bras de son père et cela restait un bon souvenir. C'était l'été et l'église Saint-Germain était bondée de gens beaux, intelligents qui mélangeaient leurs couleurs avec élégance.

C'est bien après que cela se gâta. Peut-être bien au moment de sa grossesse. Ils étaient encore à Paris. Après son diplôme, elle avait démarré tranquille dans un gros cabinet avenue Victor-Hugo, dont l'un des avocats était un copain de promotion de son père. Lionel était déjà au parquet et croulait sous les dossiers dans un bureau obscur qui ressemblait à une impasse. Mais l'adresse était prestigieuse, il espérait une promotion rapide qui lui permettrait de quitter Paris le plus rapidement possible. Que Suzanne soit enceinte lui avait paru tout à fait acceptable, peut-être pas opportun, mais acceptable. Leurs emplois du temps ne leur permettaient guère de passer de longs moments ensemble. En fait ils ne se voyaient pratiquement pas et bloquaient sur leurs agendas des rendez-vous cinéma et restaurant, cela entretenait l'illusion qu'ils faisaient autre chose que se croiser dans un lit ou une salle de bains.

Au début, ce fut presque idyllique. Suzanne n'avait ni nausées, ni envies particulières, ni sautes d'humeur, ni moments de déprime, mais en revanche une exaspération de sa libido qui la transformait en bombe. Elle lui sautait dessus dès qu'ils se croisaient, à la cuisine, sur le canapé du salon, dans la salle de bains, pour exploser sur le futon de leur chambre.

En fait, ni lui, ni elle n'étaient très portés sur le sexe, aussi ce fut un vent de folie qui secoua leur deux pièces pendant quelques mois. Elle aimait surtout qu'il la prenne en cuillère, pendant que d'une main elle agrippait son gros ventre et de l'autre elle frottait furieusement son clitoris, jusqu'à bramer son plaisir sans discontinuer. C'en était presque gênant et ils n'en parlaient jamais.

C'est après la naissance de Jonathan que tout bascula. Non seulement elle pleurait sans arrêt, mais elle avait l'air terrorisée par le bébé, qu'on envoya très vite prendre ses quartiers d'enfant chez les beaux-parents en Bourgogne.

Ils se retrouvèrent donc face à leur nouvelle vie de parents sans enfant et cela aurait pu durer très longtemps si Lionel n'avait reçu sa première affectation pour le Sud de la France. Ils récupérèrent Jonathan quand il fut convenu que Suzanne ne travaillerait pas pendant un certain temps. Elle se sentait tellement fatiguée, et puis la mort de son père survenue à la même période l'avait laissée sans force, sans larmes et, d'une certaine façon, sans amarres. Elle n'avait même pas vu son corps, refusant de faire le voyage jusqu'à Tahiti, où il terminait sa carrière.

C'est le visage austère de son père qui lui grignotait le cerveau pendant qu'elle défonçait ses poings sur les épaules de Lionel, elle entendait sa voix qui faisait « là, là, on se calme, on se calme, là, là… », comme un mantra. Cela se terminait toujours pareil, elle s'agrippait à sa chemise, ou sa veste de pyjama, ou son veston et explosait en sanglots secs et silencieux. Il la tenait dans ses bras en l'enveloppant de ses « là, là » monocordes, puis il la relâchait dès qu'elle était calmée. Là aussi, c'était un rituel bien rodé.

Elle se détourna du miroir, au début elle avait un peu honte, plus maintenant. Après tout, il était là, il l'avait épousée et elle, elle était juste pas heureuse.

– Excuse-moi, j'ai… j'ai à peine le temps de me préparer, tu veux bien…

Le procureur tourna les talons et referma doucement la porte derrière lui.

# 15

Napi leva les yeux vers les grands arbres. Du convoi, il ne savait pas grand-chose, même s'il en faisait partie. Il avait un rôle très précis, celui d'ouvrir une marche qu'il savait longue et difficile. Il n'y avait jamais personne avec lui, il avançait seul, il avait été formé par son grand-père qui, en son temps, avait joué le même rôle pour une expédition aussi « historique », dont les étapes passaient de bouche en bouche afin de s'écrire dans le cerveau des hommes...

Des convois comme celui-là, il y en avait un par génération, pas plus. C'était une responsabilité écrasante que d'en conduire l'itinéraire et sûrement que, de sa vie durant, il n'aurait aucune nouvelle occasion d'utiliser son savoir. Il pourrait s'asseoir des soirées entières et raconter chacun des moments où il avait dû prendre des décisions sans connaître vraiment ce que la jungle lui proposait, ou dû avertir les autres du danger lorsque le sol sous ses pieds s'écrasait des traces d'un prédateur, ou que l'odeur fauve du jaguar le prévenait de la proximité d'une famille qu'il ne fallait pas déranger. Car son convoi était un peu spécial : il n'était pas composé d'hommes sur le sentier d'une guerre ou d'une chasse, il y avait beaucoup de femmes et même, lui semblait-il, un enfant.

Il écarta d'énormes fougères qui montaient la garde au pied d'un tronc plus large que dix hommes réunis. C'est là qu'ils devaient passer ; il y avait bien une trace quelque part, un chemin où d'autres avant lui avaient marché, mais justement, la difficulté de sa tâche était de créer une piste toute neuve, afin d'être sûr qu'ils ne croiseraient personne. Tout avait été clair dans l'accord que l'homme aux lunettes avait passé avec le vieux. Il était là lorsque l'homme avait secoué la tête, refusant de croire que le garçon assis à l'entrée de la case était le guide que désignait son grand-père pour conduire le convoi.

Lui s'était senti gonflé de quelque chose de trop grand pour sa poitrine quand il avait compris que l'ancien passait enfin la main et lui refilait le business. L'homme aux lunettes et le vieillard avaient ouvert une carte, échangé des billets, des pièces, quelques pépites, ils avaient parlé longtemps sous la lampe à pétrole autour de laquelle les insectes grésillaient avant de mourir, et puis l'homme était reparti de l'autre côté de la nuit.

C'est alors que son grand-père lui avait expliqué, et c'est seulement là que Napi avait compris qu'il allait entamer l'expédition de sa vie. D'habitude on venait chercher les Buschinengués pour la traversée des fleuves : ils étaient les plus forts avec les meilleures pirogues pour passer les sauts meurtriers et diriger les embarcations chargées jusqu'à la gueule dans des spirales de courants qui avalaient tout sur leur passage. Or la carte lui montrait un parcours qui sortait du milieu des terres, au pied des montagnes de Colombie, pour aller jusqu'à l'embouchure du Maroni qui séparait le Surinam du pays d'en face. Il fallait traverser dix fois plus de forêt que d'eau et sans faire de bruit.

À l'époque, Napi avait 18 ans, il lui avait fallu quinze mois pour préparer le trajet. Son grand-père lui avait donné les pièces et avait gardé les billets et les pépites pour qu'il les trouve à son retour. À ce moment-là, il verrait ce qu'il en ferait, après avoir prélevé la moitié de son gain pour les autres membres de sa communauté. Il avait appris à l'école des Hollandais que ceux-ci faisaient la même chose, ils appelaient ça les impôts, et les communautés les communes, en tout cas cela y ressemblait. Son grand-père tempêtait, car il lui fallait payer cela aussi, et souvent il ne restait plus grand-chose de ce qu'il gagnait en pilotant les chercheurs d'or.

Napi leva les yeux vers le plafond des arbres, il n'y avait pas de ciel ici, seulement une lumière laiteuse qui parfois scintillait jusqu'au sol, attrapée par des perles d'eau et la nuit tombait vite. Ils étaient en retard pour établir le campement. Il n'avait pas encore retrouvé l'espace qu'il avait repéré pour le premier groupe et il savait qu'il disposait de deux heures à peine avant l'opacité du crépuscule. Avec l'homme aux lunettes, ils étaient convenus de ne jamais se déplacer à la lumière des torches, il n'allumait de petits feux qu'une fois l'espace de campement délimité et protégé. Napi respira : c'était ici, derrière les fougères, dans un fouillis de racines et d'arbrisseaux, il y avait comme un espoir de clairière qui ferait l'affaire pour la nuit. Il posa son sac à dos, sortit sa machette et tailla dans le fouillis. Il n'avait aucune idée du nombre qu'ils étaient, pour la bonne raison que jamais le convoi tout entier ne se retrouvait réuni ; les arrêts de nuit se faisaient par groupe de dix à quinze personnes qui bivouaquaient ensemble. Pour le reste, son grand-père lui avait parlé d'une centaine d'hommes et de femmes qui accompagnaient un chargement tellement précieux qu'ils étaient tous prêts à mourir pour qu'il arrive au bout. Cela dit, il avait vu tellement de gens mourir pour moins que cela, c'est-à-dire sans raison, qu'il ne se posait pas de questions. Une chose était sûre, il retournerait bientôt chez lui car la fin du voyage était à Awala, en face des côtes du Surinam où vivait sa famille.

Il s'arrêta, il y avait bien des branches où l'on pourrait accrocher les hamacs. Ce n'était jamais facile de les trouver à la bonne hauteur, au bon endroit.

Il aimait travailler avec les Indiens, ils étaient très rapides pour monter les campements et cela ne leur posait aucun problème de dormir dans les hamacs, ils en avaient inventé le concept. D'autres clients étaient plus difficiles ; globalement, il détestait trimballer les touristes, or il faut bien dire que depuis la fin de l'or et la fin de la construction de la station spatiale, il ne restait plus qu'eux pour donner du travail aux siens. L'âge des rêves fous était terminé, la vie semblait plus calme, on mourait moins fort et moins vite, la morosité s'était peu à peu installée comme une ombre qui tisse le réel.

Ils étaient au trentième jour de marche. Ce soir, comme à chaque fin de semaine, il devait faire le point avec les chefs de groupe et vérifier avec eux qu'on gardait bien l'itinéraire de départ. Le point de ralliement était un ajoupa abandonné près d'un bras d'eau croupie à dix minutes de marche du premier campement.

# 16

Suzanne avait froid, plutôt il lui semblait qu'elle avait froid. Le ventilateur accroché au plafond balayait la moiteur en expulsant les insectes attirés par la lueur des bougies qui tremblotaient dans les chandeliers. La table était magnifique, Bertide s'était surpassée : sur la nappe immaculée qui s'étalait dans ses plis amidonnés, l'argenterie scintillait de tous ses couverts et les chandeliers massifs de son père serpentaient comme un chemin de lumière sur lequel on avait semé des pétales de rose de toutes les couleurs. Au-delà, une douce pénombre était rythmée par le luisant des deux grands vaisseliers qui présentaient plutôt bien quand on ne les dévisageait pas de trop près. Plus loin s'étalait la véranda avec son désordre de sièges aux coussins joufflus, jaunes, violets, rouges, verts ou aubergine et sa débauche de plantes. Plus loin encore, la nuit noire.

C'était assez réussi, mais on n'en était qu'au potage et la soirée menaçait d'être longue. Le brouhaha des conversations tenait Suzanne à l'écart de l'instant, elle verrouilla ses mâchoires sur une irrépressible envie de bâiller, ses yeux mouillés croisèrent le regard de son mari à l'autre extrémité de la table. Il était penché par-dessus sa voisine avec cette attitude un peu en retrait qui disait si poliment « excusez-moi de vous passer dessus », et entretenait visiblement un propos passionnant avec le directeur de la police qui occupait le centre de la table. Et pourtant, il la regardait. Elle était sûre qu'il l'espionnait tout le temps, soupirant après chacun de ses actes, soupesant, jugeant le contenu des mots qu'elle prononçait, étouffant. Bref, cette vie lui était intolérable. Elle sentait monter le cri dans sa gorge.

– Et vous êtes satisfaite de l'enseignement du Carnot ?

Elle descendit son regard sur la tablée. Cette femme là-bas, près de son mari, elle était très… intéressante, non pas belle, mais plus que cela, elle semblait kidnapper la lumière pour s'en faire un ornement personnel, elle s'entourait de gestes vifs dont elle ralentissait la fin et chacun de ses mouvements était comme un effet spécial au cinéma. Suzanne se dit que si elle devait crier, c'est vers cette femme-là qu'elle crierait.

– Parce que ma femme et moi hésitons. Nous sommes à deux doigts d'envoyer Laetitia à Montpellier pour la fin de sa scolarité.

Suzanne réalisa que le type à sa droite faisait des efforts désespérés pour engager quelque chose avec elle. C'était quoi son nom déjà ? Elle savait qu'il s'agissait du préfet, mais était incapable de le nommer.

– N'est-ce pas, chérie ?

Il se tournait vers une blonde fadasse, comme on appelle au secours. Suzanne paria (deux chaussures enlevées au dessert) qu'elle allait lui donner des « mon ami par-ci, mon ami par-là », qui interdiraient définitivement qu'elle se remémore le prénom du préfet.

– Que dites-vous, mon ami ?

Gagné, gagné, gagné ! Suzanne se débarrassa sous la table de ses Saint-Laurent qui lui faisaient un mal de chien, et sentit son corps et sa tête s'épanouir pendant qu'elle écartait ses orteils nus sur le carrelage. Elle s'inclina vers son voisin :

– Vous savez bien, mon cher, que notre Jonathan est très agité et que sans vos nombreuses interventions, il passerait davantage de temps derrière les barreaux qu'au lycée. D'ailleurs, je dois vous en remercier, c'est tellement…

– C'est tellement naturel ! interrompit l'autre. Et nous imaginons à quel point cela doit être compliqué, que dis-je, pénible pour les parents d'avoir à gérer un enfant si…

– Difficile ? acheva Suzanne. Elle sentait monter l'exaspération, ils en étaient arrivés à parler du seul sujet qu'elle détestait aborder : son fils. Elle ne comprenait pas comment la conversation avait dérivé là.

– D'autant que c'est tout de même le fils du procureur, enchaîna la blondasse.

– Je crois oui, en tout cas sur le papier. Vous savez, à l'état civil, ils vous mettent « présumé père », j'ai toujours trouvé cela profondément choquant et insultant, pas vous ?

Suzanne élargit son sourire ; elle jubilait devant la mine incertaine du couple et puisa l'énergie de supporter la soirée dans les dix secondes durant lesquelles ni l'un ni l'autre de ses interlocuteurs ne trouvait le mot, la phrase pour passer à autre chose. Finalement, la blondasse choisit d'éclater d'un rire aussi faux que le piano du salon :

– Secret de femmes, secret de femmes ! (Elle avait un corps sec de sportive qui supportait mal la volupté de la soie, des lèvres minces et une queue de rat qu'elle prétendait transformer en chignon pour les sorties mondaines. Au fond, Suzanne s'en voulait de sa mauvaise humeur, elle savait parfaitement qu'Hélène – ah ça y est, cela lui était revenu, lui, elle ne se souvenait pas, mais elle s'appelait bien Hélène –, Hélène donc était plutôt drôle, pleine d'un humour caustique qu'elle partageait volontiers avec les copines de virées quand elles se faisaient ensemble le grand chelem, c'est-à-dire gym, hammam, massage, esthétique, thé glacé, cinéma, le tout dans l'ordre et dans le même après-midi. Hélène était imparable pour se moquer et casser les mecs, surtout les leurs avec leurs airs d'importance et tout ce cérémonial mondain qui servait de charpente à la vie sociale de la capitale.) À propos de secret, enchaîna-t-elle, cette bonne vieille ville bruisse de rumeurs de plus en plus persistantes sur un gros événement qui agite la jungle jusque dans ses tréfonds depuis le sud de l'Amérique latine jusqu'ici. Je suppose que vous en avez entendu parler ?

Il y eut comme un silence autour de la table, tous les regards convergeaient vers Hélène, et Suzanne regretta de ne pas avoir entendu la phrase – apparemment, elle créait des cercles concentriques d'intérêt. Et puis tout le monde se mit à parler en même temps, au moment où Bertide amenait les écrevisses lascivement étendues sur un lit de légumes. Tout s'interrompit pour laisser passer les « oh » et les « ah » d'admiration polie. Et ce fut l'avocat qui rompit la trêve :

– Les Brésiliens sont morts de trouille avec cette affaire.

– Comment ça, morts de trouille ?

Il se tourna vers la chanteuse qui l'interrogeait.

– Vous savez, depuis quinze ans que je m'occupe d'eux, je ne les ai jamais vus aussi fébriles ! On dirait qu'ils ont peur.

– De quoi ? En plus vous en parlez comme s'ils étaient une entité. Ça ne veut rien dire les Brésiliens.

Le journaliste parisien parlait avec la fourchette en l'air et l'agitait pour appuyer son propos.

– Monsieur Teltsi ! (Maître Chonville était très grand, même assis, avec sa gueule de batracien, il en imposait et savourait les mots avant de les prononcer à telle enseigne qu'on aménageait toujours le silence pour l'entendre et que l'on cherchait derrière ses mots les phrases qu'il n'avait pas dites. Sulfureux, il était le premier à avoir exigé un traducteur pour les Saramacas, les Bushinengués et même les Créoles qui se retrouvaient au banc des accusés, afin qu'ils comprennent, disait-il, les motifs de leur inculpation et que puisse s'établir une défense équitable. Cette réputation avait fait de lui l'avocat de tous les immigrés, friqués ou non, et lui avait valu son surnom d'« avocat des Brésiliens ». Pour l'heure, il agitait un doigt menaçant.) Vous êtes journaliste dans un des plus prestigieux quotidiens du monde, en tout cas votre journal est un de ceux que je respecte le plus, mais permettez-moi de vous apprendre des choses de ce pays.

L'autre avait enfin posé sa fourchette et se cala sur son siège.

Chonville se resservit une large part d'écrevisses et de légumes, arrosa son riz d'une rasade de sauce au piment. Ses yeux brillaient derrière ses paupières épaisses.

– Ce pays est immense, voyez-vous, pour une population peu nombreuse et multiple. Culturellement, c'est un bel endroit, un des plus beaux du monde, car chacun y a planté sa racine en se tournant vers l'avenir. Alors, tout est intact et en même temps très « pollué ». C'est, humainement, extraordinairement intéressant. En fait, tout le monde sait tout de tout le monde, mais les gens ne se connaissent pas, ils n'ont pas la curiosité de l'autre, juste la peur.

– Je ne vois pas le rapport avec…

Le journaliste avait recommencé à mastiquer et savourait visiblement les écrevisses que Bertide avait pris soin de décortiquer.

– Laissez-moi finir, jeune homme. La seule communication qui se développe réellement, c'est la solidarité à l'intérieur des ethnies qui composent la mosaïque du pays.

– Mais vous-même, vous êtes d'origine…

Chonville l'interrompit brutalement, en rentrant dans les yeux de cette femme merveilleuse en bout de table qu'il avait amenée avec lui. Suzanne regardait et comprenait le charme qui explosait sous la laideur de cet homme, Lionel avait l'air tellement fade à côté. Finalement, le dîner était moins ennuyeux que prévu, ces gens étaient moins ennuyeux que prévu. Elle écouta l'avocat expliquer qu'il était métis, guadeloupéen et brésilien… Il parlait de son enfance en Algérie, au moment de la guerre, il avait donc plus de 60 ans. Il semblait beaucoup plus jeune, en tout cas dans la musique de sa voix, dans la manière dont il envoyait les phrases.

– … Et donc, ils ont tous des organisations communautaires, les Brésiliens comme les autres. Ainsi, quand ils disent qu'ils n'ont rien à voir avec ce qui se passe dans la jungle en ce moment, ils le font par l'intermédiaire de leur porte-parole, mais attention monsieur Telsi tout cela n'a rien d'officiel, d'organisé, c'est aussi spontané que la manière dont la vie se vit dans la jungle ! (Il enfourna une énorme bouchée, la savoura et menaça son interlocuteur avec sa fourchette.) Parce que voyez-vous, ça fonctionne, et vachement bien, n'est-ce pas monsieur le préfet ?

Le préfet, en fait il s'appelait Arnoux, elle s'en souvenait maintenant, secoua la tête dans son verre de vin.

– Reste maintenant à savoir si tout cela est fondé sur une réalité ou s'il s'agit d'un fantasme né d'une rumeur de plus, et croyez-moi on n'en manque pas.

– Mais, cher monsieur, si vous ne le savez pas, qui le saura ?

La voix de cette femme était gutturale, presque trop grave pour une femme, ses yeux avaient la couleur des ailes d'abeille et Chonville avait la mâchoire tombante en face d'elle. Visiblement, s'ils avaient consommé, l'histoire était récente ; ils étaient dans cette phase de la danse que se font les êtres pour attirer l'autre et en même temps le renifler. Tous les animaux le font, Suzanne l'avait bien vu et beaucoup regardé. Parfois c'était ennuyeux, d'autres fois passionnant, et là, elle n'avait pas encore déterminé si ce ballet valait d'être observé. Son regard glissa vers la chanteuse qui n'avait pas dit grand-chose de la soirée, elle avait juste semblé horrifiée lorsqu'au moment de l'apéritif Lionel lui avait suggéré : « Et pourquoi pas nous chanter quelque chose après le café ? » Elle l'avait regardé comme on regarde un gamin mal élevé. Pauvre Lionel, décidément il ne saura jamais y faire avec les femmes, d'ailleurs, les plus intéressantes ne le regardent jamais, il n'y a que les poufs qui s'intéressent à lui ! Et moi qui me suis fait avoir, mais avoir… Son regard glissa vers le couple à côté de Lionel. Tiens ! Ils étaient assis l'un à côté de l'autre, le député et sa femme, comment avait-elle pu laisser passer cela ? Il est vrai qu'il la tenait en laisse et qu'elle était attachée très court. L'homme avait largement dépassé la cinquantaine et s'était entiché d'une bimbo qui non seulement aurait pu être sa fille, mais venait directement des masures qui avaient poussé du mauvais côté du fleuve en plein débordement de la capitale. L'affaire avait fait grand bruit dix ans auparavant, la bonne société avait pu cracher son venin sur la malheureuse avec d'autant plus de violence qu'elle s'était fait épouser. La bonne société s'était tordu la bouche en levant les yeux au ciel et avait fini par rendre les armes devant une incontournable évidence : le député était député, donc puissant, donc il faisait ce qu'il voulait et c'était sûrement très bien. On n'avait qu'à éviter les familiarités avec la bimbo, même si on ne pouvait éviter de l'inviter.

Suzanne se conformait strictement à ces règles non écrites, avec lesquelles elle était d'ailleurs assez d'accord, elle ne connaissait même pas le prénom de cette femme qui, pour l'heure, avait les yeux perdus dans ceux de Lionel. Mais, nom d'un chien, c'était juste là, en face d'elle, Lionel avait cet air qu'il prend quand il se croit important, le sourcil relevé et la lippe satisfaite, et l'autre bavait, le dos bien droit dans sa robe trop moulante et trop décolletée, et tout son corps envoyait des messages de désir, de soumission, de provocation à Lionel. Son Lionel ? Le fou rire la guettait.

– Du temps où votre père officiait, évidemment, les choses n'en étaient pas encore là.

Suzanne réalisa que l'avocat se tournait vers elle et tous les regards de la tablée avec lui. Une irrépressible envie de se gratter la cheville jusqu'au sang lui embrumait le cerveau. Chonville plongea vers son assiette.

– Vous savez, nous n'étions absolument pas d'accord sur le plan politique, je dirais même diamétralement opposés. (Il marqua une pause et enferma son mufle entre ses doigts croisés.) Mais, voyez-vous, j'avais beaucoup de respect pour cet homme, d'abord parce qu'il était mon aîné, et puis j'avais le sentiment qu'il essayait. Qu'il essayait vraiment de faire que la vie soit plus juste dans cette partie du monde. Simplement, je crois qu'il hésitait à déplacer les lignes de force qui régissent le pays. Or l'injustice était déjà là, et nous sommait au désordre pour établir un… développement équitable ? C'est comme cela que l'on dit aujourd'hui ? Mais trêve de solennité, je lève mon verre à mon meilleur ennemi qui fut le père de mon hôtesse ! (Et dans un rire tonitruant.) Ce qui, avouons-le, est le comble de la provocation.

– Et nul n'oserait vous changer, maître !

Les mots s'arrachaient de sa gorge comme la brûlure d'une angine. Elle se voyait, le coude, son coude, maigre, écarté du corps pour porter la coupe et le toast que réclamait l'avocat, elle sentait tous ces regards fixés sur son aisselle nue. Dieu, s'était-elle épilée, était-elle nette et dans ce cas encore plus nue ? Et sûrement humide, oui, mouillée et luisante. Les bruits s'estompaient, le sang poussait un vieux rythme malade à ses tempes, elle sentait passer une brise froide à l'intimité de son épaule, elle défaillait, elle voyait, sentait la grosse tête de Chonville se rapprocher de son épaule, il dardait une langue juteuse entre ses lèvres de crapaud et lui léchait voluptueusement l'aisselle, c'était extrêmement chaud et cela réglait une fois pour toutes le problème de luisance de son dessous de bras ou de netteté ou de propreté. Et pendant qu'il la léchait, de plus en plus et partout, et que ses yeux se fermaient sur l'indicible, son bras et sa main se mirent à trembler si fort qu'elle chavira son champagne sous l'œil attentif de Lionel.

Bertide était déjà là, serviette de table à la main. Sûrement, elle, Suzanne, était debout à tituber dans le silence installé. Elle fut tellement soulagée quand le cri s'arrêta, qu'elle aurait pu en rire de plaisir. Lionel la tenait par le coude et l'entraînait vers la nuit et les coussins de couleur, tout allait bien en fait. Elle installa autour d'elle les plis de sa robe, soigneusement, les disposant comme il convenait, et surtout la tête droite, haute et droite, et respirer par le nez, bouche fermée, pour dire la fierté d'être narines ouvertes pour contempler le monde. Le cri venait de sa gorge, elle le savait, elle s'en foutait et si cela pouvait embarrasser Lionel, c'était *tellement* tant mieux. De toute façon, ils étaient tous *tellement* policés, ils allaient merveilleusement faire comme si tout cela n'existait pas, comme s'il n'y avait pas la moindre fausse note dans cette soirée, comme si elle avait l'air « normale », comme si tout baignait dans l'huile douceâtre de l'ordinaire. Ah ! L'ordinaire ! Son ordinaire, il était comme le soufre dans un plat de patate douce. Et la haine, la haine cognait à la porte, et Dieu sait si elle ne voulait pas la laisser entrer. C'était *tellement*… mal.

Et pourquoi tous ces regards sur elle ? Pourquoi l'avocat n'était-il pas en train de lui lécher les dessous de bras, alors qu'elle était en train de le lui demander, là ? C'est bien cela qu'elle faisait, ouiii… Elle lui demandait : « Maître, auriez-vous l'amabilité de glisser votre belle et grosse langue le long de mes aisselles, car voyez-vous, elles sont tout humides de sueur… et je n'aime pas l'humidité de la sueur, je préfère, mais alors vraiment, l'humidité de votre salive, qui en plus a des propriétés nettoyantes, qui règlent trop bien mon problème, car voyez-vous, la sueur me dégoûte, aussi bien la mienne que celle des autres… Maîîître ! Je vous parle ! »

Le silence s'embarrassait de bruits feutrés : raclement de chaises, de gorges, toux discrètes derrière des mains manucurées, battements pudiques de cils, elle aperçut le visage de son mari d'une exceptionnelle pâleur, surtout autour des lèvres. C'était signe de colère et d'impuissance, et de toute façon elle s'en fichait, il allait faire comme si de rien n'était, le café allait circuler et tout ce beau monde allait rentrer chez soi, vider les lieux et la paix allait venir dans sa pauvre tête.

— Ça va aller ma chérie, j'étais en train d'expliquer à nos amis que nous allions passer quelques jours près du fleuve à Campan et que cela te fera le plus grand bien ! N'est-ce pas ?

Lionel Gandri tourna un regard sévère vers l'assemblée comme pour signifier que rien ne se passait en dehors des mots qu'il venait de prononcer.

Suzanne Gandri crut mourir : elle allait devoir affronter tout ce qui lui paraissait le plus effrayant et répugnant sur Terre, à savoir un séjour dans ce bled perdu dans un hôtel miteux où la clim s'essoufflait à chasser les moustiques, le tout après une calamiteuse traversée de piste et de brousse qui la terrorisait. Mais pourquoi, pourquoi Lionel lui infligeait-il pareil supplice ? Ne se rendait-il pas compte que c'était impossible ?

— Et vous avez besoin de repos, ma chère, nos amis comprendront que vous regagniez votre chambre.

Il l'attrapait par le coude et la poussait, Suzanne gloussa et répéta :

— « Que vous regagniiiiiiiez votre chambre ! » Tout cela est superbement ridicule mon ami. Vous êtes superbement ridicule. Cette soirée est superbement ridicule. Et cette idée d'aller s'enterrer à Campan est superbement ridicule. Et, oui, je vais me coucher car j'en ai soupé du ridicule, ras le bol du ridicule, marre à crever du ridi…

La pétarade d'un moteur en fin de course lui coupa la parole. Quand Jonathan déboula sous la véranda, les conversations avaient repris leurs murmures et sa mère n'était plus là. Il était 23 h 30 à huit cents kilomètres à la ronde.

# 17

Il était passé un soir comme s'il accomplissait un geste très ordinaire, à son bras droit un sac en toile grossière semblable au baluchon que trimballaient les militaires en bivouac, dans sa main gauche la main de la petite Marie qui portait ses habits du dimanche. Il n'avait pas dit grand-chose, juste un murmure dans lequel Félicité avait compris qu'il pensait que la petite fille serait mieux avec elle puisque lui était obligé de partir travailler en brousse. Acceptait-elle de s'en occuper, de la conduire à l'école, de l'aider à faire ses devoirs, enfin toutes ces choses que les mères sont censées faire et que, ma foi, Elsa avait un peu négligées ? Mais voilà, il était tout seul et ne savait pas trop comment s'y prendre et la petite ne pouvait pas rester seule dans la maison trop grande et les services sociaux allaient finir par mettre leur nez dans tout ça et Marie... Marie avait choisi. Elle voulait rester chez Félicité en attendant que son père revienne.

– Tu comprends, Félicité ? Alors si tu pouvais, si tu voulais bien t'en occuper ce serait...

Il était empêtré dans son embarras, le Rudy, il tortillait les mots en regardant ailleurs en haut, à droite, à gauche.

Félicité se pencha vers la petite, elle voulait juste savoir si elle voulait vraiment ou si c'était seulement une commodité que son père avait trouvée pour évacuer un problème.

– En plus, tu es sa seule parente, enfin la plus proche, et Elsa, je crois qu'elle t'aimait, quand même...

– Quand même de quoi ? (Non mais, il ne manquait pas de culot celui-là !)

– Quand même que tu la bousculais sans arrêt, rapport avec ses bondieuseries !

Elle se redressa :

– On va être clairs, Rudy, tu veux dire que tu me laisses la petite et que chaque fois que tu rentreras, elle ira faire l'esclave chez toi ?

– S'occuper de son père c'est pas faire l'esclave ! Quand je rentre y a des trucs à faire. Je peux pas, je sais pas.

– Si c'est pour laver ton linge et te faire la bouffe Rudy, je veux bien que tu m'amènes tes hardes quand tu reviens de brousse, je les laverai. Je veux bien aussi te faire porter une gamelle quand tu n'iras pas te déchirer en vomissant ton rhum, mais d'abord... (Elle s'accroupit vers Marie.) Est-ce que tu veux vraiment habiter chez Félicité, petite ? Est-ce que tu as envie de vivre un peu avec moi ? On peut essayer, on peut essayer de s'habituer.

Marie hocha énergiquement la tête, cela ressemblait à un oui sans conditions.

– Et tu verras papa chaque fois qu'il reviendra du boulot, il passera nous faire signe et peut-être, si tu veux bien, on lui préparera à manger, mais tu resteras, tu veux bien rester ?

Marie avait son cartable à l'épaule, elle le posa devant le magasin et sourit :

– Très franchement Félicité, je vois pas ce qu'on peut faire d'autre, en plus je crois que maman aurait été contente, tu sais... avec le vrai sourire. (Elle baissa la voix.) Et très franchement aussi, je crois que j'embarrasse papa, je suis pas un garçon ! Et puis, je veux pas que les sœurs me gardent.

– Alors ? Ça veut dire que je vais te faire une omelette, un yaourt et au lit ?

Elle lui prit son balluchon, salua Rudy sans même se rendre compte que le rêve de sa vie était en train de se réaliser, en tout cas en partie. C'est Marie qui était là bientôt dans sa maison, c'est

Marie qui allait se coucher bientôt dans la petite chambre que la vieille avait désertée. Le premier soir, ce soir, elle la prendrait dans sa chambre pour qu'elle n'ait pas peur, elle lui parlerait longtemps, lui raconterait toutes ces histoires qu'elle récoltait à son comptoir, elle lui ferait partager toutes ses émotions, peut-être ses pensées, même les plus difficiles à accepter, même celles qu'elle n'arrivait pas à comprendre elle-même. Elle avait Marie à la maison, et il y avait tellement de papillons dans sa poitrine qu'elle oublia de demander à Rudy la date de son retour. Elle s'affairait à la cuisine, battant des œufs avec une pointe d'ail, quand elle entendit la moto. Marie avait trimballé ses affaires à l'étage et Félicité tendait l'oreille vers ses allées et venues, se disant avec une angoisse jubilatoire qu'il fallait qu'elle s'habitue à entendre vivre quelqu'un près d'elle. Elle guettait un chant, la petite musique des enfants heureux, mais savait que c'était trop tôt. Il y avait une semaine à peine qu'Elsa était morte avec enfin ce sourire au bout des lèvres, et franchement, depuis, la petite n'avait pas eu l'air si triste que cela. Le matin, elle passait devant le magasin de Félicité comme d'habitude sur le chemin de l'école, avec toujours ses mêmes copines, dont une des filles du facteur, et Félicité les entendait piailler.

La vie était cruelle. Félicité se demanda s'il n'y avait qu'elle qui pensait à Elsa telle qu'elle était maintenant, le nez collé au plafond de son cercueil, allongée dans une éternelle posture qui s'en irait au rythme de la décomposition de sa chair. Félicité n'aimait pas cette pensée, mais chaque fois que quelqu'un mourait, des images lui envahissaient la tête pendant au moins un mois ou deux. Celles-là, elle ne pourrait pas les partager avec Marie, ça au moins c'était clair !

Elle jeta les œufs battus dans la poêle fumante, une bonne odeur aillée monta vers les chambres, elle ajouta un reste de lard, quelques herbes et découpa le pain. Ce qui servait de salle à manger prolongeait la cuisine, qui elle-même prolongeait l'arrière-boutique. Ainsi, Félicité pouvait surveiller son magasin pendant qu'elle déjeunait le midi avant de baisser le rideau sur sa sieste. Elle se demanda ce que la présence de la petite changerait dans ses habitudes et comment le village allait prendre l'information. Sûr que cela ferait jaser, et qu'on l'accuserait de vouloir prendre la place d'Elsa, y compris dans le lit de Rudy, mais de cela, elle avait l'habitude, elle saurait gérer les médisances. Non, ce qui la tracassait c'était plutôt le sentiment qu'il lui faudrait mettre un peu d'ordre dans sa vie. Plus question de distribuer sa tendresse à tous les hommes en mal d'amour ou en questionnement sur leur virilité. Elle allait faire ça la nuit, comme les gens bien, et réduire la voilure puisque forcément cela excluait les hommes mariés. Et deux de moins ! Elle n'était pas sûre, sûre de tenir cette exigence, mais elle se promettait d'essayer. Et puis elle irait la voir, puisque Tiouca avait affirmé qu'elle était encore en vie, il fallait bien qu'elle l'affronte, la vieille, sa haine. Cela aussi ce serait difficile, mais elle allait essayer vraiment. La retrouver, qu'elle reste où elle était dans la brousse, mais juste la voir au lieu de faire comme si elle n'existait plus. C'était très important.

– Marie, Marie, viens dîner ma belle, sinon ce sera tout froid !

Elle posa deux assiettes face à face sur le ciré de la table en formica, fourchettes, couteaux, pour la première fois de sa vie, elle se dit que les néons étaient vraiment trop moches et faisaient un éclairage qui démolissait toute possibilité d'ambiance. Quand elle réalisa qu'elle avait entendu une moto et que, forcément, elle avait de la visite, Jonathan passait déjà la porte et traînait une troisième chaise vers la table.

– Et pour moi, il y en a pour moi, Félicité ?

– Et bonjour, ou bonsoir, comment ça va, est-ce que je peux m'asseoir, tout ça c'est mort hier soir ?

Marie irrupta en dévalant l'escalier et s'assit bruyamment.

Jonathan posa ses yeux de chat sur la petite Marie et sa main sur celle de Félicité.

– C'est pas la peine, parce qu'on se comprend tous les deux, comment tu vas petite, pas fort ou c'est top ?

– C'est pas top, mais ça va. (Marie avait essayé d'enfermer ses cheveux dans un élastique et sentait le savon de Marseille.) Je vais habiter chez Félicité maintenant, tu sais ! Et c'est moi qui tiendrai la caisse après l'école.

– Tu feras plutôt tes devoirs après l'école, miss. (Félicité coupa une part d'omelette qu'elle posa devant Jonathan.) Et toi, tu n'as pas de maison, pas de famille pour venir ici à cette heure-là ?

Il lui attrapa le bras.

– Félicité, tu me rendrais un service ?

Elle était méfiante.

– Comme quoi par exemple ?

Il serra ses poings l'un contre l'autre, les yeux fixes.

– Comme entreposer une marchandise pour moi.

– Entreposer quoi ? (Une main sur la hanche, elle sentait monter la colère aussi sûrement qu'elle allait le foutre dehors.) Entreposer, moi ? Et tu as peut-être l'intention, Jonathan, de me mêler à tes trafics ? Tu as vu quelque part écrit là, sur mon front, que j'étais la reine des connes de ce côté de l'Oyapock ? Même pas en rêve, tu m'entends. Même pas en rêve !

– C'est quoi les trafics de Jonathan, Félicité ?

Marie passa son pain dans son assiette : dernière bouchée, la meilleure.

– Tu vois Jonathan, tu ne peux même pas être de compagnie pour une gamine de 10 ans, sans quoi elle entendra ce qu'elle n'a pas à entendre.

Il reposa son verre qu'il avait vidé d'un trait.

– Félicité, je ne sais pas ce que c'est, je sais seulement que tout le monde est dessus et que je t'ai connue moins bégueule. Mes trafics, ça t'a bien arrangée, des fois !

Félicité se servit un grand verre d'eau.

– Sauf que c'est fini tout ça ! (Elle s'immobilisa). Marie, va te coucher, je viens te faire une bise, ce soir on dort ensemble, je te préparerai ta chambre demain. (En s'essuyant les mains à son torchon.) Maintenant, monsieur l'important, tu vas dégager de chez moi. Et si j'ai un conseil à te donner Jonathan, tiens-toi bien loin de cette histoire, elle pue, et elle va amener l'enfer ici !

Jonathan s'agita.

– Tu sais quelque chose, tu sais un truc que tu ne me dis pas, Félicité, je t'en prie ! J'ai… mon père…

– Rien, tu m'entends, je ne sais rien, je ne veux rien savoir et tu dégages tout de suite !

Après le départ de Jonathan, Félicité éteignit les lumières, regarda autour d'elle comme si c'était la dernière fois ou la première fois que la vie avait ce goût-là.

Pendant qu'elle montait l'escalier en s'agrippant au bois de la rampe, elle sentit que l'eau lui envahissait les yeux. Il lui semblait qu'elle n'avait pas pleuré à la mort d'Elsa, même quand le pathétique moment de la descente du cercueil dans son trou était arrivé, ce moment qu'on attend parce qu'il autorise un lâcher de larmes, de sanglots, sans retenue. Même là, elle n'avait pas pleuré. Son corps et le reste étaient tendus vers Marie, elle surveillait sa nuque pour qu'elle ne ploie pas trop fort. Mais maintenant, sans sommation ni explication, voilà que ça venait comme une digue qui lâche.

Elle avala précipitamment les dernières marches et se jeta dans la salle d'eau. Sous la douche elle allait mélanger tout cela et ne pas amener de chagrin dans la chambre.

Elle s'essuya consciencieusement devant son bout de miroir. En face d'elle, il y avait une femme plantureuse à la peau serrée et brillante, aux yeux rouges et battus. Elle se fit la moue, bouche en avant, examina ses dents larges, blanches, se lissa les sourcils et se dit qu'elle oubliait tellement souvent qu'elle était jeune. En enfilant sa vieille chemise de nuit, l'image de Jonathan et de ses embrouilles, la sensation d'une nouvelle effervescence à Campan la traversèrent. Juste le temps de repousser ce brouillon d'impressions, elle avait mieux à faire !

Est-ce qu'elle aimerait raconter des histoires ? Est-ce qu'elle était obligée de le faire ? Est-ce que la petite aimerait parler avec elle ? Elle était si vive, si intelligente, Félicité ne voulait pas avoir l'air d'une sotte face à une gamine. Elle pensait bien qu'en l'aidant à faire ses devoirs, elle-même en profiterait pour apprendre tout ce qu'elle avait raté à cause de cette vieille, cette vieille… salope, voilà.

– Marie, tu dors ?

– Ben non, pas encore, je lis un livre que j'aime bien. Tu sais, elle est belle ta chambre. Elle est grande et puis j'aime les persiennes, quand le soleil va se lever ça va faire des dessins sur ton tapis. J'aime bien ces dessins-là. À la maison, y en avait dans ma chambre, je crois bien que j'avais la plus belle chambre de la maison quand même !

Félicité sourit : et dire qu'elle avait peur que la petite ne parle pas.

– Demain, on va s'occuper de ta chambre. Il faudra tout nettoyer, mettre des draps propres, une moustiquaire…

– Et je pourrai aller chercher des trucs à la maison ? J'ai un grand poster de Michael Jackson, je l'aime trop celui-là, comment il danse trop bien ! Je peux te montrer si tu veux. (Elle bondit hors des draps.) Je sais le faire, on répète avec les copains à l'école.

Félicité riait, la tête dans les étoiles.

– Tu me montreras demain, on ira chercher tes affaires au retour de l'école avant que ton père s'en aille.

– De toute façon, j'ai une clé.

– Il faut dormir maintenant.

– S'il te plaît, je peux lire encore un tout petit minuscule peu ?

Félicité regarda le visage de l'enfant et se dit pour la première fois qu'elle ressemblait beaucoup à sa mère, elle avait le front et les yeux d'Elsa, avec la lumière en plus.

– Qu'est-ce que tu lis ?

– *L'Auberge du cheval blanc*, j'adore, c'est l'histoire d'un petit garçon malheureux, mais comme c'est un livre, il sera sûrement heureux un jour ! (Elle s'arrêta brusquement et baissa la tête, Félicité devait découvrir qu'elle faisait toujours cela quand elle commençait à réfléchir.) Dis, Félicité, tu crois qu'il y a des livres avec des histoires où les enfants sont comme moi, un peu noirs ?

Ouille ouille ouille ! Cela allait être moins simple qu'elle ne le pensait.

– Et dans ce cas-là, tu pourras me les acheter s'il te plaît ?

– Allez jeune fille, on ferme !

Au pied du lit, il y avait un drap léger qui servait de couverture par temps de canicule, Félicité le ramena jusqu'aux yeux de

Marie, brancha le ventilateur, lui posa un baiser sur le front et referma la moustiquaire. Il y avait des comptes à faire, la machine à laver à vider, et quelques grosses crevettes à sortir du congélateur. Demain serait jour de fête avec un repas de prince.

Beaucoup plus tard, quand elle ferma les yeux sur la douce respiration de Marie à ses côtés, elle se dit qu'elle allait prendre un moment, bientôt, pour voir Tiouca et lui demander de la conduire à la vieille.

# 18

Napi testa son hamac en l'enfonçant des deux mains de tout son poids, ensuite il tendit une corde d'une extrémité à l'autre, inspecta les arbres, il n'aimait pas les insectes, ni les gros ni les petits. Le jour s'en allait, les conversations s'effilochaient sur l'urgence des tâches à accomplir, il avait repéré la femme aux seins fatigués qui lavait les écuelles à l'eau d'une flaque. Autour d'elle, il y avait des jeunes hommes, en jeans ou shorts et sandales, qui attendaient leur tour de vaisselle, tous amérindiens. Ils devaient être une dizaine, parlaient tous en même temps et parfois riaient fort, c'est avec eux qu'il bivouaquait depuis un mois, ils ouvraient le convoi, les autres étaient plus loin. Il avait pris soin de leur laisser des traces sur les arbres, sur le sol où, parfois, une simple branche cassée signifiait un chemin. Il ne comprenait ni qui ils étaient vraiment, ni ce qu'ils faisaient. Il savait seulement d'où ils venaient et où il devait les conduire. Il avait cru, en retrouvant les chefs de groupe la veille comme à chaque rendez-vous, qu'il allait enfin pouvoir poser des questions et approcher le mystère qui accompagnait ce voyage. Mais il avait vite renoncé. Dès que les paroles les amenaient hors de l'organisation du quotidien, dès qu'il essayait de savoir ne serait-ce que le nombre exact de bouches à nourrir, tout se bloquait : les langues, les yeux, les oreilles, il n'avait plus que des dos à dévisager, aussi n'avait-il aucune envie de se fatiguer la tête. Tout de même, toute cette étrangeté le mettait mal à l'aise.

Il amarra une sorte de moustiquaire à la corde tendue, jeta les yeux par-dessus son épaule pour vérifier que tout allait bien : la femme vidait son seau, les garçons avaient entamé une partie de dominos à côté de l'unique lampe à gaz qui attirait une foultitude d'insectes ; depuis un mois c'était devenu presque un rituel, il n'y avait que cinq hamacs tendus entre les arbres, ce qui signifiait que certains dormaient tête-bêche dans la même toile. Il se dirigea vers la femme qui s'occupait à ranger les gamelles dans les sacs à dos.

– Sola'o, c'est bien ça ? dit-il en s'asseyant. Demain on partira avant le soleil. (Il leva la tête vers les arbres, la clairière était minuscule ; en fait ce n'était même pas une clairière, juste un aéré dans l'épaisseur de la jungle aménagé par un arbre trop vieux qui cassait sa pipe doucement. Peu de gens connaissaient cet endroit qui n'avait même pas de nom, peu de gens sinon personne à part Napi, enfin, à sa connaissance. Il la regarda.) Vous ne voulez vraiment pas retrouver l'autre route, la normale, on irait beaucoup plus vite, non ?

Elle leva les yeux en riant, lui faisant comprendre qu'elle ne parlait pas sa langue. Au fond il avait envie de parler, alors qu'elle comprenne ou pas...

– Parce que, franchement, je ne sais pas ce que vous voulez. Je ne sais même pas ce que vous transportez et pourquoi vous êtes répartis en plusieurs groupes, pourquoi vous voyagez pas ensemble. Si ça se fait, je suis en train de me mettre dans une belle merde et quand je serai dedans je saurai même pas pourquoi je suis là.

– Peut-être c'est mieux comme ça, jeta un des garçons en posant avec force un double-six sur le carton qui servait de table à jouer.

Ils étaient à deux mètres à peine ; ainsi, certains d'entre eux parlaient le bushi ! C'était la première fois qu'ils entamaient l'ombre d'une conversation. Globalement, ils n'étaient pas très causants, même entre eux il y avait plus de silences que de paroles.

Napi connaissait leurs manières. Ils se bagarraient un peu, riaient beaucoup, se jouaient des tours, comme ce matin où, près de la rivière, l'un d'eux avait emprisonné un crapaud venimeux dans la poche d'un short abandonné sur une pierre, pendant que tout le monde se baignait. Le résultat avait été une belle crise de rire au moment où l'autre avait enfilé son short et, tout de suite après, l'urgence de trouver les feuilles qui calment les brûlures du venin de ce satané crapaud. Alors on riait beaucoup, on parlait peu et on ne disait que ce que l'on voulait bien dire.

– Qui est le chef de l'expédition, ça au moins vous pouvez me le dire ?

Sans lever son nez de son jeu, un des garçons lui répondit après une bonne minute de silence concerté :

– C'est Alakipou, le poète.

Bon, Napi ne connaissait pas d'Alakipou, pas non plus de poète, alors il s'étira en bâillant avec force et se dirigea vers son hamac. Peut-être, se dit-il, était-ce l'homme qui était venu voir son grand-père ? Après tout, quelle importance ? Il allait sortir son petit plaisir de son sac : une torche électrique et surtout le livre.

Il l'avait récupéré après un bivouac, vraisemblablement oublié par son propriétaire. Napi en lisait des petits bouts chaque fois qu'il voulait se faire un bonheur. Allez savoir pourquoi, lui en tout cas ne savait pas, mais il trouvait dans les mots et les phrases qu'il y lisait une sorte de jubilation, parfois ces mots lui mettaient des images dans la tête. Il ne savait pas à quelle famille appartenaient ces images, elles lui étaient inconnues mais lui faisaient du bien. La plupart du temps, il relisait pendant dix jours la même phrase, jusqu'à lui trouver un sens, une direction, et c'était toujours très ardu. Il fallait qu'il marche bien loin à l'intérieur de lui-même pour que le chemin se dépose doucement dans sa tête, et il aimait cela.

Il s'installa dans son hamac, alluma sa lampe de poche et ouvrit le bouquin à la lettre N, après avoir caressé la couverture : *La Philosophie de A à Z*. Il n'avait toujours pas compris ce qu'était la philosophie ; en tous cas il ne pourrait pas l'expliquer à son grand-père par exemple, mais il savait que « *de A à Z* », il finirait par se faire une idée peut-être et s'il allait jusqu'au bout... Seulement, il avait beaucoup de difficultés avec la lettre N. Il avait trouvé Nietzsche et cela faisait bien douze fois qu'il relisait le passage, un extrait de *Par-delà le bien et le mal*. Cela, il l'entendait. Il relut encore la phrase, c'était une escale en terre inconnue : il n'avait pas les codes, ne parlait pas le langage, mais s'agrippait à chaque mot. Il épela à voix basse :

« *Comment une chose pourrait-elle procéder de son contraire, par exemple la vérité de l'erreur ? Ou la volonté du vrai de la volonté de tromper ? Ou le désintéressement de l'égoïsme ? Ou la pure et radieuse contemplation du sage de la convoitise ? Une telle genèse est impossible.* »

Il avait le sentiment, à la quinzième lecture, qu'il avait compris à peu près, et même, il se sentait assez d'accord avec ce qui était énoncé là, c'est après que cela se compliquait. Il leva les yeux de sa lecture, autour de lui tout semblait calme, presque trop, il entrouvrit sa moustiquaire, apparemment les joueurs de dominos ne jouaient plus, ils discutaient serrés, penchés sur la dernière lueur de la lampe à gaz dont ils avaient baissé l'intensité au minimum. Il aurait aimé entendre leurs propos. Tous ces secrets autour de leur voyage, ces hommes et ces femmes qui allaient par paquets de dix tout en étant ensemble et empruntaient des chemins tortueux que peu de pisteurs connaissaient, cette attente en suspension, tout cela le rendait un peu nerveux. Il haussa les épaules, se réinstalla et reprit sa lecture.

« *Qui fait ce rêve est un insensé, ou pis encore ; les choses de plus haute valeur ne peuvent qu'avoir une autre origine, un fondement propre. Elles ne sauraient dériver de ce monde éphémère, trompeur, illusoire et vil, de ce tourbillon de vanités et d'appétits. C'est bien plutôt au sein de l'être, dans l'impérissable, dans le secret de Dieu, dans "la chose en soi" que doit résider leur fondement, et nulle part ailleurs.* »

Oui, oui, il était complètement en accord avec tout cela, il pensait avoir compris, mais il y avait un petit quelque chose qui le tracassait. Ce type était-il vraiment d'accord avec ce qu'il écrivait ou bien essayait-il de prouver autre chose ? Ses mots étaient lourds comme ceux des chamans et les chamans déroulaient des idées comme un long fil qu'il fallait prendre au début du commencement du… Sûrement, il lui faudrait continuer à lire, car ce Nietz… quelque chose (il préférait l'appeler Martin) ne pouvait écrire autant de phrases pour dire des banalités qu'il savait déjà.

Il referma le bouquin, bâilla un grand coup, se promit d'en parler avec le père Eustache de la mission d'Awala, et s'endormit immédiatement.

*

C'est un imperceptible frottement qui le réveilla, on était au mitan de la nuit, il y avait quelque chose qui n'allait pas. Ça faisait « chhh… chhh… », comme si on traînait un objet lourd, ou encore comme si quelqu'un voulait se déplacer sans faire de bruit. C'est fou ce que les hommes sont empêchés quand ils veulent se faire légers. À l'espacement du frottement, Napi en compta trois, peut-être quatre, mais sûr trois. Il entrouvrit sa moustiquaire : les garçons eux aussi avaient entendu.

Ils étaient assis sur leurs talons, aux aguets, les yeux grands ouverts sur la touffeur des arbres. L'un d'entre eux posa un doigt sur ses lèvres, Napi descendit lentement de son hamac, calquant le bouger de son corps sur les « chhh… chhh… », il sentit dans toutes ses fibres que cela venait de derrière, derrière le grand banyan qui n'en pouvait plus de mourir et renaissait chaque fois qu'une bestiole installait sa demeure dans ses frondaisons. Il était décoré comme un ancien combattant cet arbre, couvert de nids, de niches, de fleurs parasites, de feuilles dévorantes, un vrai bordel comme la brousse savait si bien les faire, c'était son arbre. Il sentait son agonie glorieuse, il le connaissait par cœur et donc, il y avait du monde derrière, et pas du beau monde, il l'aurait parié. On ne se glisse pas la nuit dans la forêt, on n'approche pas un campement sans s'annoncer si on a de bonnes intentions. Napi n'avait pas d'armes, il détestait les fusils, il chassait au couteau, à l'arbalète, et parfois, pour frimer, il empruntait l'arc et les flèches que son père s'était fabriqués. Mais là, tout de suite, il n'avait que la froideur rassurante de sa lame qu'il enferma dans sa main droite pendant qu'il reculait, plié sur ses pieds nus et décrivant un large arc de cercle qui semblait l'éloigner de l'arbre.

Ensuite tout se passa très vite, il y eut un froissement dans les arbres, ils étaient nombreux, arrivaient de partout à la fois. Napi, qui leur faisait face en s'éloignant, les identifia à leur manière de bouger, avec méthode et détermination : des Cubains. Ils s'abattirent comme une déferlante sur les joueurs, sur la femme et les hamacs, leurs lames étaient longues et brillantes à la caresse de la lune.

D'un coup, l'air fut saturé de chocs, de chutes, de frottements, de grognements inhumains ; personne ne cria. Les coutelas étaient affûtés et le massacre fut total, sanglant.

Napi eut dix secondes pour réaliser qu'il était hors du champ, à la fois de l'agression, mais surtout de la préoccupation des agresseurs, apparemment ils découpaient consciencieusement les Amérindiens. Il eut dix autres secondes pour se faufiler hors de la clairière, courant comme un dératé, persuadé d'avoir entrevu le diable, persuadé d'être poursuivi, le cœur dans les gencives, la tête vidée de tout sauf de la terreur.

Au bout d'un long moment de chaos désespéré, de panique, d'asphyxie, de course aveugle, il finit par comprendre qu'il n'y avait personne derrière lui, qu'il était vivant et qu'il avait en toute inconscience parcouru le chemin qui le menait directement à l'autre campement, celui du deuxième groupe, le plus proche de la tête du convoi.

Il s'arrêta, s'accroupit, inspira de toutes ses forces. L'air était saturé d'odeurs de moisi, de fleurs sucrées, de décomposition chaude, il savait où il était. Il faisait très noir, la lune avait du mal à glisser ses rayons entre les arbres. Il toucha la terre, enfonça ses doigts dans sa chair humide, en arracha une poignée et la porta à son visage.

Qu'allait-il dire aux autres ? Qu'une bande de vautours s'était abattue sur le campement dont il avait la garde, que ces vautours avaient des couteaux longs comme le bras et qu'ils s'étaient amusés à découper tout le monde, tout le monde sauf lui ? Tout le monde sauf lui. C'est là que ça devenait délicat !

Mais de quoi on parle là ? Des hommes et une femme venaient de se faire découper sous ses yeux sans raison. Sans raison ? Il y en avait sûrement une, mais il ne la savait pas. Dans sa tête, la terreur se transforma en une infâme bouillie, il voulait gémir et pleurer. En fait, il ne voulait, il ne pouvait que cela. Il se recroquevilla. Et c'est dans cette posture que les garçons du deuxième campement le trouvèrent au jour levant.

# 19

Julie s'étira, ses bras et ses jambes étaient prisonniers du filet du hamac et de la moustiquaire, elle était emmêlée dans un chiffon de drap trempé de sueur. La nuit s'attardait sur le village et elle se sentait en forme. Elle passa les pieds par-dessus bord, risqua un œil autour d'elle : tout le monde dormait encore, tout le monde c'est-à-dire Maïla et Alakipou ; Lulla qui avait fait la route avec eux était parti dans sa famille. L'ajoupa était très grand, plutôt genre salle des fêtes que case à vivre, le sol était en béton et le toit étalait à au moins quatre mètres de hauteur un enchevêtrement de feuilles de tôle ondulée qui attiraient le cagnard.

Partout, des poutres en bois brut empêchaient que l'édifice ne s'effondre. L'ensemble était assez laid. Au milieu de l'étrange bâtisse, quatre hamacs avaient été accrochés pour accueillir les « invités ». Juste à côté, à une trentaine de mètres, se dressait la maison d'habitation, c'est donc là que vivait la famille d'Alakipou.

Quand ils étaient arrivés la veille, bien avant que le soleil ne s'en aille, c'est le père qui était sorti les accueillir. Alakipou avait rangé la Porsche à côté d'une camionnette bâchée de neuf, aux garde-boue couverts de poussière et du limon noirâtre de la mangrove. Sous le capot ouvert, un immense short à grand-voile et une chemise à carreaux s'agitaient à grand renfort de jurons.

– Bon Dieu de merde, je viens de le changer ! C'est le trou du cul du monde ici, jamais rien qui marche, merde ! (Qui se changèrent en hurlements…) Baisse le volume toquard ! Ou change de radio, marre des meufs qui bêlent ! T'appelles ça de la musique toi ?

La chemise à carreaux fila une tape sur la tête d'un gamin qui était scotché à un Ghetto-Blaster crachant des décibels sirupeux. C'est vrai que la musique était niaise, se dit Julie en regardant la chemise à carreaux. Au-dessus de la chemise, il y avait un large visage au front ouvert et aux yeux fendus comme un sourire, l'homme était immense, ses cheveux lui coulaient dans le dos de chaque côté d'une impeccable raie. Julie se dit que chacun de ses bras était plus gros que ses cuisses à elle.

– Mon frère, avait dit Alakipou. (C'est alors que le vieux monsieur était sorti de la maison, s'était arrêté les bras croisés et avait attendu.) Mon père, avait dit Alakipou.

Après, tout s'était enchaîné en accéléré : une dizaine de personnes de tous âges, de tous sexes s'étaient retrouvées autour des arrivants. Alakipou avait tenté de faire les présentations, mais c'était juste un tourbillon de prénoms, de jupes, de couleurs, de rires et d'embrassades. Julie n'avait imprimé personne sauf la mère, sèche et raide comme une trique avec une voix qui portait haut, elle avait l'air de mener tout le monde à la baguette et son rire était une véritable déferlante qui venait mourir dans un hoquet que seul – elle l'apprit plus tard – un verre d'eau pouvait calmer.

Après une quasi-journée en voiture, Julie avait envie d'une bonne douche, d'un repas bien arrosé et d'un long et profond sommeil. Elle avait renoncé à comprendre ce qu'Alakipou attendait d'elle, et à vrai dire cela l'excitait de ne rien savoir et de pousser chaque jour sans projeter demain. Maïla semblait très à l'aise avec tout le monde, les petites filles se pressaient autour d'elle, parfois sans parler, parfois avec des questions qui débordaient dans un précipité de paroles et elle était là, tranquille, distribuant des réponses, des sourires, des caresses. C'était assez étonnant, Julie ne comprenait rien à ce registre-là.

Elle observait la famille d'Alakipou : le poète l'intriguait de plus en plus, et tout ce qui le touchait de près était comptabilisé comme autant d'indices qu'elle prendrait le temps d'analyser. Mais plus tard.

Les filles, il y en avait quatre, lui paraissaient toutes semblables, des images arrêtées à des âges différents – entre 5 et 14 ans à peu près – du même modèle. Les garçons allaient de 12 à 30 ans ou quelque chose comme ça, ils étaient cinq, dont « chemise à carreaux » qui en fait s'appelait Douna et était le cadet d'Alakipou. Deux frères, deux univers, l'un mince, très mince avec ses petites lunettes, et pas très grand, l'autre, immense avec des mains en battoir, des épaules de sumo et une tête d'ange avec ses cheveux interminables qu'il avait noués en couette pour passer à table. Il dominait tout le monde et la première crise d'hilarité de la famille avait fixé l'instant où Julie avait pris la pose photo à côté de Douna. Elle était minuscule et le sommet de son crâne lui effleurait à peine l'aisselle. Il n'empêche qu'il lui montrait un certain respect, tout de même elle avait réparé son moteur et avait claqué le capot d'un air conquérant sur le ronronnement presque parfait d'une machine en pleine forme. Quand elle lui avait pris les outils des mains, Douna avait d'abord regardé Alakipou pour apprécier la situation, savoir s'il devait rester poli ou s'il pouvait se lâcher. D'après la mine d'Alakipou, il avait déduit qu'il était urgent qu'il reste poli, donc il avait cédé les outils et sa place sous le capot à Julie. Une demi-heure après, une demi-heure pendant laquelle le respect s'installait doucement, mais tellement sûrement qu'il s'était transformé en statue de sel, assistant qui passait les instruments comme à un chirurgien, une demi-heure après donc, le moteur de la camionnette toussa, éructa, puis ronronna.

Douna commença bien sûr à lui poser des questions. Où avait-elle appris ? Comment ? Quand ? Ce qu'elle faisait dans la vie et plein de choses de plus en plus intimes et, curieusement, Julie avait ouvert ses orteils dans ses baskets, détendu son dos, relâché son diaphragme et répondu, sans retenue.

Et c'était bien la première fois que sa vie lui paraissait aussi bizarre, en tout cas bizarre à raconter.

Ils étaient assis tous les deux sur le pas de la porte d'entrée, à côté d'eux, le père, installé sur une chaise en osier qui avait la forme de son corps, tirait sur une pipe voluptueuse, tenue bien serrée entre ses gencives. Les filles étaient parties dans le sillage de Maïla, les garçons avaient disparu avec Alakipou et la mère était dans l'ajoupa cuisine. Une grande sérénité occupa l'espace de leur conversation, quelque chose que l'on pouvait toucher. Julie était sûre qu'elle avait été programmée pour être là, à cet instant. Tout était doux et rond et lisse, et son histoire se dévidait dans son étrangeté, sans à-coups, sans omissions, sans mensonges, c'était la première fois.

– Et je pense, continuait-elle, que je fais du mieux que je peux, avec ce que j'ai. Même si je ne sais pas encore tout ce que j'ai, mais (elle leva les yeux vers lui), il y a quelques certitudes quand même.

– Par exemple ?

– Par exemple (elle réfléchit, puis dans un sourire), par exemple je suis sûre que je suis attirée par les femmes, beaucoup plus que par les hommes.

Douna bougeait la tête, ses mains énormes reposaient sur ses genoux.

– Tu veux dire que tu n'as jamais essayé avec les hommes ?

Elle rigolait :

– Si, bien sûr, mais c'était pas terrible. Ni pour le mec apparemment, ni pour moi.

Douna se taisait. Julie le regarda, son silence était plein.

– Qu'est-ce que tu as étudié alors ?

– Seigneur, tout ! Beaucoup, non pas tout, mais beaucoup de choses.

– Comme quoi par exemple ?

– Les mathématiques, la philo, les sciences, beaucoup de physique, le close-combat, la médecine chinoise et puis des langues, beaucoup de langues.

– Combien ?

– Cinq, six, mais j'en parle quinze peut-être.

– Tu les utilises toutes ?

– Parfois !

– Et tu parles la nôtre ?

– Pas encore très bien, j'ai appris aux États-Unis, mais depuis que je suis ici, ça vient tout seul.

Douna décrocha sa main de son genou et attrapa un bois sec avec lequel il entreprit de dessiner des ronds dans la poussière.

– Et tout ça, tu as choisi de le faire, ou l'inverse ? Ou, je veux dire, toutes ces choses sont venues vers toi ?

Elle pencha la tête, au loin dans l'arrière-maison une musique lancinante s'échappait d'un poste de radio, des tas de sons commençaient à s'éveiller car la nuit arrivait.

– Je crois que tout cela est venu à moi.

Julie se tut, elle avait l'impression que sa voix grinçait en disharmonie avec le reste d'un monde qui n'allait pas plus loin que la respiration de la petite maison.

– Ce n'est pas suffisant pour faire une vie.

Il lui tendit la main pour l'aider à se relever.

– Je ne comprends pas ce que tu veux dire.

– Moi, je crois que tu comprends tout, presque tout, même ce que tu ne sais pas encore, et je crois que c'est pour ça qu'ils t'ont choisie !

Elle n'entendit pas les derniers mots, elle cherchait Maïla des yeux et l'aperçut dans la cuisine avec la mère, captivée par une conversation animée dont aucune bribe ne lui parvenait. Depuis qu'elles étaient dans ce pays, chaque fois qu'elle regardait Maïla, elle rencontrait quelqu'un d'autre, quelqu'un qu'elle ne connaissait pas encore et avec qui elle avait peut-être envie de parler.

Puis son regard s'arrêta sur le vieux, assis tout droit dans son fauteuil, entre les vieux pneus et les touffes chétives qui survivaient à peine à l'épuisement d'une terre harassée par les grands arbres. Le vieux avait les paupières plissées sur un rêve qui allait bien au-delà des ombres qui s'allongeaient à l'entrée du bois.

Elle pensait qu'il savait, qu'il savait tout des choses qu'elle n'avait pas encore attrapées, des choses comme ces lucioles qui allumaient des lueurs folles dans l'obscurité. Qu'est-ce qui se cachait derrière ces silences, ces rires, ces échanges de mots et d'histoires soufflés entre les têtes qui se rapprochaient autour de la vieille table en bois ? Douna l'avait caressée des yeux et Maïla avait surgi, son appareil photo à la main, les pressant de se rapprocher pour la photo qui les avait tous pliés de rire tant ils étaient ridicules tous les deux. Même Alakipou avait l'air détendu en assignant une place à chacun devant les bols de soupe qui sentaient bon le chaud et la viande.

Le village était plat et ne ressemblait pas à un village, mais plutôt à un lâcher de bicoques sans direction ni sens, très éloignées les unes des autres, semées au gré d'une végétation misérable et poussiéreuse qui défiait l'asphalte de la Grand-Rue et narguait un bâtiment rose et bétonné qui arborait un drapeau tricolore. Il n'y avait aucune cohérence dans tout cela, mais comme un joyeux défi que Julie savourait. La maison familiale n'était pas loin d'une sorte de plage qui barrait le fleuve, de l'autre côté duquel on apercevait une terre, un autre pays.

– C'est le Surinam, lui avait dit Alakipou. On y va demain, il faudra se lever tôt.

Et c'est tout ce qu'elle avait pu en tirer. Maintenant, le jour n'allait pas tarder à effacer les ombres, elle avait dormi comme une brute dans son hamac, elle rêvait d'un café et, tout en réfléchissant à la meilleure manière d'atteindre l'ajoupa cuisine, elle isola avec sa lampe torche un coin tranquille qui ne grouillait pas de bestioles et se soulagea en soulevant les pans de son tee-shirt XXL. C'était bon comme un péché et la fraîcheur de l'aube qui lui caressait l'entrejambe la ramena à des étonnements d'enfance. Elle glissa ses doigts à la recherche d'un plaisir rapide, mais celui qui lui vint fut lent et tellement long et tellement profond qu'elle gémit une mélopée sourde qui lui ferma les yeux. Elle revint à elle avec le sentiment que la terre entière l'avait entendue. Le soleil soulevait doucement la nuit et ses cuisses accroupies tremblaient encore quand elle vit Douna qui la regardait, un grand sourire aux lèvres. Il était debout, près de l'ajoupa cuisine. Il attendit que le calme lui revienne et s'éloigna doucement en lui disant que le café était prêt. Elle s'étira.

En un rien de temps, le soleil vint à bout de l'abondante rosée, et la chaleur commença à tourmenter les hommes. Il y avait des préparatifs dans l'air, des gens que Julie n'avait pas vus la veille allaient et venaient, transportant des cagettes de légumes, de cuisses de poulet, d'œufs, de boissons, beaucoup de bières, des grands pains carrés lourds de farine et de beurre, des couvertures, des seaux contenant une mixture indéfinissable. Sur la plage du fleuve, il y avait trois barcasses dont une à moteur qu'on chargeait à ras bord.

Julie émergea du coin douche, un tuyau en plein air qui crachait une eau glacée derrière une sorte de paravent en tôle plate. Ça puait la pisse, mais l'eau était bonne sur son corps ensommeillé, elle s'était frottée avec vigueur et lavé les cheveux avec un bout de savon dur et odorant.

Après son café, avec toute cette agitation entre la maison et le fleuve, elle débordait d'un désir affolant, la vie lui avait rarement paru si pleine, si gonflée, si énergique. Drapée dans le paréo de coton qui lui séchait le corps, elle allongea le pas vers le grand ajoupa, s'activa dans son sac à dos, se couvrit la peau d'une huile aux senteurs de patchouli et de vétiver, enfila un tee-shirt et un pantalon de toile, ses baskets sans chaussettes, et secoua le hamac de Maïla.

– Maïla, c'est l'heure, je crois qu'on bouge !

– C'est bon, c'est bon, je suis réveillée.

Maïla bougonna en ouvrant sa moustiquaire.

– Je suis désolée, Maïla.

Elle bâilla et se gratta les cheveux.

– Désolée de quoi ?

– De t'avoir entraînée dans cette aventure. Je... je me demande comment tu fais sans tous tes trucs tellement... Ton confort quoi, ce que tu aimes !

Maïla la regardait comme si elle s'était transformée en crapaud.

– Tu es conne ou quoi ? Parfois tu es vraiment trop conne ! (Elle secouait la tête.) C'est où la douche que tu as prise ?

– Là-bas, derrière cet arbre et la feuille de tôle.

– Ah ouais, c'est ça, tu crois que je ne peux pas prendre une douche là-dedans ? Tu ne sais pas d'où je viens Julie. Ça ne t'a jamais intéressée, eh bien tu vois, je viens d'un endroit où cette douche est considérée comme un luxe ! (Maïla stoppa la question.) Et j'ai rien à dire là-dessus. (Elle sauta du hamac.) J'ai envie d'un chocolat chaud, c'est ça mon envie, là, maintenant. Et ça, madame, je vais l'avoir fastoche, et s'il te plaît, arrête de râler un jour !

– Je râle pas (elle tourna la tête vers la plage), tu as vu le monde qu'il y a là ? Je crois qu'on va vivre un petit moment ensemble. J'aime bien cette idée, et toi ?

Maïla tendit le menton par-dessus son épaule : Alakipou arrivait au pas de charge, après un « bien dormi ? » de pure forme, il enchaîna :

– Il va falloir faire vite, le créneau c'est dans une demi-heure et il dure une heure, après ça devient compliqué.

– Quel genre de complications ?

– Les douanes. Ils font une ronde bateau dans deux heures. (Il vérifia leur paquetage.) Prenez un truc à mettre sur la tête, c'est pas le moment de se faire une insolation, et puis enduisez-vous de ça. (Il leur tendit un flacon plein d'une sorte d'huile rousse.) Ça ne sent pas bon, mais c'est le plus efficace contre les insectes.

Maïla partit vers la douche, deux plis barraient le front d'Alakipou :

– Je ne comprends pas, on a été prévenus il y a à peine dix minutes. D'habitude ils ne viennent jamais par ici les douaniers, et on traverse tout le temps sans problème, on a tous de la famille en face. Je sais pas ce qu'ils ont. Ce que je veux dire, c'est que ce n'est pas bon, pas bon du tout !

De la ville, il n'avait gardé que sa coupe de cheveux lisse, très ajustée, et ses lunettes d'écaille, sinon il n'avait plus grand-chose à voir, dans l'apparence en tout cas, avec l'homme que Julie avait rencontré à l'aéroport. Des baskets, un large short qui avait perdu ses couleurs, une chemise dont les manches enlevées déshabillaient ses bras. Alakipou était musclé, sec et musclé comme sa mère, et couleur chocolat comme son père, il considérait Julie avec amusement.

– Pas de questions aujourd'hui ?

Elle sourit :

– Si tu ne ris pas aux grimaces du singe, il finira par venir à toi pour tenter de t'arracher un sourire.

Alakipou apprécia :

– Proverbe du pays du milieu.

– C'est quoi le pays du milieu ?

Il hésita :

– Le pays du milieu, c'est ici et là-bas. (Elle haussa le sourcil.) C'est la forêt qui s'étale autour des fleuves. Elle pousse à côté de l'eau, sur une zone tout le temps inondée, alors les arbres sont moins grands, moins forts et plus espacés. C'est par là que les tiens ont tenté d'apprivoiser l'Amazonie. (Il tendit le bras.) Regarde là-bas sur la plage, cet arbre, tout gamin il était mon repère, je pensais qu'il avait un pouvoir magique, celui d'exaucer mes vœux les plus forts, comme par exemple savoir, devenir celui qui connaît et qui peut partager son savoir.

Julie contempla l'arbre qui dressait la sculpture de ses bras nus, noirs, lisses vers la boue du fleuve, et s'en rapprocha.

– Et ? interrogea-t-elle.

– J'ai donc fait trois années de droit à Assas et une maîtrise de littérature à la Sorbonne. (Il caressait l'énorme tronc.) Je ne sais pas pourquoi je te dis tout cela, je ne sais même pas si ça t'intéresse. Tout ce que je sais d'essentiel, je l'ai appris ici.

Julie laissa dériver son regard et isola le silence, la plage bruissait d'une agitation précise et efficace, les barges se remplissaient, les allers et retours entre les maisons et la berge étaient ponctués d'injonctions, d'ordres secs donnés dans l'urgence, d'éclats de rire, de bourrades et de moqueries. Personne ne courait et il y avait de plus en plus de monde, plein de têtes nouvelles que Julie n'avait pas rencontrées la veille, en fait beaucoup de gens vivaient là, beaucoup plus que ne le laissait supposer l'éparpillement des maisons.

Julie inspira en ouvrant les bras : l'air sentait la terre mouillée avec un arrière-goût iodé, la mer n'était pas loin, le soleil s'était extirpé de l'horizon dans un grand fracas de couleurs mauve, miel, rouge, le temps d'un embrasement qui flamba sur la grisaille de l'eau, c'était il y a une heure à peine et c'était déjà un souvenir accablé de chaleur. Elle regarda son poignet.

– 7 heures, anticipa Alakipou. Et le soleil est déjà haut, on va traverser, ils nous attendent en face, on va y passer la journée, peut-être la nuit, une ou deux nuits, ça dépendra.

Il s'en allait déjà.

Julie regarda son dos mince, l'aura de cet homme était perturbée, elle ne savait par quoi, autour de lui il y avait un halo bleu qui se teintait d'or et d'argent, c'était rare, mais parfois il y avait comme un brouillage dans le dessin, des ruptures de rythmes et de lumières. Elle lui cria :

– Alakipou, tu me montreras ce que tu écris ?

Il lui fit signe en continuant à s'éloigner.

– Un jour !

Elle se sentait bien, enracinée près de l'arbre. Maïla l'avait rejointe, accompagnée d'effluves d'huile de jasmin.

– Si j'ai bien compris, on va en face. Et toi non plus, tu ne sais pas ce qu'on va y faire !

# 20

Ils étaient revenus au premier campement, forçant Napi à leur montrer le chemin, ils étaient quinze, il n'y avait pas de femmes avec eux. Ils avaient reconstitué une histoire avec l'hémorragie de mots, de sanglots, de silences, de gémissements qui s'écoulait du corps prostré de Napi. Ils avaient tenu conciliabule au-dessus de lui puis l'avaient aidé à se mettre debout. Les questions étaient brèves, précises : où, qui, combien de survivants.

– Aucun, je crois. Aucun.

C'est l'aîné des hommes qui prit les choses en main. Il était petit, large, râblé avec un visage lunaire dont le front fuyait au-dessus des sourcils.

– Toi, le petit, lança-t-il au plus jeune d'entre eux. Tu marches en arrière pour avertir les autres, ils sauront comment faire. Nous, on doit avancer pour s'occuper des morts et soigner les blessés, s'il y en a. Donc toi, le Bushi, tu nous mènes là-bas, au campement de tête.

Napi se sentait misérable, pour rien au monde il ne voulait revenir sur ses pas, il entendait encore les borborygmes mouillés des gorges fendues, le choc des coutelas qui s'éclataient sur la peau des garçons qui jouaient aux cartes quelques minutes avant, le couinement de la femme. Il ne comprenait pas, il ne comprenait pas ce qui s'était passé, il ne comprenait pas non plus que les hommes en face de lui ne soient pas plus malmenés, terrassés par le massacre. Ils étaient debout, le menton haut, à braver le petit matin, comme s'ils étaient déjà prêts, comme si tout cela était un épisode « possible », et Napi sentit la peur se déplacer doucement. Il remit donc ses pas dans ses pas et les conduisit au campement. La première chose qui les attendait, l'odeur imperceptible et de très loin, l'odeur du sang. Ils s'arrêtèrent, cela signifiait qu'il fallait changer de mode de déplacement, il fallait devenir chasseurs, car l'odeur de ce sang allait attirer tous les prédateurs à des kilomètres à la ronde. Sans échanger une parole, ils se dévêtirent, transformèrent leurs chemises, leurs shorts, leurs pantalons en charpies, arrimèrent ces lambeaux de toile à du bois sec qu'ils enflammèrent et c'est armés de ces torches de fortune qu'ils reprirent leur marche, en demi-cercle. Un feulement qui fit trembler les arbres, une ombre tachetée qui bondit en emportant une partie de sa proie, abandonnant une dépouille sans bras. La petite clairière où pendaient des restes de hamac était comme l'antichambre de l'enfer. Des corps partout, la gorge tranchée. Napi reconnut la femme, elle avait les paupières ouvertes et ses bras figés au-dessus de sa tête témoignaient d'une ultime tentative de protéger son cou, fendu d'une oreille à l'autre. Il n'y avait plus rien de vivant dans cet endroit, sauf les énormes mouches bleues qui vonvonnaient autour des plaies.

Napi vomit.

Dans le campement tout avait été bouleversé, les sacs retournés, les hamacs vidés, les seaux qui contenaient les ustensiles de cuisine renversés, les sacs à provisions éventrés, les maigres possessions de chacun violées. Ceux qui étaient passés par là cherchaient.

Napi cousut sa bouche sur toutes les questions qu'il n'allait pas poser. Il fallait que « ce quelque chose » soit rudement précieux pour provoquer tant de détermination, tant de morts, tant de meurtres.

Les hommes du deuxième campement s'affairaient en silence, ils avaient planté leurs torches en cercle dans la rosée du matin, ils récupéraient les corps.

– Ils venaient tous de Colombie, cinq d'entre eux étaient mes cousins. Je ne les ai rencontrés qu'une fois. (L'homme au front fuyant s'adressait à Napi.) Quel est le dernier geste qu'ils ont accompli ? Tu t'en souviens ?

– Dormir, je veux dire, ils dormaient pour la plupart quand c'est arrivé. Certains d'entre eux avaient entendu comme moi, ils étaient aux aguets, accroupis, je crois.

Napi avait les yeux brûlants.

– Pourquoi, pourquoi ils m'ont laissé, moi ?

Front-fuyant vrilla ses yeux dans les siens, puis son regard s'adoucit.

– Tu vas nous aider à nous occuper de nos morts, n'est-ce pas ? Et puis on continuera à avancer. Le voyage n'est pas terminé et la route est encore longue. Je connais ton grand-père, Bushi, et il nous a juré qu'on pouvait te faire confiance ! Alors ?

– Alors, je sais pas. (Ses yeux faisaient le tour du campement massacré. Entre les seaux renversés, Napi aperçut un bout de carton, celui sur lequel les jeunes avaient joué aux dominos, il avança pour le ramasser, à côté du carton il y avait un livre ouvert, taché de brun, son livre. Il le serra sur sa poitrine, il avait encore beaucoup de pages à lire.) Est-ce que… Est-ce que ça peut recommencer ? Je veux dire, cette tuerie ?

L'homme chassa de la main une nuée de moucherons et s'arrêta pour poser ses mots.

– Bushi, ne crois pas que tu peux avoir plus de tristesse que moi. Une partie de ma famille est par terre et baigne dans son sang, mais nous allons continuer, n'est-ce pas ?

# 21

Lune avait faim, elle salivait à côté du plat de crevettes qu'elle avait préparé en sortant de l'école. Elle attendait le retour de son père pour mettre la table, ses frères devant la balustrade de la véranda branlante chauffaient un vieux moteur de Solex qui pétaradait bruyamment. Elle avait aussi envie de silence, la rivière juste en bas s'enfonçait doucement dans la nuit, l'heure aurait pu être tranquille sans le vélo des garçons. Elle s'assit sur une chaise à bascule qui traînait sa paille éventrée entre deux sièges confisqués à une voiture : c'était le salon. Contre le mur paradait un téléviseur high-tech, écran plat, que son père avait fièrement rapporté de la ville juste avant la finale de la Coupe du monde. Le foot était sacro-sanctifié dans la famille, pas un match n'échappait à la vigilance des garçons et, si le décalage horaire entraînait que l'on fasse l'école buissonnière, le père fermait les yeux avec force et les cinq hommes se retrouvaient soudés, bière à la main devant le poste, dans une fébrilité que Lune avait fini par partager sous peine d'être exclue. Ce soir, pas de match mais le sirop d'un feuilleton brésilien mal doublé qui mobilisait tout le monde des deux côtés de l'Oyapock.

– Les garçons, on passe à table dans un quart d'heure, qui met le couvert ? (La pétarade augmenta.) Et vous pouvez pas arrêter ce bordel ?

Le silence s'installa.

– Tu t'es mangé une mauvaise note aujourd'hui ou quoi ?

– Ou quoi, ou quoi, ou quoi ! Moquez-vous ! Je veux juste dire que je ne peux pas tout faire, l'école, la cuisine, le ménage, m'occuper de la vieille, (et en baissant la voix) surtout m'occuper de la vieille d'ailleurs.

Elle se leva, ralluma le feu sous la marmite en fonte. L'odeur qui s'en échappait était un péché. Lune était très fière de sa recette, en fait elle l'avait piquée dans un livre de Toni Morrison qui était sa déesse littéraire, elle aimait l'idée que cette grande écrivaine soit aussi une épicurienne qui apprécie la belle bouffe. Elle rajouta aux crevettes qui s'épanouissaient dans une huile imbibée de curry et de cannelle une volée de poivrons, courgettes, carottes, champignons découpés en petits morceaux colorés. La maison s'emplit d'une odeur qui mouillait les gencives et annonçait du bonheur. Elle entendit les garçons se battre avec la vaisselle, les couteaux, les fourchettes, elle entendit son père arriver et murmura sans se retourner :

– Je veux plus m'occuper de la vieille !

– Qu'est-ce que tu dis ?

Elle se retourna vers la pièce, ils étaient tous les cinq en face d'elle, visages fermés, pourtant elle était sûre que c'était le moment. Dans le parfum des crevettes qui glougloutaient doucement, elle savait que l'instant était tendre et qu'elle pouvait tout dire.

– Je dis que la vieille me fait peur, et que je ne veux plus m'en occuper.

Le père s'installa devant son assiette avec un geste vers l'aîné des garçons qui signifiait « gère ça ».

– Ce sera prêt dans cinq minutes !

Lune sortit sous la véranda et, s'accoudant à la balustrade, elle se laissa emmener le long de la rivière qui était plus belle la nuit que le jour, scintillant par intermittence quand le disque magique là-haut arrivait à se dégager des nuages. Lune devinait la cruauté des caïmans qui arrachaient leurs proies jusque sur les berges, la nuit on les entendait sans les voir et tout était bien. Un jour, elle serait journaliste et aussi écrivain comme Toni Morrison, mais pas pour raconter les histoires du fleuve, bien qu'il y en ait des tonnes. Peut-être après, après qu'elle aura dit l'essentiel, ces pensées qui crapahutaient dans sa tête : elle pensait que les humains avaient créé les mathématiques pour mieux y échapper, que un plus un égale deux, c'était bon pour les patates, pas pour les hommes.

Elle l'avait expliqué à Tiouca : « Regarde-nous, Tiouca, nous sommes tous les deux, il y a toi, il y a moi, et puis il y a un troisième personnage créé par notre rencontre, c'est l'esprit. Tu sens bien qu'il y a une troisième personne, c'est nous. Et donc là, au moment où nous sommes ensemble (elle balaya l'espace de la main), nous sommes trois et pas deux. (Tiouca attendait, le menton dans la main, elle continua.) Et donc, il y a plusieurs sortes d'esprits, il y a les petits, et il y a les grands... »

Lune se souvint du sourire du guerrier, il avait l'air de comprendre ce qu'elle voulait dire, elle leva les yeux vers les nuages, ils étaient plus noirs que la nuit et gonflés à crever. Il allait pleuvoir. Elle lui expliqua que les petits esprits accompagnaient les relations entre les gens, ils pouvaient être bons ou méchants. Les grands esprits, eux, s'occupaient de gérer la relation entre un homme et une foule, ils étaient présents sur la scène des concerts, sur les planches des théâtres, dans les meetings politiques, ils présidaient également les relations entre un homme et la nature. Ceux-là étaient exigeants, qu'ils soient bons ou mauvais, ils se défendaient farouchement pour ne pas subir les vibrations de la meute, ils allumaient l'Histoire et s'en foutaient des hommes.

Il fallait qu'elle en reparle à Tiouca et lui demande si, lorsqu'un être n'avait de relation qu'avec lui-même, ne s'inquiétait et ne s'occupait que de lui-même, cela signifiait qu'il n'y avait pas d'esprit et que donc, il était mort.

Sa théorie lui plaisait, car elle s'arrangeait de tous les possibles, sans donner de réponse.

Ainsi, elle ne savait pas si l'esprit qui habitait la relation entre la vieille et tous ceux qui l'écoutaient était gentil ou méchant, mais elle était sûre de sa présence, même si la vieille n'avait pas l'air de la percevoir. Et elle souhaitait vivement que l'esprit qui s'installerait dans l'échange qu'elle allait avoir tout de suite avec son père et ses frères soit un gentil, un bon, un qui aille dans son sens.

De grosses gouttes de pluies crevèrent la nuit, elle retourna aux fourneaux, éteignit le feu, posa la marmite odorante au milieu de la table. Personne ne pipait mot, les garçons se servirent des parts de titan, le père poussa son assiette vide et se décida à parler :

– Nous partons demain au Surinam, tes frères et moi, c'est une rencontre importante, toi, tu dois rester pour t'occuper de la vieille. Il faudra nous faire passer chacune de ses paroles. (Il haussa le ton pour couvrir le crépitement de la pluie.) Tu le feras par téléphone, je te donnerai le numéro de l'école du village. (Il se servit, beaucoup de crevettes, peu de légumes.) Ce sera sans doute la dernière fois, ma fille, que tu t'occuperas de la vieille.

Lune fixait l'ampoule nue qui pendait du plafond, le déluge martelait le toit de tôle dans un épouvantable boucan qui empêchait toute conversation. Elle se dit que le septième personnage, l'esprit de ce soir, était un vilain, pas bon, pas cool, pas positif.

– Je veux pas rester seule dans cette maison.

Le père regarda le dernier des garçons qui se leva avec humeur.

– O.K., j'ai compris, c'est bon !

Pour ce soir, Lune devrait se contenter de cette maigre victoire.

# 22

La nouvelle se répandit aussi sûrement que si elle avait été relayée de village en village par les cloches des églises ou les tambours saramacas : la forêt saignait, la forêt avait saigné, en fait il y avait eu des morts par le sang et par dizaines. L'information arriva à Campan grossie par les frontières qu'elle avait franchies et par les centaines de kilomètres qu'elle avait parcourus. Ce n'était pas une dizaine de morts, mais une véritable hécatombe, un massacre de sang, de chairs découpées, dans lequel hommes, femmes et enfants mêlaient leurs dépouilles. Comme personne n'avait vu, la rumeur enflait dans la gorge de chacun en roue libre. Même le journaliste qui présentait les infos à la télé en avait parlé avec beaucoup de « si » et de « il semblerait que », en précisant que, de toute façon, l'affaire se déroulait, dans le cas où elle se révélait exacte, hors de la juridiction du pays.

Félicité s'essuyait les mains à son torchon de cuisine devant le poste et écoutait bouche bée les hésitations du présentateur. Depuis trois jours qu'il tombait des hallebardes, elle vivait un huis clos avec Marie qui la ravissait. Le matin, il fallait se battre avec la gadoue pour prendre le chemin de l'école et le soir, c'est sous la pluie battante et les vêtements trempés sous le K-way que la petite rentrait à la maison. Après, il était trop bon de s'enfermer avec le bruit de l'eau qui tapait la tôle du toit, si tendre de l'aider à faire ses devoirs et d'avaler une bonne soupe en regardant la télé.

La vie ainsi était simple comme une réponse, et la nouvelle tomba dans cet océan de tranquillité comme une bouse dans l'eau claire. Sans toutes ces rumeurs auxquelles elle avait si peu prêté l'oreille, Félicité n'aurait pas accordé une miette de son temps à ce soi-disant massacre, mais la nouvelle arrivait en écho à une drôle d'ambiance qui perturbait la forêt depuis quelques semaines.

Elle aurait aimé pouvoir téléphoner à quelqu'un pour en parler. Il y avait bien Élisabeth, la femme de son amant de facteur, mais elle se sentait gênée, même si elle avait coupé la routine des après-midi torrides où elle se roulait dans les draps avec Philibert. Et puis, elle savait bien à qui elle avait envie de parler, à Tiouca. Elle soupira. Marie rangeait ses affaires de classe, elle avait travaillé sur la table de la cuisine et s'apprêtait à mettre le couvert.

– Dis-moi Félicité, tu crois que c'est vrai ces morts dans la forêt ?

– Je crois surtout qu'on va beaucoup en parler pitchounette, c'est une histoire qui commence ! Quant à savoir ce qu'il y a de vrai…

Elle haussa les épaules et partit vers sa cuisine. Marie insista :

– La vieille doit savoir, on devrait aller lui demander !

Félicité stoppa la cuillère qu'elle tournait doucement dans la marmite de soupe.

– Qu'est-ce que vous avez tous à parler de la vieille ? Elle est juste folle à lier.

– Dis pas ça Félicité, on dit qu'elle soigne les gens. Le jour de la mort de maman j'étais partie à Bois Peut-Être pour lui demander des herbes. Tu sais, pour le chagrin, et puis parce qu'elle avait mal.

– Et tu l'as trouvée ?

La petite baissa la tête.

– Non, mais Tiouca m'a ramenée parce que j'avais fait une crise.

– Tu fais des crises toi ?

– Oui, je vois tout noir, et après, quand je me réveille, je suis très fatiguée et puis aussi très en colère.

Félicité goûta le potage épais où flottaient quelques lambeaux de viande, c'était du réchauffé de la veille et ce n'en était que meilleur.

– Hmmm… Tu as vu le docteur pour ça ?

– Oui, y a longtemps (elle avala une bouchée), il a dit que ça passerait en grandissant. (Et avec cette faculté déconcertante qu'ont les enfants de changer de sujet.) Félicité, on va demander à Tiouca ! Je suis sûre qu'il n'est pas encore chez lui. Il est au bar au bout de la rue, si je fais vite, je vais le trouver !

Félicité fronça les sourcils, elle était si bien là, enfermée dans le staccato de la pluie, à l'abri de tout, protégée lui semblait-il par cet élan qui la poussait à caresser la petite main qui s'agitait à côté de la sienne.

– D'abord, il fait nuit, ensuite Tiouca n'aime pas venir ici et surtout la soupe est chaude, alors miss…

La fin de sa phrase se perdit dans la galopade de Marie qui enfila la porte d'entrée à toute allure, elle était déjà dehors, sans ses caoutchoucs, sans ciré, juste un bout de toile qu'elle attrapa au passage dans la boutique pour se couvrir la tête. En sautillant dans les flaques qui s'élargissaient de plus en plus, Marie se sentait charroyée par une drôle d'exaltation, elle avait une centaine de mètres à parcourir sous la pluie battante et rien ne lui paraissait plus impérieux que de trouver Tiouca. S'il n'était pas au bar, elle savait où elle irait le chercher. Il y avait, dans une rue derrière, une espèce de bouge où les hommes allaient finir leur alcool en tapant la carte ou en jouant aux dominos. Là, les billets circulaient. Elle y avait récupéré son père un paquet de fois, à une époque où il entendait encore les voix qui lui disaient de rentrer chez lui avant que le rhum ne l'emmène ailleurs.

Marie ferma les yeux, le chagrin n'était jamais bien loin, il était toujours en embuscade et il déboulait à n'importe quel moment en gros bouillons de larmes qui lui brûlaient la gorge et noyaient ses yeux, son nez, sa bouche, ravivait l'odeur de sa mère dans un trop-plein qui la faisait suffoquer. Il fallait qu'elle bloque cette boule qui voulait toujours l'étouffer. Elle respira fort et irrupta dans le bar avec des paquets d'eau qui tombaient de la toile qu'elle avait tendue au-dessus de sa tête.

Tiouca était au fond avec Jonathan, assis à une table. L'air concentré, ils étaient penchés sur une large feuille de papier. La tôlière, une grosse métisse à la peau jaune, dormait à moitié derrière un rideau de bouteilles qui trônaient sur une planche. Un poste de radio, dont on avait du mal à imaginer qu'un jour il avait pu être neuf, crachotait une musique méconnaissable.

Il faut dire qu'il n'y avait pas grand monde, juste trois ou quatre futurs et anciens travailleurs en tricot de corps, dont elle connaissait la tête parce qu'ils traînaient souvent avec son père. Et puis un vieux qui marmonnait des trucs dans sa barbe en sifflant consciencieusement rhum sur rhum. Et puis Tiouca. Marie se sentit légère, les deux hommes étaient très absorbés.

– Vous faites quoi ?

C'est Jonathan qui la vit le premier quand elle tira une chaise vers leur table.

– Mais, qu'est-ce que tu fais là ?

Tiouca plia la carte soigneusement, il avait l'air soucieux mais Marie était trop excitée pour que ça l'intéresse.

– Vous avez entendu la télé ? Y a plein de morts dans la forêt, alors on voudrait voir la vieille, c'est pour ça que je suis venue te chercher Tiouca. Pour Félicité !

– Et c'est pour ça que tu es dehors toute seule à 7 heures du soir sous la pluie ?

– Tu viens ? S'il te plaît ! Jonathan, tu peux venir aussi si tu veux.

Elle se forçait un peu, elle ne savait pas encore si elle aimait bien Jonathan ou pas. En fait, depuis une semaine qu'elle était chez Félicité, elle l'avait aperçu sans arrêt dans le village, il avait toujours l'air affairé de quelqu'un qui va quelque part. Cela voulait dire qu'il faisait d'innombrables allers-retours entre la capitale et Campan. Marie savait qu'il ne vivait pas là, elle avait entendu qu'il habitait une grande maison dans la capitale, comme un château, et elle ne comprenait pas bien ce qu'il venait chercher dans un endroit comme Campan. Elle qui ne rêvait que de bouger dans la lumière, elle avait du mal à suivre les circonvolutions de Jonathan.

– Jonathan, c'est vrai que ton père a plein d'argent ?

Elle était là, dansant d'une jambe sur l'autre pour tromper la fraîcheur de l'humidité qui se glissait dans ses vêtements, la pluie sculptait les muscles secs de ses bras nus, elle paraissait tellement fragile. Tiouca étira sa silhouette au-dessus de la table, empocha la carte, lâcha quelques pièces autour de leurs deux bouteilles de bière.

– Allez, on y va, on t'accompagne petite.

Au fond, Félicité était bien contente de récupérer le guerrier avant qu'il ne roule, fin soûl, sous les tables du bar au bout de la rue. Elle éteignit le feu sous la soupe et grimpa jusqu'à sa chambre. Sous l'ampoule nue de sa minuscule salle d'eau, elle se campa devant le miroir et inspecta chaque grain de peau de son visage. Moite, elle était moite de cette moiteur qu'emmène la touffeur de la pluie. Elle attrapa un tube de crème qu'elle étala généreusement sur son visage, ses seins, ses bras et puis ses jambes, ça sentait la fleur d'oranger. Un peu de beurre de karité sur les lèvres, de l'huile de vétiver derrière les oreilles, elle s'enroula dans son paréo délavé qui donnait une couleur si chaude au noir de ses épaules et commençait juste à l'endroit où elle devenait nue. « Tout ça pour ce vieux Blanc qui me fuit comme la peste », se moqua-t-elle. En même temps, elle avait le cœur qui lui battait la gorge, elle ne saurait dire exactement à quel moment cela l'avait attrapée, cet espèce d'affolement qui lui étreignait les boyaux quand Tiouca devait se pointer. Une fois qu'il était là, tout allait mieux. Son cœur redescendait dans sa poitrine, ses tripes se dénouaient et les ailes de papillon arrêtaient de s'agiter dans sa tête. En cherchant bien, c'était peut-être le fameux jour des macaques. Jamais elle n'avait eu le sentiment d'être une pareille urgence pour quelqu'un. Cet homme qui tendait à bout de bras son bouquet de gibiers comme s'il voulait l'éloigner des tremblements qui agitaient tout son corps, cet homme qui avait lâché son plaisir devant tout le monde rien qu'en la voyant, c'était quelque chose quand même. Elle revit son visage, il était nu, et elle avait aimé cela, oui, elle avait adoré cela.

Elle sourit à son reflet, se tira la langue et descendit en entendant les pas qui se rapprochaient dans la rue.

La pluie avait amené de la fraîcheur, elle tombait sans discontinuer et le voile que la nuit étendait sur Campan était lourd d'orage, les deux hommes et la fillette emmenèrent tout cela dans la maison en poussant la porte. Ils étaient trempés de la tête aux pieds, surtout aux pieds, visiblement les flaques d'eau avaient dû se transformer en mare entre le bar et le magasin.

– Vous laissez vos chaussures près de la porte, vous allez me pourrir ma cuisine ! Marie, monte te changer en vitesse, tu vas prendre la mort. Quant à vous deux, enlevez-moi ces trucs trempés, je dois avoir des tee-shirts dans la boutique !

Pendant qu'elle s'affairait à préparer une lampe à gaz et des allumettes, puisqu'à coup sûr, avec cette pluie, le délestage n'était pas loin, Félicité surveillait Tiouca, en coin.

Était-il beau cet homme-là ? Bon, il était maigre, elle n'aimait pas les gros, il avait un grand nez, tout droit, mais sa bouche n'était pas mince comme une lame de rasoir, c'était une vraie bouche avec des lèvres, gercées, mais des lèvres. Bon, il avait le menton un peu mou, mais son front était haut et ses yeux barraient de bleu un visage somme toute assez ordinaire. Sur la tête, il avait une paillasse, blond poivre et sel, qui pour l'instant lui collait au crâne, et elle ne l'avait jamais vu rasé de près.

Elle lui tendit un chiffon.

– Arrange-toi la tête avec ça. Jonathan, tu prends un abonnement chez moi ou quoi ?

Elle avait rallongé la soupe de deux grands verres d'eau et rajouté deux couverts sur la table en formica.

Jonathan secoua ses locks et s'assit.

– Tu aurais pas un petit rhum, Félicité ?

Elle sortit deux gobelets minuscules et un rhum brun qu'elle leur servit parcimonieusement.

Tiouca arrima sa chemise au dossier de sa chaise, son torse était sec, musclé et de toutes sortes de couleurs improbables, du cuit, du brûlé, de l'échaudé, et du marronnasse pour certaines ecchymoses. Il avait l'air gêné, mais il était là !

– La petite nous a dit que tu voulais me voir, comme si c'était très, très important...

– Tu as suivi les infos, Tiouca ?

Il se contenta de remplir son assiette, la soupe était un peu claire mais il y avait suffisamment de légumes et de viande pour se caler l'estomac. Marie dévala l'escalier et s'assit bruyamment.

– Je veux beaucoup de viande et pas beaucoup de légumes. (Elle ajouta en réponse aux sourcils froncés de Félicité) S'il te plaît !

Tiouca avala une gorgée de rhum.

– J'ai pas vu ta grand-mère depuis une semaine, avant le début des pluies.

Félicité haussa les épaules.

– Quel rapport ?

– Je sais pas, peut-être qu'il n'y en a pas, peut-être qu'il y en a un.

– Tiouca, tu es débile ou quoi ? Qu'est-ce que tu veux qu'il y ait entre la vieille folle et puis des assassinats au milieu de la forêt de l'autre côté du Maroni ?

Jonathan lâcha dans son assiette d'énormes bouts de pain qu'il regarda gonfler.

– C'est vrai ça, Tiouca, c'est quoi le rapport ?

– Je sais pas vraiment, mais tous les morts sont indiens. Ce sont les Indiens qui s'occupent d'elle. (Il posa son verre de rhum en claquant la langue et attaqua sa soupe.) En plus, tout a commencé à se déglinguer au moment où elle a arrêté de récupérer ton ragoût. Des mecs qui blablatent dans tous les coins, les Brésiliens qui veulent plus aller dans la jungle, une histoire de caravane qui traverse la forêt sans qu'on sache ce qu'elle convoie. De l'autre côté du Maroni, mais aussi même son de cloche de l'autre côté de l'Oyapock. Comme si tout ça revenait vers ici ou pas loin. Ta grand-mère leur parle ! Et je sais qu'ils considèrent sa parole.

Tiouca se renversa sur son siège avec un soupir de contentement. La soupe de Félicité était toujours la meilleure à huit cents kilomètres à la ronde. Il regarda le paréo distendu sur sa poitrine, rien que le souvenir de sa tête entre ses deux seins et son odeur généreuse le tendait comme un arc, en fait il ne voulait plus la voir parce que c'était trop : trop de désir, trop de sensations, trop d'inquiétude, trop d'attente, trop de prise de tête. Et pourquoi avait-il cette urgence de serrer entre ses mains son visage, son crâne presque nu tellement elle se rasait les cheveux, mordre le gras de son bras, abîmer sa bouche dans toutes ses intimités… Il s'aperçut qu'elle parlait pendant qu'il écoutait le bouillonnement de son corps.

– … Et ce n'est pas d'hier, ça fait des années qu'elle découd, et que ses paroles n'ont aucun sens, aucune direction !

Jonathan se leva.

– Avec une petite bière ce serait parfait, les gars !

Il ouvrit le frigo au moment où l'électricité fut coupée sur tout Campan.

Marie rajouta quelques bougies à la lampe à gaz et la cuisine de Félicité se transforma en un endroit magique où tous les personnages des livres qu'elle dévorait avaient le droit de se promener, de s'asseoir et de parler avec eux. Marie adorait cet instant où les néons arrêtaient de traquer les ombres dans tous les coins, où la magie de la nuit pouvait enfin rentrer dans la maison. La pluie battait la tôle de plus en plus fort et l'orage était tout près, il fallait parler haut pour s'entendre.

– Je crois quand même que Tiouca a raison, fit Jonathan en rotant derrière son poing. Il faut essayer de savoir ce que la vieille a dit ces derniers temps.

– Moi, je dis qu'il faut pas se mêler de tout ça. Y a rien de bon là-dedans, rien de bon. Je sais pas ce que vous cherchez, mais dès qu'il y a des morts c'est pas pour moi, c'est pas pour Félicité !

Marie l'aidait à débarrasser et entassait la vaisselle dans l'évier.

– Il y a forcément un gros business, fit Jonathan. Je te jure Félicité que tout le monde en parle, même dans le bureau de mon père, tout le monde est sur le coup. On peut pas être complètement hors du jeu. Et puis, finit-il en rentrant la tête dans les épaules comme un homme qui va au combat, c'est bien la première fois qu'on assassine des Amérindiens par ici... (Il souleva les paupières, le tremblement des bougies se reflétait dans ses yeux.) Il faudrait qu'on aille là-bas Tiouca, qu'on parle avec eux !

– Qu'on parle avec les Indiens ? se moqua l'autre. Parce qu'ils vont parler peut-être ? À qui ? À toi ? À moi ? Mais mon pauvre vieux, ils diront rien du tout !

Jonathan insistait :

– En plus, j'ai vu Alakipou voyager depuis la capitale avec des étrangers. Plusieurs fois, et la plupart du temps, des femmes. Elles viennent d'Europe, plein de pays d'Europe, France, Hollande, Danemark, Espagne, Italie, et aussi d'Asie, d'Afrique... Elles arrivent, il va les chercher à l'aéroport et ils partent vers l'intérieur, vers la forêt. Ça fait à peu près un mois que ça dure et elles sont bizarres ces femmes, comment dire...

Félicité s'assit doucement.

– J'en ai vu deux à l'enterrement d'Elsa. (Elle jeta un œil à Marie.) Va te coucher petite, il y a école demain.

– Oh non, Félicité, encore un peu, c'est trop intéressant !

– Cinq minutes, alors. (Elle se tourna vers Tiouca. Elle n'avait pas envie de parler, elle voulait seulement la violence d'un embrasement, l'étau de ses bras et ses grandes mains maigres qui voyagent dans son dos jusqu'à la raie des fesses, là où les mots gémissent dans sa gorge, où son ventre liquide fait son chemin tout seul, et que sa bouche se pose doucement sur ses paupières tannées.) Imagine que tu finisses par savoir ce que leur a dit la vieille, tu fais quoi après ? Ce que l'autre raconte ? (Elle regardait méchamment Jonathan.) Vous partez en forêt ?

Le guerrier sortit une cigarette de sa poche de pantalon, la regarda d'un air dégoûté, elle était trempée.

— Non. Je vais savoir ce qu'elle a dit la vieille, je peux le savoir, je peux même savoir ce que les Indiens font de toutes ses paroles. Et c'est tout ce que je vais faire. Mon gars, je crois pas qu'on va aller se perdre dans la forêt pour cette histoire ! On avisera après.

Jonathan buta son front et ses yeux.

— Donc, j'irai sans toi.

Il bondit de son siège en riant, l'air fauve et veule, son regard tournait dans la petite pièce traquant les coins, Marie se dit qu'en fait elle ne l'aimait pas.

— Elles étaient comment ces femmes, Jonathan ? demanda-t-elle.

— Quelles femmes ?

— Celles que tu disais qu'Alakipou emmène dans la forêt, tu as dit qu'elles sont bizarres, bizarres comment ?

Jonathan arrêta le mouvement de son corps, extirpa une cigarette d'un paquet humide, l'alluma à la bougie, aspira une longue bouffée et regarda Félicité.

— Tu sais que cette gamine a oublié d'être conne et que ça te vaudra plein d'emmerdes !

— Et tu sais que je suis chez moi ici et que je peux te foutre à la rue, même s'il y a plus d'eau dehors que dans tout le Maroni !

— Oh ! Oh ! On se calme !

Tiouca se fendait la figure d'un grand sourire. Il savourait la moiteur de cet instant. Abstraction faite de la terreur que lui inspirait Félicité, tout était à sa place, bien cabossé, bien comme il aimait. Il figea l'instant au fond de ses yeux : Marie levait les paupières avec insolence vers les grimaces de Jonathan, Félicité croisait les bras sur son paréo et sa colère, et la pluie s'éloignait doucement, emportant avec elle les rafales de bruit sur la tôle du toit. On entendait siffler la lampe à gaz et Jonathan termina sa phrase dans un chuchotement :

— Ces femmes sont pas seulement des femmes, elles ont un truc là. (Il souleva la main à la hauteur de ses paupières.) Dans les yeux.

— Comment ça dans les yeux ? (Félicité avait la voix moqueuse.) D'habitude c'est pas là que tu regardes les femmes, ça monte rarement au-dessus des…

Jonathan l'interrompit :

– Justement, justement ! Elles ont de la violence dans les yeux, je sais pas dire !

Tiouca tourna la tête vers Félicité, c'était bien la première fois qu'il l'observait sans se cacher. Le tremblement des bougies lui allumait des étoiles sur la peau, la lumière douce et chaude, il regardait ses yeux et elle attrapa son regard et ne le lâcha plus. Il la vit s'asseoir, poser les mains sur la table paumes en l'air, il se vit avancer les doigts vers les sillons qui racontaient une vie, il se vit promener son index sur le renflement de son pouce, il vit son cœur s'affoler comme un colibri en cage, il vit qu'il ne pouvait s'empêcher de lui caresser les doigts. Il vit que Jonathan parlait et qu'il n'entendait pas, il vit Marie les regarder sans battre des paupières, il vit la main de Félicité se poser sur les cicatrices de ses bras, là, juste au-dessus du poignet, où la chair était rose et boursouflée. Il eut peur de baisser les yeux et de perdre son regard, il crut s'asphyxier et s'aperçut qu'il ne respirait plus depuis un bon moment, alors il serra fort la main de Félicité, relâcha l'air de ses poumons et la lumière revint brutalement, leur vrillant les paupières. Ce fut la première fois de sa vie que Félicité regretta la cruauté de son néon.

– Hé bé ! (Jonathan les regardait comme deux ovnis et Marie avait barré un sourire qui fendait son visage d'une oreille à l'autre.) Alors, vous êtes amoureux, hein ?

– Ne dis pas de sottises, lui renvoya Félicité qui avait récupéré ses mains et lui donna une petite tape sur le bras. Maintenant au lit pour de bon, demain je veux rien savoir si tu n'arrives pas à ouvrir les yeux ! Allez miss, du balai et on se mêle de ses affaires !

Tiouca rassembla ses jambes et se leva. Il était assez content de lui. D'abord, il avait eu un peu moins peur, peut-être pas du tout d'ailleurs, il avait touché Félicité sans que cela provoque chez lui une totale débâcle, et quand elle l'avait regardé, il lui était apparu que le fond de ses yeux ressemblait à un endroit presque aussi paisible que son campement dans la forêt.

Il entendait les voix des filles qui grimpaient l'escalier, Marie disait : « De toute façon, je n'aime pas quand la lumière revient, j'aime quand c'est magique, ta lumière elle est pas magique, Félicité, elle tue les petits anges. Et puis d'ailleurs… » Les sons se perdaient, un moment il entendit Félicité chantonner et regarda Jonathan qui ramassait ses affaires.

– Tu fais chier vieux, tu vas attendre qu'elle redescende ? Parce que moi je me casse. Mes parents montent dans le coin demain, j'ai aucune envie de tomber sur eux, là. Tu viens ou tu viens pas ? On a dit qu'on avait un truc à voir. La meuf, elle va pas bouger. Tu vas pas tout foutre en l'air pour tirer ta crampe !

C'est à ce moment précis que Tiouca eut envie d'écraser la face du gamin. Il se dit que, quoi qu'il advienne, cette envie ne le quitterait plus jamais et qu'un jour il passerait à l'acte, mais pas tout de suite. Il allait bouger, parce que rien de ce qui se passait ne correspondait à quoi que ce soit de connu, et qu'au fond il avait encore peur, et qu'au fond sa tranquillité était cassée, et qu'au fond il aimait bien la lumière que cela allumait dans les yeux de Félicité.

Alors il referma doucement la porte et suivit le gamin sous la fifine de la pluie.

# 23

C'était pourtant un matin très ordinaire, l'aube dévoilait doucement les contours des arbres et le soleil avait entamé sa course contre les nuages, ailleurs le ciel était sec, lavé par les torrents de pluie de ces derniers jours.

Lune arrima le sac au dos de l'aîné de ses frères, son père allait les mains vides avec seulement son fusil à l'épaule, le plus jeune des garçons transportait les gourdes d'eau et le cadet ouvrirait la route avec sa machette.

Lune savait par cœur le cérémonial des départs de la fratrie : dans le sac à dos de l'armée s'entassaient des tranches de biche séchées, de la morue salée, des boîtes de lait concentré sucré, de la farine de manioc, des feuilles de coca. Elle avait tout préparé au bout de la nuit, avant que le ciel pâlisse, elle aurait vraiment souhaité partir avec eux. Elle connaissait ces rendez-vous qui éloignaient ses frères et son père, et l'excluaient de la famille. Elle n'y était jamais allée, elle entendait seulement leurs paroles au retour, ce qu'ils chuchotaient était à la fois loin et si proche de ce qu'elle vivait dans ses livres. Elle avait posé un jour la question au père et avait tenté de savoir pourquoi il la tenait éloignée de tous les rendez-vous des siens. Il l'avait regardée en fermant sa bouche sur un silence têtu. Il n'y avait pas d'explication : d'autres femmes, d'autres jeunes filles accompagnaient les hommes à toutes les rencontres, elle, jamais. Lune avait fini par tenter ses propres réponses. Elles variaient en fonction des connaissances qu'elle accumulait au fil des ans dans ses lectures qui lui étaient aussi indispensables que l'air qu'elle respirait. Parmi ses réponses, une lui paraissait aussi horrible que possible. Son père ne la supportait guère, certes elle ne ressemblait nullement à sa mère, qui était si belle et si fine, mais malgré ses boutons d'acné et ses rondeurs disgracieuses, elle lui rappelait sa mère. Donc Lune admettait que son père évite l'espace où elle respirait simplement parce que, d'une certaine façon, elle, petite Lune, avait volé cet espace à son épouse. Elle vérifia les fermetures du sac.

– Il faut de l'argent ou pas ?

Le père leva la main et ouvrit les doigts, Lune sortit cinquante euros du tiroir du meuble télé, les enfouit dans la première poche du gros sac puis, sans rien dire, embrassa chacun des frères et les poussa vers la porte. Le père avait déjà marmonné trois fois que le temps tournait et qu'il fallait bouger.

Les regardant s'éloigner, elle se rappela que c'était un matin ordinaire et qu'il fallait qu'elle accélère le mouvement si elle voulait être à l'heure au collège. Son dernier frère chargé de la garder était toujours au lit. Sûr qu'il n'irait pas loin aujourd'hui, à faire la gueule d'avoir été obligé de rester à Campan. Mais ce soir, avant d'aller s'occuper de la vieille, elle allait essayer de le cuisiner, savoir où ils étaient partis et surtout pourquoi. Quoique, en fait, elle avait entendu des choses et avait sa petite idée.

Lune s'activa dans la cuisine : tout laver, remettre de l'ordre à toute vitesse, ne jamais laisser traîner la moindre miette qui risque d'attirer un chapelet de bestioles, de la fourmi au tamanoir, et de transformer n'importe quel coin de civilisation en antichambre de la jungle. Elle découpa une grosse tranche de pain mou, la tartina d'une épaisse couche de beurre salé et s'assit à même le sol, sur les planches de guingois de la petite véranda. En bas, la rivière coulait à gros bouillons, grossie par les eaux de pluie, et le soleil commençait à taper. Sur le chemin, deux silhouettes venaient vers elle, elle reconnut la démarche de Tiouca. L'autre était ce garçon si beau qui ne lui adressait jamais la parole. Elle se demanda ce qu'ils venaient faire si tôt le matin et se précipita dans la maisonnette pour se préparer. Elle entendit leurs pas sur les planches de la varangue et leur cria de loin un « j'arrive, j'arrive » très excité, traversa en trombe la chambre des garçons pour récupérer ses affaires dans la petite pièce du fond, qui était son refuge à elle, et décida dans la foulée de s'offrir une douche dans la chambre des parents devenue, depuis la mort de sa mère et donc sa naissance, le domaine exclusif du père. Là, il y avait un miroir, ébréché certes, mais un miroir, et l'eau était toujours plus chaude que le tube extérieur, car son père avait bricolé il y a très longtemps un système de mini-citerne, style ballon de chauffage dès que le soleil tapait. Se faire non pas belle, mais le moins moche possible. Elle se savonna, se rinça, se sécha en chantonnant et s'enduisit le corps d'huile antimoustique parfumée à la vanille, car aujourd'hui allait être une journée à moustiques : avec toute cette eau traquée par le soleil, les larves allaient s'épanouir, et Lune détestait les moustiques.

C'est en se coiffant devant le miroir du père qu'elle aperçut la carte. Elle dépassait d'un amoncellement de paniers caraïbes que fabriquait le vieux et qu'il vendait sur les marchés pour arrondir les fins de mois. Son père n'avait jamais eu besoin de cartes pour se déplacer dans la jungle… Celle-ci était grande et barrée de plein de signes et de traits au crayon rouge, elle ramena la carte sous la varangue où se tenaient Tiouca et Jonathan qui semblaient fort encombrés de leurs corps.

– Vous voulez un café ? (Elle les regardait, sa carte à la main.) Après, il faut que je parte à l'école.

Tiouca décolla son dos du poteau et leva le pouce vers le garçon qui l'accompagnait.

– Tu connais Jonathan, il vient de la ville. Jonathan, Lune est mon amie.

Lune sentit du chaud lui monter au visage, elle aimait bien être l'amie du guerrier, elle répéta :

– Café ?

Ils hochèrent la tête. Pendant qu'elle sortait deux tasses en pyrex fumé, le must de la maison, et que l'eau bouillait doucement, elle se dit que peut-être ce matin n'était pas un matin ordinaire et qu'elle n'irait pas à l'école. Tout bien pesé, elle n'aurait que son cours d'histoire à rattraper puisqu'elle parlait couramment le portugais, que son prof l'avait à la bonne, et que le reste de la journée devait s'étirer entre le sport qu'elle était ravie de zapper et les cours d'informatique dont elle n'avait absolument pas besoin vu qu'elle était la super crack du Web. L'arôme du café descendit vers la rivière.

– Pourquoi tu es là Tiouca ?

– Pour savoir ce que tu sais.

Jonathan tournait lentement sa cuillère dans sa tasse, Tiouca n'avait pas voulu de sucre.

– Je sais rien, moi.

– Tu sais que la vieille dame dont tu t'occupes avec tes frères et les cousins, c'est la grand-mère de Félicité ?

Elle leva les yeux vers lui, puis son regard glissa vers Jonathan avant de revenir se poser sur les baskets de Tiouca. Il était bien élégant ce matin, avec un vrai short à longues jambes, des chaussettes et puis il s'était rasé et ça lui faisait un visage tout neuf. Ils s'assirent sur les planches, Jonathan tendit sa tasse vide.

– Je peux en avoir encore un peu ?

Lune sentit le chaud lui remonter au visage, elle souhaitait disparaître sous les planches plutôt que d'évoluer encore et bouger son corps lourd sous le regard du garçon. Elle pria pour que son frère se réveille ; elle était sûre qu'il connaissait Jonathan et cela lui éviterait d'assurer deux conversations à la fois.

– Va te servir, la cafetière est dans la cuis…

Il lui arracha la carte des mains.

– Qu'est-ce que c'est ça ?

Tiouca posa sa tasse à même le sol, posa la main sur le bras de Jonathan, lui demanda de se calmer et écouta Lune raconter le départ précipité de son père et ses frères, comment elle venait de tomber sur la carte, qu'elle ne savait rien de plus et que, de toute façon, elle en avait marre de l'ambiance actuelle. Que même à l'école, on chuchotait des trucs qu'elle ne comprenait pas, qu'elle n'était mise au courant de rien, et pas du tout d'accord pour s'occuper seule de la vieille, qui lui faisait d'ailleurs très peur, puisque tout le monde autour d'elle était parti pour une destination inconnue, et qu'elle avait d'autant moins envie d'assumer la vieille toute seule qu'en ce moment il y avait plein de travail à l'école, vu que c'était la fin de l'année scolaire, que les examens approchaient et qu'on était prié de ne pas oublier qu'elle avait un brevet élémentaire à passer qui lui permettrait, en cas d'urgence et si les esprits n'étaient pas avec elle, d'enseigner aux tout-petits et de gagner sa vie.

– Tu dis que ton père et tes frères sont partis ce matin ?

Jonathan était assis tout près d'elle et ses mots sentaient le café. Lune était très troublée, ses yeux de chat irradiaient la lumière.

– Ben oui, mais je sais jamais où ils vont, peut-être mon frère le sait, mais il dort.

Tiouca déploya la carte : elle était grande, elle faisait bien un mètre de côté, ils se penchèrent sur les tracés au crayon rouge.

– Ces traits-là, ils forment un dessin bizarre. Comme une toile d'araignée qui serait pas finie, je vois pas le chemin.

Jonathan se gratta le front.

– Moi, je vois des lignes qui partent de Colombie, du Brésil, même du Costa Rica et puis du Guyana et du Surinam. (Il posait son index sur la carte.) Là, là et là, ça veut rien dire.

Tiouca était obligé de reconnaître que le garçon avait raison, sauf que pour lui ça voulait bien dire quelque chose, il poursuivait son idée.

– Donc, tu t'occupes seule de la vieille. Je crois qu'on va t'accompagner, pas vrai Jonathan ? Parce que... (il leva la main pour prévenir la question) parce qu'elle dit des choses qui vont peut-être nous aider à comprendre ce qui se passe en ce moment.

Lune bougonnait :

– Je vois pas pourquoi c'est tellement important de comprendre ce qui se passe en ce moment, il se passe tout le temps des trucs qu'on comprend pas ici et personne s'en soucie et là, brusquement, c'est super essentiel. Top important !

(Elle ramassa les tasses, plus personne ne disait mot, le silence s'étira. Ils entendirent la radio se mettre en route sur un reggae crachotant, cela signifiait que Jony s'était réveillé et qu'il n'allait pas tarder à venir voir ce qui se passait dehors. Lune ressentit l'urgence de dire à Tiouca ce qu'elle savait avant que son frère ne les rejoigne.) Je comprends jamais ce qu'elle dit, j'attrape les mots, je les écris vite sur mon cahier et je les fais passer aux anciens. C'est eux qui trouvent le sens, mais je t'ai déjà tout dit, Tiouca. Il n'y a rien d'autre.

Elle surveillait sans le regarder la réaction de Jonathan, elle craignait qu'il se moque. C'était son monde à elle, son habitude de vie, à des années-lumière, elle le savait, des habitudes de la ville, et lui venait de là-bas, même s'il traînait tout le temps par ici.

– Tu as le cahier ?

– Non, mon père est parti avec. Mais ce qu'elle répète tout le temps, c'est qu'il faut que l'enfant enjambe la mer.

– C'est tout ? (Jonathan concentrait ses yeux sur les siens.) Elle n'a pas parlé d'un chargement, d'un convoi ?

– Non… Enfin, si. (Son cœur battait à lui défoncer la poitrine.) Elle a dit, euh… « accompagner le voyage ». Voilà, c'est ça, « accompagner le voyage ».

Jonathan souffla et regarda Tiouca : tout cela ne voulait strictement rien dire, même le dessin sur la carte était un mystère et de toute façon le père et les frères de Lune ne l'avaient pas emportée avec eux, si bien que cette carte n'avait peut-être aucun rapport avec leur départ. Bref, ils étaient gravement dans les choux.

– À quelle heure tu vas t'occuper de la vieille ?

Lune regarda Tiouca.

– À 5 heures, après l'école. Si j'y vais… à l'école.

– Et comment, que tu vas y aller ! (Tiouca se déplia.) Si tu es d'accord, on viendra te chercher et on ira voir la vieille avec toi. Félicité va nous donner son ragoût qu'on lui portera. Elle ne vient plus le chercher à la clairière, tu sais pourquoi ?

Lune se tortillait.

– Ben, ces jours-ci, elle est attachée, alors…

– Attachée ? (Jonathan garda la bouche ouverte.) Comment ça, attachée ?

– C'est-à-dire que c'est elle qui veut. (Lune suppliait Tiouca du regard, et avait juste envie d'enfermer les mots dans sa bouche comme savait si bien le faire son père.) Je vais chercher mon sac.

Elle disparut derrière la porte, bouscula Jony en traversant la chambre des garçons, et ressortit en trombe, bien décidée à ne plus prononcer une seule parole qu'elle ne puisse immédiatement expliquer. Tout compte fait, ce n'était absolument pas un matin ordinaire, puisqu'elle allait arriver à l'école accompagnée par son meilleur ami et le plus beau garçon de la terre à huit cents kilomètres à la ronde…

## 24

Ils marchaient depuis des heures dans le sens contraire de la course du soleil, ce qui contrariait Napi de manière quasi génétique, car aucun pisteur, aucun guide ne revenait à ce point sur ses pas sans un sentiment de dérision qui frisait la déprime totale. Toutes ses marques étaient là et ses repères aussi, sauf qu'il les vivait en sens inverse. Depuis leur départ, ils avaient croisé deux campements sans s'arrêter. En même temps, c'était la preuve que son itinéraire et son organisation avaient été respectés à la lettre et au mètre carré près. Il était clair que le petit homme râblé au front oblique était celui qu'on écoutait, le chef de cette expédition de retour dont Napi comprenait d'autant moins le sens qu'à chaque campement dépassé, non seulement on ne s'arrêtait pas, mais on n'emmenait personne. Les quinze avaient ce regard fermé et déterminé qui éteignait tout échange, rendait impossible le début même d'une conversation. Dans les campements, les hommes et les femmes arrêtaient leur activité pour accompagner leur passage, mais nul ne pipait mot. Napi avait bien tenté quelques questions, mais Front-fuyant l'avait regardé comme s'il ne le voyait pas et avait juste hoché la tête en disant « avançons », alors ils avançaient.

Ils touchèrent le troisième campement à la tombée du jour. Depuis l'aube, la pluie leur avait laissé un large répit, les arbres noircissaient avant le ciel, Napi avait faim, soif et se disait qu'enfin, ils allaient se poser, récupérer, se nourrir, se désaltérer, peut-être se laver et en tout cas dormir un peu. Mais Front-fuyant arrêta leur marche d'un geste du bras signifiant qu'ils changeaient de registre. Il fit signe à ses hommes de se déployer de chaque côté des maigres baraquements de toile, visiblement ce campement était plus étendu que les autres ; la clairière avait été agrandie à la hâte, les grands arbres déployaient leur enchevêtrement vers un ciel qu'on devinait très haut et qui allumait peu d'étoiles car la lune montante était bruyante.

Napi imita ses compagnons et contourna trois fois le campement avant que Front-fuyant n'émette un sifflement qui chanta comme un signal. Les hommes et les femmes sortirent de l'ombre, ils étaient nombreux. En peu de temps, ils entourèrent les arrivants en parlant tellement vite que Napi ne comprenait plus rien malgré sa connaissance de la langue. Il regarda autour de lui, il y avait trois ajoupas en toile montés précairement sur bois croisés, l'un des trois était plus grand que les autres et bénéficiait du luxe de rideaux fermés ou plutôt de pans de toile qui tombaient jusqu'au sol et empêchaient que l'on vît ce qu'il contenait. Napi était fasciné par la construction, il n'avait jamais rencontré d'ajoupa clos depuis toutes ces années de sa courte vie qu'il pratiquait les gens d'ici et d'ailleurs. Autour de cette incongruité, le campement s'étalait banalement, de hamacs en petits paquetages, casseroles, réchauds sur gaz, nattes, toiles tendues sur bois croisés… Les visages étaient fermés, personne ne le saluait.

– Bushi !

C'était la voix rocailleuse de Front-fuyant, même ici, il semblait commander. Ils s'assirent à côté d'un maigre foyer sur lequel une femme touillait la marmite d'une purée odorante qui lui inonda les gencives. Il avait très faim et s'assit avec les hommes, les yeux rivés sur la bouffe. La femme, visiblement, n'était pas d'ici. Elle venait sûrement de Colombie à en croire ses bijoux. Belle, vêtue d'un caraco qui lui découvrait les bras à chaque mouvement qu'elle arrondissait pour attendrir sa mixture, elle se penchait pour embrasser l'enfant installé sur ses genoux.

– Bushi, peux-tu nous faire une autre route ?

Napi quitta la marmite des yeux, fixa la femme puis l'enfant avant de regarder Front-fuyant.

– Vous voulez changer d'itinéraire ?

L'homme plissa les yeux.

– Non. Seulement une petite partie du convoi, et c'est toi qui les guideras, si tu le veux bien. (Il inclina la tête.) On te paiera en conséquence.

Il sortit de sa poche deux petites pierres qu'il tendit à Napi. Napi savait, c'étaient sûrement des pépites qui représentaient bien plus que le salaire prévu par son grand-père à son retour d'expédition. Son angoisse doubla, il n'aimait rien de tout cela. Le feu déclinait doucement sous la marmite qui répandait une odeur épicée, son estomac se tordit, il regarda la femme, elle chatouillait son bébé dans le cou et riait aux éclats. Le bébé aussi riait, toutes gencives dehors, sauf qu'aucun son ne sortait de sa bouche, et quand il s'arrêta, il passa la main en caresse sur le visage de sa mère. Napi avait oublié sa faim, il ne comprenait même pas pourquoi tellement d'eau lui montait aux yeux. Au bout d'un long silence, il réalisa que tout le monde attendait sa réponse, même l'enfant avait l'air grave et le fixait de ses yeux pleins d'une eau noire et profonde.

– Alors, c'est oui ?

C'est vraiment là que Napi regretta l'absence de son grand-père, c'est là qu'il aurait aimé lui demander. Il sentait confusément que trop de paramètres lui étaient étrangers, pire, il sentait les hommes autour de lui dépassés par la course des événements. Il le sentait dans cette tension du cou, dans ce parler étroit qui ne laissait aucune place au rêve, dans la précipitation de chaque instant. Il réfléchit à ce qu'aurait fait le vieux pour digérer tout cela et garder la vie sauve, car, selon lui, c'est bien de cela qu'il s'agissait : on tuait en ce moment dans cette partie du monde, et il n'avait aucune envie de crever avec un sourire à la cubaine entre les deux oreilles. Il regarda la marmite et murmura :

– On réfléchit mal le ventre vide.

Il était vraiment curieux de savoir quelle partie du bivouac il allait conduire sur l'autre itinéraire, prêt à parier que l'essentiel du convoi se trouvait dans l'ajoupa fermé. Mais alors, si c'était le cas, cela signifiait sans doute que ce que cherchaient les hommes du massacre était là et que, s'ils avaient tué tant de gens pour ne rien trouver, on n'avait pas de mal à imaginer jusqu'où ils iraient quand ils auraient vraiment trouvé ce qu'ils cherchaient.

Il avala lentement et consciencieusement la bouillie parfumée, une sorte de giromonade avec des bouts de viande salée, c'était vraiment très bon. Ce soir, il allait dormir et ils partiraient demain matin. Il sentit contre sa cuisse la présence rassurante de son livre, il allait lire un peu d'abord. Le silence s'enfuyait, les hommes raclaient le fond de leur coui sans lever les yeux, Napi demanda une carte, l'étala sur le sol et se mit à parler.

# 25

« Je m'appelle Suzanne, et toi tu t'appelles comment déjà ? »
Voilà ce qu'elle se disait silencieusement en regardant défiler la
tristesse du paysage par la vitre ouverte du 4x4. De temps à autre,
elle se tournait vers le conducteur et le dévisageait : « Oui, je sais,
tu t'appelles Lionel et tu es mon mari. » Un tic nerveux souleva
sa lèvre supérieure, elle allait se mettre à ricaner. En fait, elle se
sentait très ricaneuse, avec une certitude : elle n'avait aucune
envie d'être là. Aller à Campan était pour elle une sorte de
cauchemar qui la projetait dans tout ce qu'elle détestait. Elle
détestait préparer les bagages avec Bertide car tout lui rappelait
que Bertide ne serait pas là-bas, à ses côtés, pour accompagner
ces petits gestes du quotidien qui devenaient vite un enfer. Elle
détestait rouler car elle avait mal au cœur, devant, à l'arrière ou
au milieu. Elle détestait la clim, donc Lionel roulait vitres
ouvertes. Elle détestait la poussière, or elle avait l'impression que
la voiture se faufilait dans un nuage permanent qui la faisait
suffoquer à chaque inspiration. Enfin, elle détestait être seule
avec Lionel, or elle était seule avec Lionel pendant au moins trois
heures de route durant lesquelles il s'évertuait à lui trouver une
fréquence qui diffusait de la musique classique alors qu'elle
voulait le silence. Et pour couronner le tout, elle détestait l'hôtel
où ils descendraient quand ils arriveraient à Campan. Si on

pouvait qualifier d'hôtel le bouge à cafards, baptisé Rayon Vert, qui campait à l'entrée du bourg.

Suzanne n'avait jamais compris, ni partagé ce goût qu'avait son mari pour ce trou paumé au milieu de rien. Il appelait cela « changer d'air », comme si la proximité du fleuve pouvait changer quoi que ce soit à la monotonie de ce pays. En général, elle tenait trois jours, pas plus, et finissait par se rapatrier vers la capitale, seule la plupart du temps, avec une anticipation intense du bonheur de retrouver Bertide et ce qu'elle appelait « sa vie normale ». Or là, Lionel avait annoncé une semaine de « changement d'air ». Elle était déjà épuisée, elle se repassait le film de ses occupations au village et rien, mais rien, ne l'intéressait. Ni l'espèce de dépôt-vente dans lequel on trouvait aussi bien des seaux en plastique que des tee-shirts brésiliens, ni l'église trop petite pour être solennelle, ni les abords du fleuve où poussaient les vieux pneus et les Brésiliens, ni le Chinois qui qualifiait de restaurant sa boîte à savon dans laquelle la clim était glaciale et faisait plus de boucan que la musique, ni… ni… rien…

Elle regarda à nouveau Lionel, il avait l'air crispé, il posa une main molle sur sa cuisse.

– Qu'est-ce qu'il y a ?

– J'aimerais savoir ce qu'on va faire une semaine à Campan.

– Cela fait vingt fois que tu poses la question. Tu as besoin de…

Non, il n'allait pas le dire, elle n'allait pas le supporter, les paumes sur les oreilles elle murmura :

– De changement d'air, je sais !

– Qui plus est, le maire organise une petite réception en notre honneur, tu verras de nouvelles têtes, ça te changera.

Elle regardait sa main qui s'attardait sur ses genoux, Seigneur, il avait des poils noirs et drus sur le dos des phalanges et elle ne s'en était jamais aperçue avant. À moins que ces poils n'aient poussé ces derniers mois ou ces dernières années ! Cela faisait combien de temps que Lionel ne l'avait pas touchée ? Elle compta sur ses doigts, elle n'arrivait pas à être sûre, c'était six mois ou six ans ? Trois mois ou trois ans ? Peut-être six semaines… Le temps, c'était si ennuyeux, quand il fallait compter il vous échappait avec une terrible efficacité. Elle entendait le ronron de sa voix qui revenait par vague, il venait de prononcer une phrase importante, là !

– Tu m'écoutes ? Je t'assure que je suis très inquiet pour toi. Je te trouve fatiguée. Irritable. Peut-être angoissée. J'ai parlé avec ce docteur Pierre quelque chose, ce Belge qui a organisé des conférences sur le stress en pays tropical, il est prêt à te rencontrer quand tu veux.

Il s'interrompit et remit ses deux mains sur le volant. Suzanne écoutait les derniers mots qui résonnaient dans sa tête : « le stress en pays tropical », elle pouffa et sortit son mouchoir.

– Mon ami, vous êtes ridicule !

Puis elle s'enferma dans un silence qu'elle avait bien l'intention de prolonger jusqu'à l'arrivée à Campan.

– … Parce qu'à un moment, Suzanne, il faudra bien qu'on arrive à parler de Jonathan ! (Elle entendit le craquement de ses os, oui parfaitement, tout son corps qui se recroquevillait et son énergie qui foutait le camp comme un ballon se dégonfle, et sa tête hurlait non et encore non.) C'est ton fils Suzanne, notre fils. Tu ne peux pas faire comme s'il n'existait pas ! (Elle se souvenait maintenant, c'est pour cela qu'elle ne voulait jamais être seule avec Lionel, c'est parce que, chaque fois, il remettait cela sur le tapis, chaque fois, chaque fois, chaque fois. C'était purement intolérable.) D'autant qu'en ce moment, je ne sais pas ce qu'il fabrique, mais je sens venir les emmerdes. Je ne peux pas être le seul à me préoccuper d'un gamin qui ne veut ni travailler, ni faire d'études, ni fonder une famille, ni partir, ni rester. Suzanne ? (Il freinait, il stoppait, non, cela ne pouvait pas être. Et Bertide qui n'était pas là. Suzanne sentait monter la boule, doucement cette fois, cela partait de l'estomac, au milieu du corps, au creux de son être. C'était une boule et un trou béant en même temps, qui n'arrêtait pas de s'ouvrir. La bouche de Lionel était immense et hurlante, la voiture était arrêtée, le moteur tournait.) Tu vas finir par me dire ce qui s'est passé entre vous !

Elle cria plus fort que lui sans discontinuer jusqu'à l'extinction de voix, jusqu'aux sanglots secs qui lui incendiaient les yeux, elle avait mal aux poings qu'elle fracassait sur le tableau de bord, mais cette fois, c'était différent. Lionel ne bougeait pas, il ne l'attrapait pas dans ses bras pour l'apaiser, il ne faisait rien. Elle ouvrit la portière et se laissa glisser sur la route, accrochée à son sac dont la bandoulière lui sciait l'épaule.

Il n'y avait pas âme qui vive jusqu'à l'horizon, une barre lui paralysait la nuque et ses cuisses étaient moites. Elle s'était rarement sentie si mal, elle entendit Lionel claquer la portière, au moment où une voiture surgit derrière le 4x4. Elle ne réfléchit pas une seconde, leva la main pour l'arrêter et s'engouffra dans le véhicule en hurlant à la conductrice :

– Démarrez ! Démarrez !

Mais l'autre ne démarrait pas, c'était une grosse chabine à la peau claire, aux yeux clairs, aux cheveux défrisés, qui, pour l'heure, la considérait comme un ovni qui aurait atterri sur son siège avant. Suzanne se démena pour attraper la ceinture de sécurité, il n'y en avait pas.

– S'il vous plaît, s'il vous plaît, démarrez !

Elle remontait compulsivement la vitre pendant que Lionel avalait trois enjambées et se penchait sur la portière. Il dut se rappeler quelque chose, car il se redressa immédiatement comme pour ajuster un nœud de cravate imaginaire et frappa trois petits coups sur le carreau, comme s'il demandait l'autorisation d'intervenir.

La conductrice éteignit son moteur et apostropha sa passagère :

– Cela vous prend souvent de vous jeter sur les bagnoles et d'embarquer, comme si, comme si…

– Vous allez vers Campan, moi aussi, je veux juste ne pas y aller dans sa voiture.

Lionel continuait à tapoter la vitre.

– Suzanne, je t'en prie !

La chabine toisait Suzanne, elle considéra la souplesse du cuir des mocassins, tout neufs pensa-t-elle, le pantalon et la veste, genre saharienne démodée, chic mais trop chaude, les petites perles accrochées à l'oreille, la coiffure tellement tirée que les cheveux pouvaient à peine respirer. Elle plissa les yeux.

– En plus, c'est un coup à attraper des emmerdes ! Je vous reconnais, vous êtes la femme du procureur et l'agité du bocal qui tourne autour de ma voiture c'est donc bien le procureur. Mon petit, vous allez descendre de ma voiture et me laisser tranquillement finir ma journée, O.K. ? Baissez au moins votre vitre, il fait une chaleur à crever là-dedans !

Suzanne regardait droit devant elle, sans ciller. La route fuyait vers les arbres, déserte, le silence était total, même le mari avait cessé de frapper au carreau. La chabine descendit de son véhicule et interpella Lionel :

– Monsieur le procureur, si vous êtes d'accord, je vous l'emmène à Campan. Je me présente (elle lui tendit la main par-dessus le capot), Élisabeth, Élisabeth Niels, je suis la femme du facteur. Donc, si vous le voulez bien, comme madame n'a pas l'air décidée à descendre de ma voiture et que j'ai pas que ça à faire, on va simplifier. Je l'emmène, vous suivez et vous la récupérez une fois là-bas, d'accord ?

Lionel était pâle comme le ventre d'un crapaud, il récupéra sa main, étouffa deux « hum ! hum ! », murmura que sa femme n'allait pas très bien en ce moment, recula vers sa voiture et démarra.

Suzanne relâcha les épaules, soulagea la brûlure qui lui vrillait la nuque et recommença à respirer. La voiture sentait le gros savon, la sueur et le patchouli, à l'arrière, un bordel indescriptible. La conductrice attrapa son regard.

– Cinq enfants !

– Cinq enfants ?

Le ton était admiratif, c'est vrai que Suzanne vouait un profond respect à ces femmes qui élevaient plein d'enfants et continuaient à boire, manger, respirer, vivre comme si de rien n'était, alors qu'elle… Sa nuque flancha, elle se cacha les yeux.

– Je m'appelle Élisabeth, dit la conductrice en démarrant doucement. Je n'ai plus de ceinture à l'avant, à l'arrière non plus d'ailleurs. C'est dangereux, mais la voiture est tellement vieille que la moindre réparation coûte plus cher que ce tas de tôle. Mais elle marche et de toute façon avec les gosses, c'est l'annexe de la poubelle ! Vous avez des enfants ? Ah ! Si ! Un ! Je le sais, je l'ai vu dans le journal local. Pas facile, hein, un ado par ici ? (Elle jeta un œil en coin à sa voisine.) Mais à cet âge-là, ils sont toujours difficiles. J'ai lu que vous aviez eu des soucis avec lui ? (Une pause.) Cela dit, si vous ne voulez pas parler, on a encore une heure à passer ensemble.

– Excusez-moi, je m'appelle Suzanne et… merci.

Le moteur tournait rond, elle baissa sa vitre, l'air chaud sentait l'asphalte et la poussière mouillée.

– Querelle d'amoureux ?

Suzanne pouffa.

– Vous voulez rire !

En fait, elle ne s'expliqua jamais bien ce qui arriva ce jour-là. Comme si cette inconnue avec sa rondeur rousse signifiait le bout d'une errance, Suzanne se mit à parler, parler et encore parler. Elle lui dit en vrac tout ce qui encombrait son disque dur, à l'autre de remettre les choses en chronologie. Ses parents, ses années d'études, Lionel, l'arrivée de Jonathan, les mutations de son mari, encore Jonathan, le retour ici, la vacuité d'une vie d'expatriée alors qu'elle n'en était pas une, Jonathan toujours, qui grandit, qui devient un peu moins qu'un homme, un peu plus qu'un gamin, et puis l'innommable… Et puis le désamour, peut-être le dégoût, en fait oui, le dégoût d'elle-même. Elle s'agitait sur le cuir moite de son siège, comme si elle était en train de faire une importante découverte, la conductrice se taisait.

Quand elle la regardait, Élisabeth voyait une femme qui aurait pu être une enfant, un profil volé à une médaille et une oreille si petite qu'elle semblait sculptée par un esthète. Elle observa la légère voussure du dos, les bras nerveux, la crispation des mains. Elle avait lu une histoire comme celle-là dans les journaux, un drame affreux. Mais cela ne s'était pas passé ici, cela s'était passé dans les îles, là où les citadins vivent les uns sur les autres, dans une telle proximité que les différences sociales ne suffisent pas à élever des murs d'empêchement. On s'y pratique au quotidien, on se frotte les uns aux autres et nul ne peut ignorer la misère ou la richesse du voisin, alors on utilise beaucoup d'énergie à faire semblant. Elle connaissait le processus par cœur, elle venait de là-bas, et si elle n'avait pas croisé Philibert à un de ses stages inventés par la fonction publique, elle y serait encore, dans son île.

Elle se souvenait de cette histoire sordide qu'elle avait lue avec d'autant plus d'avidité qu'elle avait le sentiment d'avoir partagé les bancs du secondaire avec la femme dont il était question. C'était il y a un peu plus de trois ans : l'article disait qu'elle était pharmacienne, très belle, avec un jeune fils qui lui en faisait voir de toutes les couleurs, et un mari souvent absent. Le fils fréquentait à l'époque pas mal de délinquants à la petite semaine, des revendeurs de crack qui draguaient les gosses de riches pour faire fructifier leurs petites affaires. D'après le journaliste qui avait fort bien décrit les protagonistes mais n'avait donné l'identité de personne, la police avait été appelée un soir par une gamine qui hurlait au téléphone. Sur place, ils avaient trouvé une scène apocalyptique : une femme qui baignait dans son sang, dans une posture obscène. Les cuisses grandes ouvertes, sexe nu, la femme était criblée de coups de couteaux et l'autopsie avait révélé qu'elle avait été violée *ante mortem*. À ses côtés, recroquevillé en position fœtale, un adolescent qui tenait encore à la main un couteau de cuisine ensanglanté, et, debout près du téléphone, une gamine d'une dizaine d'années qui hurlait en continu comme une sirène. Il n'avait fallu que quelques jours pour que le silence médiatique se referme comme une tombe autour des survivants de cette famille, pendant que l'île bruissait et frissonnait de détails plus ou moins fabulés, et que l'histoire se mettait à voyager d'île en île, jusqu'à atterrir en un minuscule paragraphe dans les grands hebdomadaires brésiliens et européens. Tout de même, on avait trituré et revisité le drame jusqu'à lui extraire son dernier jus. Tout le monde savait que le fils, qui n'avait pas 18 ans, purgeait son esprit derrière les barreaux d'un asile psychiatrique d'une histoire qu'il n'avait jamais pu raconter, car depuis cette fameuse nuit, aucun mot n'était plus sorti de sa bouche. Le père, qui avait tout découvert en rentrant chez lui au petit matin, avait quitté le pays avec sa fille. On disait qu'il s'était installé au Canada. Depuis, Élisabeth avait pu vérifier que la morte était bien une camarade de collège, un boute-en-train dont les yeux tigrés étaient autant admirés que les siens, gris. Elles étaient les deux seules à afficher ces yeux clairs qui étaient considérés à l'école comme un outil de séduction imparable.

L'histoire différait, puisque Suzanne n'était pas morte, mais il y avait de telles similitudes dans le propos que la chabine se demandait si l'autre n'était pas en train de l'embrouiller et de s'approprier le drame. Auquel cas, elle se posait la question : « Qu'est-ce qui était plus fou ? D'avoir vécu le drame ou de se l'approprier comme s'il était sien ? » Élisabeth essayait de garder les yeux sur la route, mais elle était littéralement fascinée par sa passagère.

– Vous en avez parlé à votre mari ? (Elle aurait voulu avaler sa phrase et ne pas l'avoir prononcée. L'autre la considérait avec une telle rage dans son silence que, pour la première fois de sa vie, elle se sentit petite et vulnérable. Elle enchaîna sans respirer.) Je suppose que non et je suis désolée de vous avoir posé cette question, mais… Vous en avez parlé à quelqu'un ? Non ? C'est la première fois ? Je suppose que vous ne parlez plus à… votre fils ? (Elle lui tapota le genou.) Il faut vraiment faire quelque chose, vous ne pouvez pas garder tout ça pour vous et ne le dire qu'à moi ! Moi, je ne peux rien faire, je veux dire pour vous aider à digérer tout ça. Suzanne, vous comprenez ?

Suzanne sortit un poudrier de son sac, entreprit de se couvrir les lèvres d'un rouge sanguinolant, replia le tout.

– Nous n'allons pas tarder à arriver. Puis-je compter sur… Je vous en prie, ne dites rien à personne. Je ne sais pas pourquoi je vous ai parlé. Rien à personne, surtout pas à lui…

Élisabeth hocha la tête.

Elles se turent, le silence se faufila entre les ronrons furieux du moteur et la stupeur de leurs pensées. Ce n'était pas un bon silence. L'air chaud s'engouffrait dans l'habitacle, Élisabeth baissa encore davantage sa vitre. Dehors, les kilomètres défilaient et les arbres bougeaient sous la poussière, attrapés, dépassés, abandonnés. C'était désolation. Élisabeth essaya de trouver de la musique, la radio crachotait une inaudible saudade. Elle éteignit le poste et se tourna vers sa voisine.

– C'est drôle que vous arriviez maintenant. Il y a comme une effervescence à Campan en ce moment. L'autre jour, à l'enterrement d'une amie où j'ai d'ailleurs aperçu votre fils, il y avait des étrangers. Ou plutôt des étrangères, quand j'y pense, surtout des femmes. La semaine d'avant, c'était des Hollandaises, deux jours avant des Asiatiques, je pense des Japonaises, elles parlaient sans arrêt. Chaque fois, elles ne font que passer. Je veux dire, elles ne s'arrêtent pas. C'est vrai que ce sont essentiellement des femmes, elles arrivent, on les voit à un enterrement, ou une messe, ou la fête d'un quartier, et puis elles continuent leur route, toujours avec des Amérindiens. C'est bizarre non ?

Elle changea de vitesse et poussa le véhicule au maximum. Suzanne faisait semblant de ne pas comprendre que la conductrice meublait le silence pour remettre un peu de vie dans l'habitacle. L'histoire l'intéressait peu.

– Les deux dernières, aux obsèques d'Elsa, étaient vraiment de drôles de numéros. Une grande métisse genre mannequin, l'air juste décollée du papier d'un magazine, et sa copine, une petite Blanche, nerveuse. Très physique, vous voyez ce que je veux dire ? Eh bien, toutes les deux étaient à l'église, elles pleuraient à fond comme si elles avaient connu Elsa, alors que vraiment, vu qu'Elsa n'allait jamais plus loin que son jardin… (Elle tourna la tête vers sa voisine puis revint sur la route.) En même temps, il y a ce temps pourri, même si c'est la saison, il tombe des seaux en ce moment, ça rend les gens dingues toute cette eau. Je parle même pas des massacres en brousse. Alors là, quand la nouvelle est arrivée jusqu'ici, c'est comme si ça s'était passé devant la porte de nos maisons. Alors qu'en fait, c'est de l'autre côté de la frontière, vous en avez entendu parler en ville ? Je suis sotte, bien sûr que oui, puisque c'est passé à la télé !

Suzanne se détendait dans le ronron des paroles ; cela l'arrangeait grandement que la femme fasse les questions et les réponses. D'abord, parce qu'elle se foutait pas mal de ces histoires, ensuite parce qu'elle n'avait plus rien à dire. Elle réfléchissait, elle se sentait moins oppressée, les griffes qui lui tenaillaient la poitrine avaient lâché prise, elle respirait, elle avait soif.

– Vous auriez de l'eau s'il vous plaît ?

L'autre lui tendit une bouteille tiédasse, dont elle avala la moitié. Ainsi, sa nouvelle copine s'appelait Élisabeth. Elle n'aurait su dire si ce prénom lui allait bien ou pas. Ce qu'elle savait c'est que la présence bavarde de cette femme avait quelque chose de réconfortant. Sous la mousse jaune de ses cheveux, ses pommettes étaient brunes et couvertes de son, une ride d'expression courait de son nez, qu'elle avait large, à sa bouche, qu'elle avait charnue. Quand elle la regardait, à coups d'œil furtifs, elle avait le sentiment que tout se mettait en place et que le visage de sa nouvelle amie occupait tout l'espace. Sa nouvelle amie ? Mais à qui d'autre livre-t-on un tel paquet d'intimité ? À qui d'autre confie-t-on l'innommable avec lequel on ne sait pas vivre, alors qu'on est encore en vie ?

– Vous voudrez bien qu'on en reparle encore, un autre jour ?

– De… de quoi ? Oui, oui, bien sûr, si ça vous fait du bien mon petit. Mais je maintiens que vous devriez consulter ! Là, on ne va plus tarder à arriver, c'est quand même agréable de faire le voyage à deux, on ne voit pas passer le temps ! Si je suis mariée ? Oui, oui, je vous l'ai dit, mon mari c'est Philibert, le facteur de Campan. Un sacré bonhomme, c'est à cause de lui que je suis ici, moi je viens des îles. Je peux pas vous dire comment je suis tombée raide dingue de ce beau parleur. Parce qu'il est beau parleur, je vous jure, il vous enveloppe dans des phrases qui ne finissent pas de s'étirer. Tellement que quand la fin arrive, on a oublié le début. (Elle rit.) Mais ça ne fait rien, il est tellement… tellement… Et puis je crois qu'il aime tellement les femmes qu'il sait s'y prendre. Vous voyez ce que je veux dire, c'est pas le gars qui vous bouscule et vous crucifie sur un lit pour conclure sa petite affaire. Non, non il fait tout le truc, les caresses, la langue, les doigts. Je vous choque là ? Bref, on a l'impression qu'il est partout en même temps. Hum, rien que d'en parler ! Alors, on a cinq enfants. Faut dire qu'à Campan y a pas grand-chose d'autre à faire. Même pas un cinéma. Moi, je suis enseignante, en primaire, alors j'utilise la vidéo pour donner aux petits des envies du monde. Vous avez des envies du monde, vous ?

– Oui, sûrement.

– Comment ça, sûrement ? Soit on a des envies, soit on ne les a pas.

Suzanne souffla.

– C'est compliqué. De savoir.

Élisabeth lui toucha le genou en négociant un virage.

– Allez, ça va aller. Je suis un peu bousculante. Suis comme ça avec tout le monde, Philibert me dit toujours que je fais peur aux gens. (Elle pouffa.) Je crois que c'est surtout lui qui a peur que je tombe sur ses petites magouilles. Parce que monsieur est très généreux, figurez-vous, il distribue ses caresses avec largesse. Faut dire qu'il a une sacrée santé !

Suzanne se redressa, intéressée.

– Vous voulez dire qu'il vous trompe ?

– Je veux pas dire, je dis.

– Et ?

– Et quoi ? Et rien ! Il me trompe, c'est tout. Mais par ici, tout le monde trompe tout le monde. (Elle rétrograda devant un panneau délavé qui signalait Campan.) On arrive, je vous jette à l'hôtel ?

Le Rayon Vert était installé un peu avant le bourg, en haut d'une mini-colline qui étalait sa mollesse au bout d'un chemin dissimulé par les arbres. Il se signalait dès la route principale par une pancarte clouée au tronc d'un mahogany. En haut de la pente, une grande bâtisse de type colonial, on en voyait très peu dans le coin. Un étage, une poignée de chambres, dans la touffeur des ventilateurs magnifiques, mais tellement inefficaces qu'ils n'arrivaient pas à perturber la chasse des moustiques, un cauchemar pour Suzanne. Elle réalisa qu'elle n'avait pas une seule fois regardé le rétroviseur. Pendant ce court voyage, elle avait réussi à gommer son mari.

– S'il vous plaît, vous prendriez un verre avec moi ?

Élisabeth considéra le visage de sa passagère, elle avait retrouvé ses yeux hagards et commencé à presser sa poitrine.

– Désolée, il faut que je me précipite à l'école pour récupérer mes enfants. Déjà que je me suis portée pâle aujourd'hui. Mais, qu'est-ce que… qu'est-ce qui se passe ?

Il y avait des camions partout, ces énormes engins couverts de bâches kaki et dont les flancs arboraient les mêmes couleurs que les tee-shirts de ses enfants. Élisabeth en compta six et, autour, des paquets de types habillés comme les camions qui s'agitaient avec force bruits. À la porte de l'hôtel, Suzanne repéra son mari, sa valise à la main, il leur faisait signe.

– Mais, nom de Dieu, ma parole je veux être pendue si c'est pas l'armée, là. Mais qu'est-ce qu'ils foutent ici ? Ils squattent l'hôtel ou quoi ? J'espère que vous aviez réservé mon petit. Oui ? Alors c'est bien, encore que, ils ont priorité sur tout, les bougres hein… Bon, ben, je vous laisse à votre époux, là, il a l'air de vous attendre et moi il faut vraiment que je file ! (Élisabeth tendait déjà le bras pour lui ouvrir la portière). Ça va aller, ça va aller. Je passerai vous voir, on continuera à parler. Je vous promets.

Elle avait hâte de se précipiter chez elle, de retrouver Philibert et de lui raconter : les militaires à Campan cela valait le coup qu'on s'attarde en réflexion là-dessus. Ça oui ! Et si elle ne trouvait pas Philibert tout de suite, elle irait voir Félicité. Il fallait qu'elle raconte, elle laisserait les enfants à la voisine.

Élisabeth était remontée à bloc, elle négocia un demi-tour en trombe, abandonna Suzanne et son sac au pied d'un arbre du voyageur qui s'épanouissait à contre-jour. La vie s'affolait à Campan.

# 26

Lune bourra son cartable à toute vitesse, elle était très excitée. Dès la fin des cours, elle se précipita hors de la salle de classe, répondant d'un geste expéditif aux sollicitations de ses camarades, zappant son professeur d'histoire qui l'attendait comme chaque fois, campé derrière son bureau, pour les ultimes questions qu'elle avait coutume de poser. Mais cette fois, elle slalomait son corps lourd sous le préau, les yeux rivés sur le portail d'entrée. Elle avait tellement conditionné sa journée à ce moment, elle avait tellement peur qu'ils ne viennent pas. Elle finit par les découvrir derrière les grands arbres ; elle n'avait jamais rien vécu d'aussi extraordinaire même dans ses délires les plus fous.

Confusément, elle sentait bien qu'elle transgressait un interdit en emmenant les deux hommes sur les traces de la vieille, mais en même temps, elle tentait de donner du sens à ce qu'elle vivait depuis des mois, tous ces départs mystérieux des hommes de sa famille auxquels elle ne participait pas, cette peur qu'elle accumulait en s'occupant de la vieille, ces paroles recueillies entre les pages de ses cahiers, cette vie parallèle qui mettait de la douleur dans les leçons d'histoire, de géographie, de littérature qu'elle dévorait au collège. Un secret trop lourd à porter et qui n'en était pas un, puisqu'elle n'avait pas les codes. Elle n'avait donc rien trouvé de plus rassurant que de partager avec les gens qu'elle aimait le mieux, Tiouca parce qu'il était son ami, et Jonathan parce qu'il était là et qu'il mettait des papillons dans sa tête.

Le guerrier exhibait une besace gonflée du ragoût de Félicité et un sourire qu'elle ne lui connaissait pas. Il avait l'air jeune, les épaules droites et le pas décidé, pendant que Jonathan louvoyait à ses côtés.

– On va suivre la rivière à partir de chez moi. J'en profiterai pour poser mon sac à la maison, en espérant que Jony ne sera pas là. De toute façon il saura !

Ils marchèrent un long moment sans échanger un mot. Il était 5 heures et l'obscurité ternissait doucement le bleu du ciel. Leurs pas s'enfonçaient dans le sol humide ; il faudrait bien deux ou trois jours de soleil pour éponger la terre. En attendant Lune chantait dans sa tête.

– Une fois que vous l'aurez vue, vous ferez quoi ?

– On écoutera ce qu'elle dit.

Tiouca était tout à fait conscient que cette démarche improbable pouvait, au final, ne les mener nulle part. En même temps il s'en fichait, le résultat lui importait peu, ce qui comptait, c'est que cela faisait bien une vie qu'il ne s'était senti aussi vivant. Il lui fallait remonter à avant, avant le nœud qui l'avait étranglé et obligé à venir dans ce pays-ci. Il allait d'un bon pas au gré de son intuition ; après la vieille on verrait bien ! Il faudrait sûrement se débarrasser de Jonathan, le renvoyer dans ses foyers, essayer de le rendre à la vie qui l'attendait et l'extirper de cette gadoue qu'il s'inventait au quotidien, mais cela c'était une autre histoire. Il regarda le garçon qui marchait à ses côtés en serrant les dents.

– Tu as compris ce que raconte la carte, Tiouca ? J'ai gambergé toute la journée, j'ai beau tourner le truc dans tous les sens, ça n'a rien à voir avec un itinéraire !

Tiouca sourit.

– Qui a dit que ça avait à voir ? (Ils arrivaient à l'embranchement qui descendait vers la rivière et donc vers la maison de Lune.) Ton frère ?

Elle balaya la véranda des yeux… Rien n'avait bougé depuis le matin, même la poussière semblait immobile.

– Pas là ! (Elle poussa la porte.) Je pose mon sac, je prends un cahier et j'arrive.

Ils marchèrent encore pendant un long moment. Quand ils arrivèrent près de la grotte, Tiouca se demanda comment cet endroit avait pu échapper à la minutie de ses traques au gibier. Il était de moins en moins convaincu qu'il recelait la moindre cache et se préparait à trouver une espèce de tombeau, un trou à peine habité que l'imagination de la jeune fille aurait transformé en cathédrale mystique. Ils grimpèrent les quelques mètres d'éboulis sans difficulté et, au bout de la course, quand il baissa la tête pour passer l'entrée du tunnel, il sut qu'au contraire il avait eu raison de venir là. Il faisait sombre, le silence était plus épais que l'obscurité et cela sentait l'eau et la terre. Au bout du boyau, un puits en haut duquel scintillait une flaque laiteuse. Il entendait la respiration laborieuse de Jonathan pendant qu'ils grimpaient presque à la verticale – sérieusement, le gamin consommait trop de produits qui lui ravageaient les poumons, ce n'était pas normal qu'à son âge il soit à bout de souffle après cinq minutes de grimpette. Devant lui, les baskets maculées de boue de Lune ouvraient la voie, le tunnel était suffisamment haut pour qu'ils puissent avancer légèrement courbés ; c'était inconfortable mais très praticable.

Lune lui avait dit que la vieille l'avait trouvé toute seule, il lui paraissait impossible qu'elle ait pu grimper, même une seule fois, sans l'aide des jeunes Amérindiens. En haut, le temps s'arrêta, les rêves aussi car ils étaient bien pauvres à côté de ce que leur offrait le réel. Tiouca leva la tête avec le sentiment de s'agenouiller devant la beauté. Et par où commencer ? Le plafond était haut, transpercé par des puits de lumière dont il n'aurait su dire s'ils venaient du jour déclinant, ou si d'autres puits menaient à d'autres grottes qui montaient en cascade vers le soleil.

De toute façon tout cela était sans importance, il y avait des torches partout, le sol et les parois étaient faits du même matériau, une terre sèche qui semblait poncée par le temps, et tremblaient à la lueur des flammes – c'était un peu comme si une fourmi géante avait creusé un terrier fou, qui confondait le sol et le plafond.

Quand il sortit la tête du puits, Jonathan émit un léger sifflement et choisit le silence pour partager sa stupéfaction. Lune marchait devant eux car la grotte était grande ; au bout d'une esplanade caillouteuse, un hamac surmonté d'une moustiquaire opaque ressemblait à une drôle de tente. Les torches étaient loin et le jour fichait le camp avec la lumière.

– C'est trop canon, murmura Jonathan.

Lune lui fit « chut » de la tête, pendant que Tiouca extirpait le ragoût de sa besace. Dans la tête du guerrier se bousculaient les images du passé, un précipité refoulé qui lui coupa le souffle : le sentiment de se noyer… Des taches de couleur, la couleur de ses yeux tellement bleus qu'on se sentait lavé par son regard, et l'eau qui en coulait comme étonnée de tant d'impudeur, et sa main qui tremblait vers le monstre minuscule à la nuque épaisse, à la tête trop grosse pour être portée par ce petit corps noueux, et le son asthmatique de ses poumons atrophiés, et son regard bleu qui ne lavait plus rien, et ses mains qui n'arrivaient pas à caresser, et lui debout dans tout ce blanc, abasourdi par la tornade de chagrin qui s'abattait sur eux. Ils avaient tellement voulu être trois puis quatre, peut-être cinq. Un sursaut d'énergie, sa main qui se tend pour essayer de dire que tout est encore possible, et la lâcheté qui revient face à ce mur de refus, et lui qui tourne les talons, et ce cri qui déchire la tristesse. Ce cri qui accompagne sa fuite, et il marche, et il court, et le cri toujours. Il ne marche plus, il est terrassé, le nez dans la poussière sèche qui sent l'eau et la terre et le cri lui écorche la poitrine.

Il lui fallut bien quelques minutes pour accommoder le présent. Ni Jonathan, ni Lune ne lui prêtaient attention, ils étaient tournés vers la mélopée qui transperçait les voiles blancs de la moustiquaire. Quand Jonathan les écarta, la vieille était dressée dans son hamac, la bouche ouverte sur un hululement continu ; elle n'arrêta que pour reprendre son souffle. Il était clair qu'elle ne les voyait pas, au mieux, elle sentait leur présence. Lune se rapprocha de Tiouca et lui glissa :

– Regarde ses yeux, regarde... C'est pour ça que j'ai peur.

Tiouca ne put lui expliquer qu'il avait un boulot fou, un job de titan pour essayer de refouler tout ce qui remontait là, qui se convoquait tout seul, qu'il avait mis des kilomètres et des années à chasser, chasser, chasser. Debout dans cette grotte, il redressa le dos, essaya de congédier le passé. Il était venu ici écouter, alors qu'elle parle, la putain de vieille, qu'elle dise des choses qu'il pourra torturer pour produire du sens et aller raconter à Félicité – oui c'est cela, raconter à Félicité pour retrouver le goût d'aujourd'hui.

– On n'a rien à foutre ici, marmonna Jonathan.

Ses yeux jaunes farfouillaient les coins.

Lune défaisait les nœuds du torchon protégeant la marmite, ses gestes étaient précis, elle sortit une cuillère en bois, la plongea dans le ragoût. La bouche de la vieille avait cessé de gémir pour accueillir la nourriture, cela semblait lui plaire, le rituel s'acheva après un lavage succinct grâce à une bassine pleine d'eau et de plantes, par un passage rapide sur un seau hygiénique dissimulé dans l'ombre. La vieille semblait peser à peine son poids d'os. Puis Lune la recoucha dans son bout de toile et commença à lui masser les pieds avec une huile de vétiver qui chassait les odeurs.

Tiouca se sentit revenir.

– On peut fumer là ? fit-il en considérant la voussure de terre et de pierre.

– Sais pas, je crois que la vieille prend sa pipe de temps en temps.

Pour l'heure, dehors il faisait nuit et la vieille mâchait ses gencives avec des mots étranges. Jonathan s'assit sur le sol.

– Qu'est-ce qu'elle dit ?

– Elle dit toujours les mêmes choses, elle dit « il faut partir, il faut que l'enfant enjambe la mer... » Elle dit aussi des choses sur les familles, mais je ne comprends pas tout. J'entends, mais je ne comprends pas. (Lune rangeait calmement le flacon d'huile, elle rinça le gant, enveloppa le savon dans un bout de papier kraft et posa le tout au pied du hamac.) C'est moins pénible quand vous êtes là. (Ils chuchotaient, le hamac s'était calmé. Aux imprécations, succédait un léger ronflement.) Elle dort.

– Quand ta famille et ta tribu ont-ils commencé à écouter sa parole ?

– Oh, j'étais petite, je crois que c'est au moment où ils ont découvert qu'elle se cachait ici. Aucun des nôtres n'y mettait jamais les pieds. L'endroit était mauvais. On disait que celui qui y mettait les pieds mourait d'une mort sale qui faisait voyager son esprit dans les enfers de toutes les religions et pour l'éternité. (Elle baissa le ton.) Des trucs de vieux, personne n'y croit vraiment, mais quand même, quand ils ont compris qu'elle vivait là, ça a tout changé. Plus de malédiction. Alors, ils l'ont aidée à ne pas mourir parce qu'elle avait de moins en moins de forces.

Jonathan parla sans quitter le hamac des yeux.

– Et comment tu traduis ce qu'elle raconte, Tiouca ?

Tiouca garda le silence, ce qu'il comprenait c'est qu'une vieille femme malade ressassait ses obsessions. S'il se souvenait bien de ce que lui avait raconté Félicité, la vieille à l'époque avait très mal pris que sa fille se barre en lui laissant son bébé sur les bras. Peut-être voulait-elle juste que le bébé rejoigne sa mère en Europe, c'était il y a près de quarante ans, mais vraisemblablement pour elle c'était aujourd'hui. Quelle sauce les Indiens avaient faite avec son rabâchage ? Impossible de le deviner et, même si ce n'était pas que cela, Tiouca n'avait pas les codes.

– Il faut qu'on parte Tiouca, j'ai plus besoin d'attendre son deuxième sommeil maintenant, elle peut plus se déplacer toute seule et mon frère ne va pas tarder, il s'occupe des torches. Je ne veux pas qu'il nous rencontre.

– Elle se réveille la nuit ?

– Plusieurs fois, et ses yeux sont terribles.

Tiouca ramassa son sac à dos et fit un effort pour lui dire :

– J'ai vu ces yeux-là beaucoup de fois, tu ne dois pas avoir peur Lune, c'est elle qui a peur… C'est le regard de la peur et même de la terreur de ceux qui vont mourir. Je l'ai vu chaque fois dans les yeux de ceux qui vont mourir. Je crois qu'ils sentent que la mort arrive et ils ont peur parce que, quand même, c'est un sacré changement la mort, tu crois pas ? On va revenir avec Félicité, il faut qu'elle la voie avant…

Puis il enferma sa langue et ne sortit plus un mot pendant tout le chemin du retour. Jonathan massacrait les arbustes à coup de pieds, plein de rage. Il était furieux, rien n'avançait ou plutôt tout avançait mais sans lui.

– Tiouca ! Tiouca ! Merde, réponds, on est associés ou quoi ? J'ai réfléchi, quand on regarde la carte, il y a quand même un endroit, on ne sait pas si ça part de là ou si tout va vers là, c'est Awala. Ce putain d'Alakipou, il sait des choses, il dit rien, mais c'est là qu'il faut qu'on aille Tiouca ! Faut qu'on bouge à Awala. Maintenant j'en suis sûr : c'est là le truc !

Tiouca se demandait vraiment quel était le moteur de ce gamin, pourquoi il était là en face de lui, debout dans la nuit, dressé sur ses ergots, à vouloir avec une telle détermination pénétrer les scénarios compliqués de ce bout de terre. Lui les avait toujours évités, on pouvait en trouver douze mille dans l'année, dans cet espace où la misère et l'oubli rendaient tous les actes de la vie extrêmement sophistiqués, il fallait traquer l'humanité en évitant tous les désordres. Or Jonathan faisait exactement l'inverse, et tête baissée. Tiouca soupira.

– Dis donc, gamin, t'as rien d'autre à foutre avec ta vie ?

En même temps, il savait qu'il irait. C'était comme ça, on se protégeait aussi longtemps qu'on pouvait et puis un jour tout craquait, et pour ne pas devenir fou il fallait bouger. Les images étaient en embuscade : la main fine, blanche, qui tremblait au-dessus du front bosselé sans pouvoir se poser. Il fallait qu'il bouge en urgence.

Lune était rentrée chez elle après l'avoir harcelé tout du long à propos d'un exposé sur le langage des plantes que lui imposait son professeur de français. Son problème étant qu'elle n'avait pas de références sur les plantes qui partageaient son quotidien alors qu'elle en regorgeait sur plein de plantes d'Europe qu'elle n'avait jamais vues. Tiouca avait déclaré forfait, il s'était contenté de vérifier que la petite maison était tranquille, avait attendu qu'elle allume toutes les lampes et lui affirme qu'elle n'avait pas peur et que son frère n'allait pas tarder à se pointer. Et il était reparti, précédé de Jonathan et de sa mauvaise humeur. Sa décision était prise, au lever du jour il conduirait Félicité à sa grand-mère et ensuite il partirait pour Awala avec le gamin.

# 27

Julie avait chaud, son pantalon de toile lui collait à la peau, surtout derrière les cuisses, là où elle était restée assise dans la barcasse qui fendait l'eau du fleuve. Dans le bateau, il y avait de tout : des hommes, des animaux, d'énormes faitouts, des sacs de toile... La ligne de flottaison disparaissait sous l'eau, et tout le monde riait. Elle avait fait partie du dernier transbord avec Alakipou et son géant de frère qui, à lui tout seul, compromettait sérieusement l'équilibre de l'embarcation. Le soleil les narguait avec puissance et elle levait le nez vers le vent qui avait le goût saumâtre du fleuve. Il était impossible que les bateaux douaniers n'aient pas remarqué le ballet incessant de leur convoi. Le trajet n'était pas long, à peine trois quarts d'heure pour glisser sur cette petite plage étonnante de blancheur qui s'enfonçait jusqu'à l'intérieur de ce qui ressemblait à un village. Ici il n'y avait pas de route et on avait changé de pays.

On s'agitait autant sur cette rive que sur l'autre et tous ces gens qui s'embrassaient et se distribuaient des claques dans le dos appartenaient bien à la même famille. Certains se ressemblaient tellement que Julie perdait les vagues repères qu'elle avait emmagasinés de l'autre côté. Elle posa son sac à dos et chercha Maïla des yeux, elle était partie dès la première rotation, concentrée sur son bavardage avec les sœurs d'Alakipou. Maïla avait le chic pour arracher des informations, elle jacassait et glissait des questions dans un flot d'inutilités, en général ça marchait sans qu'on y prenne garde, elle non plus d'ailleurs, et Julie avait envie de savoir. Douna l'avait présentée à au moins cent personnes dont elle gardait le visage en mémoire. Il dominait son monde de sa taille et lui adressa un clin d'œil de loin. Elle avait soif, elle avait faim, il y avait un bar à ciel ouvert qui servait des sodas qu'un tout jeune garçon extirpait d'une glacière, ce serait parfait. Elle allongea le pas, paya et s'assit à l'ombre d'une véranda bleue, une canette à la main. Elle regarda l'étiquette, marque hollandaise, avala une gorgée presque fraîche, un goût de citron chimique et sucré, fit la grimace et se poussa pour faire une place à Douna.

– Dis-moi Douna, c'est quoi la suite des événements ?

Il rigolait doucement, autour de lui l'air était limpide, elle ne s'était pas trompée, son aura était blanche, presque dorée, parcourue de fulgurances aériennes.

– Mais pourquoi, pourquoi tu veux toujours tout savoir à l'avance ? (Il appuyait sur le pourquoi.) En plus, ce qu'on peut savoir est toujours tellement minuscule par rapport à...

Il ouvrit les bras et Julie eut quelques secondes pour imaginer qu'elle avait une place dans l'espace qu'il dessinait avec ses battoirs. Elle décolla son tee-shirt de ses aisselles trempées.

– Je te rappelle que c'est avec tous ces petits morceaux de minuscule, comme tu dis, qu'on a fait plein de grandes choses !

Elle lui envoya un sourire.

– Les choses se font, Julie, les choses se font...

– Parce que tu crois à toutes ces conneries de fatalité et tout ? (Elle n'arrivait pas à saisir s'il était serein ou un peu en colère. Elle aurait parié pour la colère, il y avait comme un frémissement autour de lui. Elle insista.) Tu marches pas dans ces conneries Douna, dis-moi ?

Il avait l'air tellement sérieux d'un coup.

– Regarde. Tu es là. (Il jeta les yeux autour d'eux, l'agitation s'était transformée, s'organisait autour d'une immense table faite de planches et de tréteaux. Ça sentait la bouffe. Il la regarda.)

Il y a un mois, tu savais que cet endroit existait ? Que tu serais là aujourd'hui ? Que ces gens-là existaient ? Qu'on t'accueillerait ? Alors, que peut-il y avoir de plus important que ça, Julie ?

Il avança la main vers son visage et passa le doigt le long de sa joue. C'était une vraie caresse. Julie ouvrit grand les yeux. Pourquoi pensait-elle qu'il était en train d'effleurer des larmes qui refusaient de couler ? Pourquoi sentait-elle la chose dure au fond de son ventre bouger ? Pourquoi se sentait-elle si inconfortable ? Pourquoi avait-elle peur de ne plus pouvoir repartir d'ici ? Pourquoi avait-elle peur de se transformer en fossile, en branche de l'arbre là-bas, en feuille, en iguane ?

– C'est trop étrange d'être là, trop étrange. Partout où je suis allée avant, j'avais un but, un projet, un objectif, c'est bizarre d'être là, de sentir qu'il y a une raison et de ne pas la connaître. On voit tout autrement, en fait on a l'impression qu'on voit tout. J'ai peur de prendre racine sans m'en rendre compte, j'ai pas peur d'être là, j'ai peur d'après. (Elle immobilisa sa main, son visage tout entier était avalé, elle pouvait se cacher entre sa paume et le bout de ses doigts. Elle éclata de rire.) En plus, j'ai faim !

Comme elle se levait, il l'arrêta.

– J'espère que tout va bien se passer pour toi, Julie. J'espère vraiment.

Un homme se distinguait de la foule, il était vieux et flanqué d'Alakipou et de ce garçon qu'elle avait croisé à l'enterrement, qui avait un prénom féminin… Lulla, c'était ça, Lulla. Tous trois se positionnèrent comme s'ils allaient parler, leurs visages étaient clos. Julie avala sa dernière gorgée de soda et chercha une poubelle des yeux pour se débarrasser de sa canette ; il y avait bien un vieux seau plein de détritus, mais il était plein à ras bord. Douna se déplia.

– Donne et écoute.

Le son aigre d'un tambourin imposa le silence et le vieux parla. Il avait la voix frêle et il n'y avait pas de vent pour porter ses mots, si bien qu'on était obligé de tendre l'oreille et plus encore. Il parlait dans sa langue, Julie entendit qu'il disait son bonheur que tant de familles se retrouvent et soient réunies. Il disait qu'on allait beaucoup parler et essayer de proposer des pistes de réflexion pour que leurs vies à eux tous soient conformes aux désirs des ancêtres, des esprits et de tout ce qui fait la chaîne de la vie. Il disait qu'il arrivait souvent que les hommes deviennent fous et ne soient plus en mesure de maîtriser cette folie qui les habitait comme un corps étranger. Il disait que cette folie appartenait à tous et que, si elle grandissait, c'est parce qu'elle se nourrissait confortablement en chacun des hommes et des femmes. Il disait qu'il ne s'agissait pas seulement des gens de la forêt, même s'ils venaient de très loin du fond des terres, il disait que cela concernait les êtres au-delà de cet espace et qu'ainsi, grâce à Alakipou et Lulla, et il se tourna vers eux, grâce donc à leur aide précieuse, ils avaient convoqué le monde à partager leur réflexion. Puis il marqua une pause.

Julie fulminait, elle toisa le sourire de Douna, c'était tout simplement impossible d'imaginer qu'elle était là, à écouter les discours baba cool-écolos d'un vieil Amérindien qui condamnait les siens à vivre hors de ce temps. Elle chuchota :

– On peut parler ?

Douna la regarda bouche ouverte et secoua la tête comme si elle avait sorti un gros mot. Le vieux continua :

– Et ainsi nous avons avec nous, et du fond de nos cœurs nous disons merci aux esprits qui nous ont parlé, nous avons avec nous des sœurs qui viennent de tous les univers de cette Terre. Elles ont traversé les mers, parfois longtemps, pour être avec nous, partager notre espace, rencontrer d'autres dieux, partager notre manioc, danser et chanter avec nous. Alors nous les accueillons le cœur haut et la tête aussi !

C'est vrai que les familles s'élargissaient de cheveux blonds, d'yeux bridés, de peaux noires ou diaphanes. « En fait, que des femmes », se dit Julie qui apercevait Maïla. Et il y en avait beaucoup, quand on se penchait sur la différence. Cent ? Davantage ? Sa colère se changea en rage, elle apostropha Douna entre ses dents :

– C'est ridicule, toute cette mise en scène pour gamins attardés, mais d'où elles viennent toutes ces pétasses ?

– Tu devrais les rejoindre Julie, tu es l'une d'entre elles.

Julie encaissa, lui tourna le dos et chercha à se rapprocher de la table. Personne ne bougeait et le vieux continua :

– Nous allons donc passer ensemble des jours et des nuits, mélanger notre savoir et accomplir les gestes du quotidien, ceux qui permettent de vivre et de se nourrir dans cette partie du monde. Au bout de ce temps, une grande fête nous permettra de nous séparer sans chagrin et chacun emportera avec lui un bout de ce temps-là et en fera ce qu'il veut. J'ai dit et bon appétit !

Il y eut des battements de pieds, de mains, des cris et chacun avait l'air plutôt pressé de se remplir la panse. Il y avait tellement de bouffe sur les immenses tables qu'elles ployaient entre les tréteaux. Julie repéra une grande femme blonde, affublée d'un pantalon kaki à larges poches, qui chargeait une assiette en carton avec férocité : choux de Chine, carottes râpées, riz, maïs, morceaux luisants de graisse de cochon salé et de morue frite. La femme rétablit l'équilibre précaire de sa platée et chercha des yeux une place pour installer son ample derrière. Julie se dirigea vers elle à grandes enjambées.

– Bon appétit ! Sacré coup de fourchette.

L'autre la considérait avec bonhomie.

– C'est succulent, n'est-ce pas ?

Elle parlait français avec un léger accent. Julie attrapa une assiette de légumes et l'accompagna jusqu'à l'ombre chétive d'un arbre qui poussait n'importe comment sur le sable.

– Vous venez d'où ? fit-elle en s'asseyant.

– Oh, d'ici et là, mâcha-t-elle. En fait, je suis née dans le Sahel, mais j'ai beaucoup voyagé, et si c'est ça la question, mon passeport est hollandais. Et vous ?

– France, Paris.

La blonde attrapa une de ses mèches blondes et fatiguées qu'elle considérait avec une sorte de stupeur.

– J'ai les cheveux tellement tristes ici. Ils sont, comment vous dites ? tout ramollis.

– Quatre-vingts pour cent d'humidité, coupa Julie.

L'autre s'adossa à la maigreur du tronc d'arbre.

– Vous avez l'air en colère. (Elle soupira d'aise en posant ses couverts en plastique sur son assiette à moitié vide.) Je suis tellement bien ici.

Son regard faisait le tour de la place où chacun s'était approprié un espace pour manger à l'aise, les conversations planaient, scandées par des rires ou les cris des gamins. Julie cherchait Alakipou, il avait disparu. Douna était penché sur Maïla, il y avait avec eux un couple de jeunes Amérindiens, un garçon et une fille copie conforme l'un de l'autre, qui se tenaient par la main. C'est Douna qui parlait, ils éclatèrent de rire et la fille lui envoya une petite tape sur le bras, Maïla était pliée, ils avaient tous des auras lumineuses.

Julie plongea le nez dans son assiette et attaqua ses légumes, c'était sacrément bon, elle avait faim. À la dixième bouchée, elle se tourna vers sa voisine.

– Et vous savez pourquoi on est là ?

– Ben... (Elle la considéra avec curiosité comme si elle la voyait pour la première fois.) Ben, pour être là, non ? (Elle extirpa de son sac à dos tout l'attirail nécessaire à la fabrication d'une cigarette, sortit le papier de sa boîte, y disposa le tabac, entreprit consciencieusement de le rouler, y passa la langue et tendit le tout à Julie, qui déclina. L'autre haussa les épaules et alluma sa cigarette.) Première bouffée, le délice. (Elle se redressa.) Ainsi, vous faites peut-être partie de ces gens qui veulent tout programmer, tout organiser, comme si demain était plus important que maintenant ?

– C'est une question ?

Julie la regarda ranger dans la petite boîte en fer-blanc le papier à rouler, le tabac et des bouts de carton pour les filtres, avant de tout fourrer dans son sac. Tout de même, la dame avait un sens du rangement, en tout cas l'habitude de voyager.

– Je m'appelle Hilda et vous ?

– ...

– O.K., vous voyez tous ces gens ? Nous. Eh bien, ils sont venus de loin, Colombie, Venezuela, Brésil, mais aussi Japon, France, Hollande, Angleterre. Je crois qu'il y a des Slaves aussi, des Russes et puis des Maliens, des Ivoiriens. On est tous venus parce que ce petit bonhomme-là (elle désignait le vieux qui s'assoupissait sous un vieux parasol) en a eu l'idée et nous a invités. Ça vaut ce que ça vaut, mais on est là et c'est pas un putain de congrès ! C'est... rien. (Elle s'interrompit pour aspirer une dernière bouffée, écrasa son mégot dans le sable et le glissa dans sa poche.) Là-bas je suis chirurgien, je cours les cliniques, je me fais un paquet de blé en donnant aux hommes et aux femmes l'illusion qu'ils ne vieillissent pas. Je leur tire la gueule jusqu'à leur faire un masque mortuaire et quand j'en ai marre, je pars faire du bénévolat là où il n'y a que des urgences. Je peux te tutoyer ?

Julie acquiesça, elle voulait savoir où la femme l'emmenait. Pour l'instant, tout cela était très convenu et l'ennuyait pas mal. L'autre était plutôt jolie, même si elle avait l'air fatiguée et délavée, une bonne quarantaine quand même.

– ... Alors, quand j'ai reçu le mail, j'ai fait mon paquetage, voilà, c'est tout.

– Vous avez reçu un mail ? Moi aussi. Ça fait longtemps que vous êtes sur le site ?

– J'en ai tellement, je ne sais même plus, mais sûrement, ouais, cinq ou six ans. Amazonie point com ?

– Et vous êtes ici depuis combien de temps ?

– Une dizaine de jours.

– Ici, dans cet endroit ?

– Ici et là. (La femme nommée Hilda se leva, épousseta son pantalon pour décoller le sable qui lui collait aux fesses.) Allez, je vais me chercher un coin tranquille pour une petite sieste. (Son regard fit le tour de la place.) Ça va être dur, il y a du monde partout. (Elle s'arrêta sur Julie.) Laisse-toi aller. On se voit bientôt, ce soir on va parler et chanter et faire un grand feu et on aura l'impression d'avoir 13 ans. *Cool, dear, cool* !

# 28

Napi s'assit au bord de l'eau. Le fleuve était tranquille, juste parcouru de quelques frissons qui signalaient le passage d'un banc de poissons ou le glissement d'un anaconda, cet énorme serpent plus gros que ses cuisses et dont les cinq ou six mètres pouvaient vous embrasser en anneaux meurtriers avant de vous entraîner par le fond. Cela faisait bien quatre jours et quatre nuits qu'il longeait les berges avec sa petite troupe, bien en vue comme s'ils n'avaient plus besoin de se cacher. Il avait verrouillé l'itinéraire avec Front-fuyant et ses acolytes, leur destination avait changé : plus question du village amérindien au bout du Surinam, plus question de bivouacs hors des itinéraires balisés, plus question d'accompagner le gros de la troupe. Mais surtout, contrairement à son attente, le chargement mystérieux qui se cachait derrière les voiles de la tente était parti avec les autres, suivant le chemin qu'il avait tracé au départ du convoi.

Lui, sa mission se réduisait à mener de l'autre côté du fleuve la femme et l'enfant muet, flanqués de deux jeunes chasseurs qui ne les lâchaient pas d'un mètre.

Napi se détendait, chaque fibre de son corps se souvenait parfaitement de sa course éperdue, du tremblement derrière ses yeux pendant que les machettes découpaient le silence et les chairs, de la terreur immonde qui l'avait tenu vivant face à l'horreur, des secondes qui duraient des heures. Il appuya de toutes ses forces ses poings sur ses paupières : noir, bleu, rouge. Il ouvrit les yeux, le fleuve était toujours là. Maintenant, il fallait traverser, les consignes étaient claires : destination Campan, un bled au bout de la forêt. Il se disait que, très franchement, on n'avait pas besoin de lui pour conduire une femme, son bébé et deux jeunes gens à Campan. O.K., ils n'avaient pas de papiers mais par ici c'était un détail. Il comprenait de moins en moins ce qui se passait et avait juste hâte que cela se termine.

Le fleuve était large et plat, quand les pluies gonflaient les eaux elles provoquaient des tourbillons qui cascadaient autour des minuscules îlots de pierre et de terre que le temps avait fabriqués. En partant vers l'estuaire, Napi savait qu'ils rencontreraient des sauts impossibles à franchir, en tout cas avec femme et enfant. Comme il n'avait pas de bateau et qu'il n'y avait aucun ponton avant la plage du bout qu'on lui avait demandé d'éviter, il fallait donc qu'il remonte vers l'intérieur, à deux jours et deux nuits de marche, soit quatre jours vu l'état du convoi. Il connaissait un bras de rivière qui rentrait dans les terres, il connaissait aussi l'ajoupa qui était arrimé là depuis des décennies : un vieil Indien y vivait avec sa famille, il fabriquait du manioc, mais surtout il avait jeté un ponton sur la rivière et installé une pompe à essence, la seule sur au moins cent kilomètres à la ronde. Le type était malin comme un singe et s'était organisé avec l'armée qui le ravitaillait tous les dix ou quinze jours, ce qui faisait de son ajoupa le coin le plus fréquenté de cette partie du fleuve. Outre le manioc et l'essence, il vendait des babioles artisanales fabriquées par sa femme qui était bushinenguée. Une originalité dans la région, car peu d'Indiens avaient épousé des Noires bushi. La dernière fois qu'il avait vu la famille, il y avait cinq enfants et l'aîné travaillait à la pompe... Là-bas, il était sûr d'emprunter leur bateau et même si cela représentait un sérieux détour, il n'y avait aucun autre moyen d'atteindre Campan.

Il sentit un souffle et la femme se posa à ses côtés. C'était bien la première fois qu'elle n'avait pas le bébé suspendu à l'épaule. Elle lui dit des mots pleins de musique mais qui n'avaient aucun sens pour lui. Il ouvrit les mains en signe d'impuissance, elle pencha la tête sur ses deux mains jointes et ferma les yeux pour dire le sommeil. Napi acquiesça. Il était frustré, il avait plein de questions, pas l'ombre d'une réponse, et les garçons qui l'accompagnaient parlaient eux aussi une langue qu'il ne comprenait pas. Il mima le balancement d'un enfant sur ses bras croisés et pointa le doigt vers la poitrine de la femme. Elle lui fit signe que oui, l'enfant était le sien. Il approcha ses doigts joints de sa bouche et secoua l'index de gauche à droite. Elle lui fit signe que non, il ne parlait pas, en touchant sa gorge pour signifier qu'il n'avait pas le son. Il posa la main sur son oreille. Elle lui répondit que non, il n'était pas sourd et percevait tous les bruits environnants. Elle décrivit un cercle avec sa main et la tendit vers l'horizon pour lui signifier qu'il entendait plus loin encore, puis elle s'immobilisa et le regarda. Il ouvrit la main gauche et déplaça l'index et le majeur de son autre main sur sa paume puis lui indiqua l'amont du fleuve. Elle leva les yeux vers le ciel qui s'estompait entre les arbres et l'interrogea du regard. Il lui répondit en lui désignant l'endroit où le soleil se couchait, puis l'endroit où il se lèverait : ils partiraient à l'aube.

Alors elle lui sourit, remonta les genoux entre le croisé de ses bras et posa le menton face au fleuve. Napi se dit qu'elle sentait la terre et le propre, elle avait entortillé ses cheveux sombres autour d'un morceau d'écaille et sa nuque était jeune. Il voulait lui demander qui était le père de l'enfant, pourquoi ils avaient quitté le convoi, pourquoi il devait la conduire à Campan, pourquoi ils s'étaient séparés des autres, pourquoi eux allaient vers l'estuaire, pourquoi ils étaient si nombreux et ne voyageaient pas ensemble et, surtout, il voulait savoir ce qui se cachait dans la tente aveugle. Mais il n'avait pas les mots. En même temps, il trouvait qu'ils communiquaient plutôt bien tous les deux, avec les yeux, les mains et tout ça. Il faudrait plus de temps, et ils en avaient. Il lui toucha le bras pour appeler son attention, puis il leva les mains, ouvrit les dix doigts, les referma, en rouvrit neuf et dirigea son pouce vers son torse, ensuite son index l'interrogea. Elle ouvrit deux fois les mains.

– Tu as 20 ans ? Mon nom est Napi, il tapa sur son torse. Napi.

– Lee… (Elle appuyait sur le « ee ». Suivirent plusieurs mots incompréhensibles, elle mima le bercement d'un enfant.) A…

– Ton fils s'appelle A ? (Elle secoua la tête.) Non, Aha. Aha ? (Elle hocha la tête et leva un doigt.) Tu n'en as qu'un ? (Elle éclata de rire et secoua encore la tête en levant un doigt. Il était perplexe.) C'est le premier ?

Elle fit la moue, lui caressa le bras et souleva le pouce pour lui signifier que tout allait bien.

Les arbres n'étaient plus que des ombres et le fleuve roulait doucement, s'éloignant au fur et à mesure que la nuit tombait. Plus tôt dans l'après-midi, au moment où ils installaient leur bivouac, ils s'étaient fait bombarder par une tribu de singes qui ne voulaient pas d'eux sur leur territoire. Napi avait été obligé de déplacer leur campement, il avait tenté cent mètres, puis cent cinquante mètres jusqu'à ce que la horde arrête de hurler. Mais il sentait bien qu'ils étaient là, tout près, et il avait brusquement hâte d'y retourner avant que les bestioles commencent à tout saccager. Il tendit la main à la femme et alluma sa lampe torche. Derrière la danse des insectes, une ombre de piste se devinait sur le ramolli des feuilles. Plus loin, un peu en hauteur, on apercevait un feu. Tout avait l'air tranquille, c'était l'heure du sommeil des singes et la jungle se désaltérait. Près du feu, les deux garçons avaient posé une toile bâchée qui servait d'aire de jeu au bébé qui, pour le coup, était bien réveillé. Il se déplaçait à toute vitesse, crapahutant sur les genoux et les mains, poussant devant lui un galet de bois. Napi se sentit mal à l'aise, l'enfant se laissa tomber sur les fesses et fit un geste de la main.

Le campement se résumait à quatre hamacs tirés à la hâte, barrés par trois feux qui les coupaient de la nuit. Au centre, un pan de toile abritait les ustensiles de cuisine et deux cuvettes d'eau, sur un des feux grillaient des choux de Chine qu'ils allaient accommoder avec le lait condensé qu'ils trimballaient par pack de six canettes. Napi avait de la morue salée dans sa besace, il partagerait. Il avait la gorge sèche chaque fois qu'il approchait du campement : les feux, les hamacs, sa routine le renvoyait aux images sanglantes du massacre, ses oreilles s'encombraient de la fureur des coups et son cœur frappait à une telle vitesse qu'il le sentait partir. C'est la véhémence des voix qui le sortit de l'hypnose, apparemment les garçons apostrophaient la femme qui répondait en montant le ton. Napi ne savait trop quoi faire. Il s'installa sur son hamac, fouilla son sac et caressa la reliure de son bouquin. Lettre A, Aristote, celui-là, il l'avait lu et relu. Dire qu'il avait compris serait un énorme mensonge. Non, plutôt il avait mesuré, il avait commencé à mesurer. Il leva les yeux : la femme avait tourné le dos brutalement et faisait un boucan de tous les diables pour sortir un réchaud qu'elle alluma sous une mini-casserole d'eau. Elle s'appelait donc Lee, cet enfant était le sien, il était muet mais pas sourd, et c'était quand même le plus étrange enfant que Napi ait jamais rencontré. Napi l'observait, il était toujours assis dans la même position, immobile, les yeux grands ouverts, il regardait le feu sans ciller, indifférent à la présence des deux garçons qui avaient sorti un jeu de cartes.

La mère mélangea l'eau au lait condensé, y rajouta une farine odorante et touilla le tout dans un bol en bois. Napi replongea dans sa lecture, l'heure était tranquille, il surfa jusqu'à la lettre N.

*« Quelque valeur qu'il convienne d'attribuer à la vérité, à la véracité et au désintéressement, il se pourrait qu'on dût attacher à l'apparence, à la volonté de tromper, à l'égoïsme et aux appétits une valeur plus haute et plus fondamentale pour toute vie. Il se pourrait même que ce qui constitue la valeur de ces choses bonnes et vénérées tînt précisément au fait qu'elles s'apparentent, se mêlent et se confondent insidieusement avec des choses mauvaises et en apparence opposées, au fait que les unes et les autres sont peut-être de même nature. Peut-être... Mais qui se soucie de ces dangereux "peut-être" ? Pour cela, il faudra attendre la venue d'une nouvelle race de philosophes, de philosophes dont les goûts et les penchants s'orienteront en sens inverse de ceux de leurs devanciers – philosophes du dangereux*

*peut-être, dans tous les sens du mot. Sérieusement, je vois poindre au loin ces philosophes nouveaux.* »

« Qu'elles s'apparentent, se mêlent avec des choses mauvaises et que les unes et les autres sont de la même nature. » Bingo ! Napi revint au paragraphe précédent, celui qu'il avait lu il y a… quelques jours ? Quelques semaines ? Dans une autre vie ? Celle d'avant tout ça ? Il savait bien que ce type-là, dont il ne pouvait dire le nom, avait écrit un truc pour dire son contraire, il avait bien senti cette hésitation qui ressemble à un futur lâcher de questions. Il fallait qu'il remâche tout cela beaucoup et longtemps, car il y avait une musique qui lui parlait comme quand Lee lui disait des mots et qu'ils flottaient au bord de sa compréhension et lui donnaient envie d'avoir avec elle une longue conversation.

Sur le tapis près du feu les éclats de voix avaient été remplacés par des éclats de rire, la femme enfournait des cuillerées de bouillie dans la bouche de l'enfant qui ne quittait pas des yeux les cartes. Il y avait trois tas, les garçons riaient et le plus gros tas était devant l'enfant. Se passa alors une chose tellement étrange et d'une telle invraisemblance que Napi se demanda s'il avait bien vu ce qu'il regardait : l'enfant souleva ses cartes, les contempla, en choisit deux qu'il posa sur le jeu de ses voisins, battit des mains, rafla la mise et enfourna une bouchée. En fait, Napi était sûr qu'il n'oublierait jamais ni cette image, ni celle qui suivit. Lee, le bol à la main, la cuillère en l'air, le fixait et souriait en baissant la tête.

# 29

Félicité pensait que ce n'était pas raisonnable, mais personne n'avait pu faire grand-chose. Pas elle en tout cas. Quand Tiouca était venu la voir pour lui expliquer, lui mettre la tête sens dessus dessous, l'empêcher d'entendre le bruit de ses propres pensées en la bassinant avec cette sotte idée d'aller voir la vieille, c'était en fait le matin. Et Marie était là, son sac sur le dos, prête à partir, le sourire à la bouche. Elle avait histoire à la première heure et elle aimait bien. Seulement, quand la gamine avait entendu parler de la vieille, c'est comme si la respiration du monde s'était arrêtée. Cela énervait passablement Félicité, Marie avait le chic pour dramatiser l'ordinaire et donner un coup d'urgence à la moindre étincelle de rêve. Ça faisait toujours un paquet d'embrouilles à venir. La gamine avait juste jeté le noir de ses yeux par-dessus son épaule et leur avait dit :

– Si vous y allez sans moi, je vous tue.

Bon, Tiouca avait réussi à garder son rire au fond de sa gorge, mais Félicité avait allumé une espèce de colère que le guerrier n'avait su éteindre. Au bout du compte, il lui avait attrapé, puis secoué les bras jusqu'à ce qu'elle se taise. Et, de toute façon, la petite était déjà partie à l'école, elle n'avait même pas refermé la porte derrière elle. Tiouca s'était doucement déplacé, avait poussé le battant, tourné la poignée et immobilisé la targette. On ne fermait pas les maisons à cette heure-là, Félicité s'était assise. La table était chargée des bols, pots de confiture et plaque de beurre du petit déjeuner. Machinalement, elle chassait les mouches et lissait le ciré à fleurs, bien à plat, paumes ouvertes, et de temps en temps, ramassait des miettes de pain. Elle en faisait des boules qu'elle lançait au sol : elle n'allait pas aimer ce que lui dirait le guerrier, elle le sentait au fond d'elle-même, elle n'allait pas aimer. Et d'ailleurs, il était en train de parler sans la regarder.

– Parce que là, elle est bien vivante Félicité, mais elle n'en a plus pour longtemps. Alors j'ai pensé, je crois, enfin ce serait bien...

Il l'énervait là ! Qu'est-ce que les hommes avaient à ne pas pouvoir dire le bout des choses franchement ? Elle le regarda, scotché au mur à bégayer, elle sentait son corps se durcir, il n'y avait plus d'émotion sur sa peau, plus de frissons, plus de vagues. Si la vieille était vivante, elle aurait du mal, beaucoup de mal avec la haine. Elle ne voulait plus de ce truc qui grossissait juste sous l'estomac, là où son ventre s'emballait d'ordinaire et où ça pouvait devenir dur à en pleurer.

– Elle est morte, la vieille !

– Sauf que je l'ai vue, Félicité, elle n'est pas morte, mais elle ne va pas tarder. (Voilà, c'était dit.) Donc, on y va en fin de journée. On attend que Lune sorte de l'école et on y va. Et tu veux que je te dise ? De toute façon, on n'y pourra rien, Marie viendra, alors autant t'y faire.

Il n'empêche que ce n'était pas raisonnable, cette expédition avec la petite. C'est elle qui ouvrait la marche d'un pas décidé. En regardant le tricotis de ses jambes maigrelettes, Félicité se souvint de cet après-midi de touffeur où elle l'avait vue passer sous ses fenêtres pendant que Philibert ronflait comme un sonneur dans son lit. Franchement, elle avait le sentiment que c'était une autre vie, un « temps longtemps » qui sonnait loin. Depuis, il s'était passé tellement de chutes, de rebonds, de cris, de pleurs, de cahots et de bosses que même l'air qu'on respirait était ailleurs. Qui aurait pu imaginer que Marie serait là, partout, à partager son bout de vie, comme si elle était née de son ventre à elle et pas du ventre sec au sourire éteint de sa dévote cousine. Depuis sa mort, Félicité avait fait une découverte qu'elle cachait sous des monceaux de honte. Félicité avait découvert qu'elle n'était pas une bonne personne, pas comme les gens le croyaient. Si elle était si bonne, elle n'aurait pas eu à affamer ce morceau de rage qui lui bloquait les côtes quand elle pensait à Elsa. Elle lui enviait sa maigre vie, elle lui enviait cet amour à coups de bâton que lui donnait ce gros porc de Rudy, elle lui enviait les fleurs qu'elle faisait pousser, elle lui enviait ce Dieu qu'elle implorait sans retour, elle lui enviait surtout et d'abord d'avoir donné la vie, elle lui enviait Marie et ses entrailles déchirées par sa naissance. Alors, elle n'était pas si bonne que cela ! Elle savourait sa honte comme on suçote une dent malade, un de ces jours il faudrait l'arracher.

Qui aurait pu imaginer qu'elle serait en train d'arpenter la fin du jour pour revoir la vieille folle, l'objet de sa détestation qu'elle gommait toutes les semaines à coup de ragoût ? Dans sa tête, son visage pâlissait lentement comme une vieille photo, mais la pierre au creux de son ventre était toujours là, aux contours nets et précis, dure comme la brosse qui lui cognait le crâne, comme le peigne qui lui arrachait des poignées de cheveux, comme l'eau bouillante qui lui atterrissait par mégarde sur les pieds quand elle venait quémander une caresse à la cuisine. Dure comme les yeux brûlants que la vieille, qui n'était pas encore très vieille à l'époque, déposait sur son pauvre corps roué de coups parce qu'elle avait réclamé sa mère. Félicité frissonna et se frotta les bras.

Elle suivait la petite sur l'étroitesse du chemin, loin derrière venait Lune qui tirait la tronche. Quand ils étaient passés la chercher, elle n'avait pas eu l'air d'apprécier l'excitation de Marie et elle avait réclamé Jonathan. Le bougre avait disparu de la veille. Félicité sentait la présence de Tiouca dans son dos. Elle savait qu'il ne dirait pas un mot aujourd'hui, ni peut-être demain, ni même pendant plusieurs jours.

Il était secoué. Cela faisait de longues années, mais on n'oublie rien de la magie des gestes, des couleurs, des odeurs. Félicité sourit. Ce matin, quand la petite était partie, enfermant dans son sac son casse-croûte et la promesse de participer à l'expédition de la soirée, Tiouca s'était posé à côté d'elle, avait fini sa tasse de café, en avait réclamé une autre et elle avait parlé longtemps, lui avait tout dit sur sa grand-mère, même ce qu'elle avait oublié.

À la fin, le soleil était haut, elle s'essuyait les yeux, paumes ouvertes, il lui avait attrapé les doigts, les avait embrassés un à un, peut-être, elle ne savait plus trop. Il lui avait caressé le genou, avait coulé l'index dans le pli, entre le mollet et la cuisse, elle avait chaud, il avait lentement soulevé sa jambe, elle avait senti son sexe s'ouvrir, elle l'avait regardé tomber à genoux et glisser la tête sous le paréo. Elle avait d'abord reçu son souffle, puis l'humidité de sa langue juste là où elle l'attendait, elle avait gémi.

– Pourquoi tu gémis, c'est encore loin ?

Marie levait le nez vers Félicité, des points d'interrogation plein les yeux. Soudain, elle s'arrêta, les mains sur les hanches.

– Vous êtes vraiment pas drôles ! Y a personne qui parle ! (Elle avala quelques mètres.) Je l'ai tellement cherchée la vieille, tellement. Tu crois que si je l'avais trouvée avant, elle aurait pu guérir maman ? Hein, Félicité ?

– Non ma puce, je ne crois pas.

Félicité atterrissait doucement, la rivière était sombre et au loin on devinait un éboulis de rochers qui montait haut dans le ciel, l'endroit était tellement étrange, le passage se rétrécissait, elle trébucha. Quand elle le toucha, le guerrier fit un bond en arrière, elle haussa les épaules, ce n'était pas gagné. Était-ce bien le même qui lui avait caressé le bas du dos en lui suçant le bout des seins, un doigt bougeant doucement au fond de son ventre ? Était-ce bien le même dont le pénis avait tremblé dans sa gorge ? Était-ce le même qui l'avait retournée pour la pénétrer, étalée comme un lézard ? Qui lui avait pris la bouche, lui rendant le goût de son odeur ?

– Tiouca, faudra qu'on parle quand même !

Lune les dépassa.

– On arrive, ne faites pas de bruit, je pense que mon frère est là !

Marie éclata de rire, Félicité lui faisait des guilis dans le cou, sur la nuque. Elle lui fit « chuuut » du doigt et des yeux et emboîta le pas à Lune qui les avait dépassés. Tiouca était toujours aussi muet, il avait l'air de connaître l'endroit. Il écartait les branches, le sentier montait doucement et le ciel assombri commençait à scintiller d'étoiles. Ce serait une belle nuit. Félicité attrapa la main du guerrier, la serra de toutes ses forces, puis la relâcha. Ils rentrèrent dans le boyau de terre. Au bout de leur ascension, Tiouca retrouva le choc qui l'avait secoué quand il avait découvert l'endroit. Il regarda Félicité, elle regardait Marie. La fillette avait la bouche et les yeux grands ouverts sur l'espèce de chrysalide blanche qui se balançait doucement entre les murs de pierre. La grotte était illuminée par les torches, le frère de Lune était debout au bord du hamac et ne broncha pas à leur arrivée.

– Elle est là-dedans.

Lune chuchotait et emmenait Félicité vers la moustiquaire fermée. Quand elle écarta les pans immaculés, Félicité la reconnut tout de suite. Ah, pour ça, oui ! c'était bien elle, sèche comme une trique, la peau luisante qui semblait s'être acharnée à gommer les rides. Drôle de composition, son visage était un masque d'une étrange beauté, d'une étrange laideur, elle n'aurait su dire. Elle avait l'air tellement morte. Elle remarqua que tous les tissus blancs qui la recouvraient se soulevaient à peine et de façon régulière, alors elle respirait ?

Félicité approcha les doigts de l'entrelacement de veines qui sortaient de la manche et bondit en arrière. La vieille avait soulevé les paupières sur un regard vide qui la fixait comme s'il n'y avait rien à voir, mais surtout sa main avait bougé comme on fait quand on veut chasser un animal. Félicité se rapprocha encore de la vieille, se pencha pour lui hurler sa haine à la face. Jusqu'au bout, jusqu'au bout l'autre l'avait méprisée, jusqu'ici. Elle leva les yeux, toisa la pièce, il y avait un boucan infernal dans sa tête, comme le ressac de la mer quand elle est déchaînée.

Voilà, elle allait étrangler ce vieux sac d'os et débarrasser la terre d'ici de sa méchanceté. Ses yeux redescendirent vers la vieille, elle n'y voyait plus très bien, il y avait de l'eau partout qui l'encombrait. L'autre baissa les paupières et gémit, puis tout s'arrêta.

C'est le silence qui fit bouger Tiouca. En arrivant dans la grotte, il y a dix mille ans lui semblait-il, il était d'abord resté pétrifié par une déferlante qui remontait sa gorge, il ne comprenait ni pourquoi, ni comment il s'était retrouvé dans la poussière, le corps scié par une douleur qui lui arrachait les tripes. C'était le feu dans ses entrailles, cela lui arrivait de temps en temps et il se vidait comme un vieillard malade. Ce n'était ni l'endroit, ni le moment, sa peau se mouillait d'une vieille sueur, et les images étaient là, dans chaque frisson. La chambre, l'odeur sucrée de la naissance, l'odeur un peu âcre du bébé. Car ce jour-là, il était revenu, quelque chose en lui continuait à fuir le petit corps difforme et la main qui caressait l'épaisseur de la nuque, à fuir cette chambre où le bonheur attendu s'était transformé en souffrance, en horreur, en lâcheté, en colère. Pourquoi nous ? Stupide, stupide question qui sonnait comme un constat. Et puis une autre partie de lui voulait revenir, alors il était revenu lui dire que, eh bien certes c'était grave, certes cela allait changer leur vie, mais il était prêt à assumer, assumer l'amour qu'il devait à cet être. Ils allaient être ensemble, parce qu'il l'aimait elle, plus que tout au monde sur terre. De toute façon, il n'avait rien d'autre, et il allait l'aimer lui, l'enfant qu'ils avaient tant voulu, et tel qu'il était. Il était revenu lui dire qu'il avait trouvé son prénom, Adam, en pied de nez à toutes ces conneries dont on avait bombardé son enfance. Elle l'avait regardé comme si elle ne l'entendait pas, ses mains fines et élégantes caressaient les joues, la nuque, le cou de l'enfant... Et puis elle avait serré, serré en criant comme une bête qu'on égorge, elle criait, elle serrait, elle criait, elle serrait et on n'entendait pas les suffocations du bébé, elle hurlait, elle serrait. Alors, il s'était bouché les oreilles, les poings fermés sur l'innommable. Ensuite, et seulement ensuite, il avait tourné les talons et cette fois, il n'était plus revenu.

Vautré sur le sol, Tiouca laissait les frissons s'évanouir en même temps que la douleur et son visage était sec. C'est la première fois qu'il avait le sentiment de fermer une porte derrière lui.

Au loin, il entendit la voix de la petite Marie.

– Elle a arrêté de respirer.

Lune chuchota :

– Je crois qu'elle est morte.

D'où il était, il ne voyait que le déploiement du hamac et il se sentait en paix. Si ce que disait Lune était vrai, alors il avait bien fait de traîner Félicité jusqu'ici. Il ne savait dire pourquoi, vu qu'elle ne paraissait pas plus heureuse que ça mais en regardant la courbure de sa nuque, il lui sembla qu'elle était moins fragile, attentive à l'instant, elle avait presque oublié Marie.

Tiouca se redressa, en marchant vers le hamac il calculait déjà toute la paperasserie qu'il faudrait soulever pour sortir la vieille d'ici. Toutes les négociations avec les Indiens, toutes les questions et toutes les réponses qu'il faudrait trouver. D'avance tout cela l'épuisait. La vieille était morte, ça ne faisait aucun doute, il constata le silence de son souffle, le masque de son visage, ses yeux encore ouverts. Elle ne parlerait plus et plus personne n'écouterait le décousu de sa bouche. Si elle avait un secret, elle était bel et bien partie avec.

En scrutant le visage immobile de Félicité, il se dit qu'il n'y aurait pas grand monde pour pleurer.

Il fallait partir, retrouver l'agitation du dehors, Jonathan et ses obsessions, penser à ce qu'ils avaient fait tous les deux, Félicité et lui, le matin même, ranger ce moment quelque part, vérifier que rien n'avait bougé, que cela n'avait pas changé la tranquillité de son ajoupa au bord de la mangrove, que la porte qu'il venait de fermer était bien verrouillée. Il fallait faire le ménage dans sa tête, et faire la sieste. Le remède ultime. Faire la sieste.

# 30

Maïla s'allongea sous la toile bâchée que lui avaient proposée les jumeaux, car ils étaient jumeaux ses nouveaux potes qui ne se quittaient pas en se tenant la main. Elle avait trop mangé, l'estomac tendu comme un tambour. Elle avait un peu mal au ventre et la tête lourde, ils lui avaient fait fumer un drôle de truc, à la fois âcre et sucré, qui lui avait immédiatement décollé les pieds de terre et lui avait mis une cascade de rire dans la gorge. En haut, il y avait la lune qui se marrait aussi et, dans la lumière des feux finissants, elle s'était dit que ses nouveaux amis étaient tellement beaux que c'était péché. Quand la nuit s'était lâchée sur la fête, la couleur de l'air avait changé, l'ambiance aussi. Petit à petit, les hommes et les femmes avaient disparu sous les tentes de fortune ou au couvert des arbres maigres qui parsemaient la plage du fleuve. Maïla lévitait avec la sensation d'appartenir à cet endroit, d'en être une infinitésimale partie, mais d'une importance capitale. Elle était la reine du monde, parce qu'elle n'était rien qu'un bout d'être, perdu au milieu de nulle part. C'était totalement jouissif et angoissant, la fille et le garçon riaient de sa maladresse. Elle se battait avec ses chaussures, d'énormes grolles de marche que Julie lui avait imposées pour la fin de leur expédition. Elle se renversa en arrière, sur le sol était posée une natte qui sentait bon le vétiver.

– Mal à l'estomac, dit-elle en se frottant le ventre.

Visiblement, les deux autres ne comprenaient pas un mot de ce qu'elle racontait, sinon que son geste et sa grimace étaient suffisamment éloquents pour suspendre leurs rires. La fille fit signe à Maïla d'attendre et disparut dans l'ombre, Maïla regardait le garçon qui lui ôtait doucement ses chaussures. Quand il attaqua le pantalon, elle essaya de lui dire que ce n'était pas la peine, mais il lui fit un large sourire qu'elle lui rendit en se tortillant pour l'aider à se débarrasser du vêtement. Dans sa poche, il y avait son portable, peut-être la batterie n'était pas encore complètement à plat, elle avait envie de le photographier juste une fois pour le souvenir.

– Tu t'appelles comment ? Moi, Maïla, fit-elle en posant ses doigts sur sa poitrine. Et toi ?

Il lui répondit :

– Garçon et fille.

Maïla gloussa :

– Garçon et fille ?

Il battit des paupières et promena ses pouces sur son ventre. C'était doux comme des ailes de papillon et elle sentait bouger la douleur, elle ferma les yeux, sa tête habitait un rêve qu'elle n'avait pas osé faire depuis toutes ces longues années. Il n'y avait aucun hurlement qui se précipitait au fond de sa gorge, son ventre ne se tordait pas de terreur, ses bras ne s'inondaient pas d'une sueur fétide, son cœur ne s'emballait pas comme si elle allait le vomir et elle n'appelait pas la folie à la rescousse comme une ultime délivrance.

Le monde était doux et quand elle rouvrit les yeux, la fille était revenue, penchée sur son visage. Elle tenait un petit pot de terre à la main et fit couler deux gouttes d'une huile odorante sur son ventre. Elle chantonnait. Maïla referma les yeux, c'était presque magique, il y avait toutes ces mains sur son corps, cette lenteur qui l'envahissait tuait les fantômes et muselait le diable, cette odeur de vétiver qui se mêlait maintenant à l'épice de l'huile, un parfum de bois d'Inde, et une irrépressible envie d'uriner que Maïla tenta d'expliquer aux jumeaux. Pour une raison qui lui échappa vraiment, cela déclencha un nouveau fou rire pendant qu'elle courait se soulager derrière un arbuste. Elle avait envie de chanter, de danser et se dit que l'herbe qu'elle avait fumée était vraiment très, très forte et d'une redoutable efficacité. Accroupie au vent, elle se débarrassa d'une image encombrante, elle ne savait pas combien de temps cela durerait mais elle voulait profiter de chacune des secondes qui mettaient à distance l'odeur des chairs qui brûlent, les hurlements des femmes, le corps de sa mère comme une barrière immense, mais finalement fendu en deux par un coutelas, la gueule des monstres qui couvraient les hurlements d'une petite fille d'une énorme main poisseuse de sang, pendant qu'une atroce douleur entre les cuisses, dans le ventre, dans la tête, l'emmenait dans un trou noir d'où elle ne voulait plus jamais revenir. Là, le visage vers les étoiles, elle savourait ce moment où cette petite fille, pour la première fois, n'était plus elle, juste une gamine de 8 ans qui avait survécu à l'horreur et qu'elle pouvait consoler en la prenant dans ses bras.

Elle retourna sous son bout de toile, ils étaient là tous les deux. Ils l'attendaient à genoux, alors elle enleva doucement sa culotte, dénuda ses seins, s'allongea sur le dos et attendit, comme on a soif, comme on a faim…

Ces deux-là firent chanter son corps. Elle inonda d'huile ses bras, ses cuisses, sa poitrine et promena ses mains partout jusqu'à lui ouvrir les cuisses et lentement faire monter son plaisir en glissant ses doigts dans le secret de ses fentes, de ses plis, de ses mornes, de ses paysages qu'elle essayait depuis tant de temps de sauver de la mort. Lui, mordilla ses seins, plongea sa langue jusqu'au plus profond de sa gorge, puis de son sexe puis de l'anneau serré qui dans une autre vie avait été massacré, et quand il la pénétra, elle ne sentit rien d'autre que la douceur soyeuse d'une attente, quelque chose de totalement inconnu qui allait peut-être venir jusqu'à elle. La fille lui léchait la bouche à petits coups gourmands et ne s'arrêtait que pour offrir son rire à son frère qui remuait à l'intérieur de son corps. La fille la caressait et lui la soulevait par les hanches et l'immobilisait sur son ventre, pendant qu'elle jouissait à perdre haleine, une fois, deux fois, dix fois. Maïla avait la gorge en feu et ne voulait pas que cela s'arrête. Parfois, dans un bout de silence fiévreux, elle entendait d'autres soupirs comme les siens, ailleurs, à côté, plus loin, à sa gauche, à sa droite. Alors, elle les touchait tous les deux. Ils avaient des corps soyeux, des muscles parfaits, une odeur de terre et d'herbe, peut-être cela ne finirait jamais !

Parfois ils s'arrêtaient, se caressaient le visage, se parlaient tous les trois avec des mots inconnus, mais l'espace qu'ils habitaient ensemble ne rétrécissait jamais. Ensuite, un doigt qui s'attardait sur un nombril, une bouche qui effleurait un genou, un regard qui en attrapait un autre ranimait le désir. Ils inventaient des choses étranges, s'écartelaient en spéléologues curieux ou se fermaient comme des huîtres, et les caresses étaient toujours intenses. Cette nuit-là, il y eut mille fois plus de mots dits que de mots prononcés, et l'ombre bruissait d'un murmure permanent. Quand ils s'endormirent, au bout de la nuit, emmêlés de salive, de sueur et d'enchantement, Maïla eut la certitude que toutes les lumières qui s'étaient éteintes au cours des siècles s'étaient rallumées le temps d'une drôle de nuit.

# 31

Elle se laissa tomber sur le lit et dans le même mouvement se débarrassa de ses sandales sur la moquette usée. Suzanne se sentait épuisée depuis son arrivée à l'hôtel. Après avoir suivi Lionel dans un dédale d'escaliers étroits qui proposaient une porte à chaque palier, puis des couloirs exigus à chaque étage, elle avait inspecté leur chambre, chaque fois la même, pour traquer les œufs de cafard qui signaleraient la présence d'un nid dans les parages.

– Je leur ai demandé de désinfecter la chambre, chérie, tu n'y trouveras pas le moindre cafard. Suzanne, tu m'entends ?

C'était sa hantise, ces affreuses bestioles qui se mettaient à voler lourdement au lever de la nuit et accrochaient vos cheveux de leurs pattes nerveuses, quand ils ne vous percutaient pas de leurs vols aveugles. Bertide les traquait à coups de savates et les écrasait, libérant un jus jaune et gras qui mettait Suzanne au bord de l'hystérie.

Mais Bertide n'était pas là et, parmi tous les emmerdements que présentait ce « changement d'air », il y avait l'indispensable et écœurante corvée de soulever chaque centimètre de tapis dans la salle de bains, de perquisitionner le devant et le derrière du lavabo, de l'antique bidet, de secouer le rideau de douche, taper sur les W.-C., en soulever la lunette pour examiner la propreté du lieu et, enfin, s'attaquer à la chambre elle-même, placard après placard, contourner le lit à baldaquin qui avait fière allure dans son bois brun mais présentait l'inconvénient d'être de la même couleur que ces misérables insectes.

Une fois que ce fut fait, elle consentit à défaire les valises et à ranger les affaires de toilette sur la tablette en faux marbre, après avoir enfilé ses gants, des gants en peau qui lui permettaient de toucher toutes ces surfaces étrangères sans frissonner de la tête aux pieds. Lionel, que ce rituel agaçait prodigieusement, avait disparu dès les valises posées et était parti rejoindre les militaires, dont la présence dans la cour n'avait pas semblé l'étonner le moins du monde.

Assise sur le lit qu'elle jugeait trop haut perché, Suzanne réfléchissait à toutes les choses déplaisantes qu'il lui faudrait supporter pendant une semaine, comme s'allonger dans les mêmes draps que son mari qui ne manquerait pas de laisser traîner ses mains partout dans un soi-disant demi-sommeil, ou encore la promiscuité de leurs brosses à dents, serviettes de bain, l'utilisation du savon, et la porte de la salle de bains qui ne fermait pas à clé, l'obligeant à subir les bruits et odeurs de ces moments intimes qu'elle entendait bien ne partager avec personne. Elle se gratta le bras en se demandant si les moustiques qui l'épargnaient d'habitude n'étaient pas ici plus virulents que chez elle, et se sentit perdue comme jamais. Elle chercha un désir, n'en trouva pas et eut envie de mourir. Qu'allait-elle faire ici pendant huit jours ?

La dernière fois qu'ils avaient séjourné à Campan, elle s'était sauvée au bout de trois insupportables nuits, sous prétexte d'une urgence médicale à la capitale où les consultations chez les spécialistes étaient un vrai parcours du combattant qui vous amenait à trois ou quatre mois d'une demande de rendez-vous. C'était il y a plus d'un an et elle avait inventé la défection inopinée d'un patient pour partir en courant chez le gastro-entérologue, mais surtout pour fuir cet endroit qui puait le moisi.

En un an, rien n'avait changé, sinon la lente détérioration des murs et des plafonds que rongeait l'humidité. Cela dit, elle aimait bien la tôlière qui affichait une joie de vivre rafraîchissante, avec un sourire qui lui montait jusqu'aux yeux et une bonne humeur que rien, apparemment, n'arrivait à entamer. Elle était belge, contente d'être là, et s'affairait sans arrêt pour faire tourner son business. Sa dernière invention avait été d'organiser une rencontre musicale dans le hall de son hôtel et tous les jazz-bands des environs s'étaient donné rendez-vous chez elle pour attirer les clients des quatre coins du pays. Suzanne avait adoré ce moment qui lui avait fait oublier l'endroit, le lieu, sa vie. C'était il y a quelques années, elle s'était trouvé une place près d'un palmier furieusement vigoureux qui trônait dans le grand salon. Elle avait respiré chaque note comme quelqu'un qui a peur de se noyer, puis elle avait discuté avec les musiciens autour d'un verre de whisky. Ensemble, ils avaient parlé musique, rythme, tonalité, jusqu'à ce qu'elle avoue être une pianiste du dimanche qui tapotait les grands classiques après quinze ans de cours assidus. Le dernier soir, ils l'avaient tous obligée à jouer quelque chose.

– Pour nous, s'il vous plaît !

Elle se souvenait particulièrement de cette chanteuse brésilienne qui donnait à sa voix l'âme du gospel et semblait trimballer la Louisiane dans sa bossa-nova. Elle l'avait suppliée avec cet accent qui caressait quelque chose dans le plexus de Suzanne.

– S'il vous plaît, jouez-nous quelque chose, n'importe quoi, j'adore le classique et ce sera juste merci, juste, merci ! Je vous en prie, nous avons joué pour vous, vous étiez là tous les jours, je vous ai vue tellement belle avec la musique dans vos yeux.

Et au grand étonnement de Lionel, elle s'était levée, dirigée vers le piano et assise comme une somnambule. Son corps s'était vidé, dans sa tête il n'y avait plus qu'une urgence, elle avait commencé avec une valse de Chopin, enchaîné une, deux, trois fugues de Bach, ensuite Rachmaninov. Elle n'arrivait plus à s'arrêter, elle était un papillon, ses mains volaient, aériennes, et les heures secrètes qu'elle passait à traquer le clavier chez elle, avec Bertide pour seule auditrice, se remplirent de cet instant. Elle vivait, elle vivait, elle n'oublierait jamais. Quand ses mains s'étaient enfin posées dans le silence, elle s'était sentie immense, repue. C'était une émotion si étrangère ! Elle avait tout aimé : les applaudissements, les regards sur elle, les accolades, les embrassades, tout, tout ce qui d'ordinaire l'écœurait ou la mettait mal à l'aise, tout, même cet étonnement admiratif dans les yeux de Lionel à l'autre bout de la salle. Ce soir-là, elle avait désiré ses caresses, ils avaient fait l'amour, elle s'était endormie et le lendemain c'était comme avant, comme avant ce miracle. Pourquoi pensait-elle à cela juste maintenant ?

Elle se leva et s'approcha de la fenêtre qui dominait la cour d'entrée de l'hôtel. La nuit était là, les camions n'étaient plus là, les militaires étaient partis vers une destination mystérieuse. Elle demanderait à Lionel. Et s'étonna de s'intéresser ne serait-ce qu'une once de seconde à ce qui se passait ici. Elle demanderait à Lionel ou peut-être à cette femme qui l'avait récupérée au bord de la route, comment c'était déjà ? Élisabeth, voilà, Élisabeth lui avait communiqué une sorte de bien-être comme une eau fraîche qui réveille un vieux corps. Quel âge pouvait-elle donc avoir ? Quarante ? Moins ? Peut-être le même âge qu'elle… C'était quoi, déjà, son âge à elle, 38 ou 37 ans ? Il fallait qu'elle la revoie, cela ne devait pas être bien compliqué de la retrouver, elle avait promis qu'elle viendrait la voir, mais viendrait-elle ?

Dans la voiture, elle lui avait tout dit, elle lui avait dit même ce qu'elle refusait de se dire à elle-même, elle voulait continuer, elle voulait parler, elle ne voulait plus se cogner comme une mouche enfermée dans ce corps qu'elle vomissait.

Elle revint s'asseoir sagement au bord du lit et, pour la première fois depuis de nombreuses années, convoqua sa mère, se demandant comment cela serait d'être caressée par elle, elle qui n'était plus dans son souvenir qu'une étrangère familière, prisonnière d'un lit qui sentait la maladie, et la figeait sur le pas de la porte qu'elle ne franchissait jamais.

Elle allait descendre dans le salon, il ne devait plus y avoir grand monde dans l'hôtel, le piano était encore là, au moins elle allait le regarder, le toucher peut-être. Elle referma doucement la porte.

Derrière le bar, il n'y avait personne, et devant non plus. Pour une fois qu'elle avait envie de boire quelque chose de fort, un martini peut-être. Oui, un martini rouge avec plein de glaçons. Elle regarda autour d'elle, l'obscurité sur laquelle s'ouvraient les portes d'entrée donnait à l'ensemble un aspect rassurant et intime. Le comptoir du bar était étroit, pas très long, son bois sombre luisait doucement, réchauffé par les lumières tamisées qui sourdaient d'un balcon de bouteilles, têtes en bas comme dans les tavernes. Sur le boisé des murs s'alignaient des verres, des bocaux, dont l'un, joufflu, contenait un reptile lové comme un vieil alcoolique dans une eau ambrée. Un peu partout, des bouquets d'arums et de balisiers jetaient des couleurs dans un désordre de verdure, de canapés, de coussins ; plus loin, dans un renfoncement relevé par une mini-estrade, le piano était posé. Un quart-de-queue tranquille, fermé pour qu'aucune bête n'y fasse sa couche. Le tout avait un air suranné dont Suzanne aimait l'esthétique.

Mais tout cela était enrobé d'un modèle de chaleur qui laissait sur la peau une moiteur gênante, que deux énormes ventilateurs au plafond n'arrivaient pas à repousser. Il lui fallait un verre, peut-être deux.

– Il n'y a personne ? S'il vous plaît ! (Elle se racla la gorge pour prendre de l'assurance.) S'il vous plaît, je voudrais un martini ! (Et plus fort.) Serait-il possible d'avoir un martini, s'il vous plaît ?

– Madame Gandri, quel plaisir de vous avoir ! (La voix qui lui fit tourner la tête précédait une petite bonne femme à la peau très blanche, aux cheveux courts noirs, pleine de fossettes et de rondeurs, qui tendait les bras pour attraper la main de Suzanne.) Désolée de n'avoir pu vous accueillir, mais avec tout ce bastringue… Vous avez vu le bordel qu'il y a dans cette ville ? J'ai cru que mon hôtel allait se transformer en caserne. Heureusement que vous aviez réservé, ils m'ont tout pris, toutes les chambres ! (Elle continua à pépier en passant derrière le bar.) Remarquez, vous savez quoi ? Ça a du bon, ça m'a remis les affaires en route, je peux vous le dire ! (Elle éclata d'un rire de gorge.) C'était d'un calme ! Je ne savais plus quoi inventer pour qu'il nous passe un peu de monde par ici, et là, voilà que… Vous savez ce qu'on dit, fit-elle en baissant la voix et en se penchant vers Suzanne, son rire rebondissant sur les bouteilles. Bien sûr que vous savez, quand on a un proc' à la maison ! (Elle sortit la bouteille, suspendit son geste et la regarda.) Vous êtes sûre que ça va ? (Elle fit crépiter les glaçons et Suzanne saliva pendant que le verre se remplissait.) Vous savez quoi ? Comme ils sont tous partis et que j'ai donc mon temps, je vais vous accompagner. Et hop ! Un deuxième pour Mireille et on se prend un coin près du piano, vous allez me raconter ce qui se passe vraiment !

Suzanne se sentit à la fois soulagée – la tôlière lui avait dit son prénom qu'elle avait complètement oublié – et embarrassée, car elle n'avait envie de faire la conversation à personne.

– Si vous le voulez bien, bien sûr.

Elle trimballa les deux verres et une assiette de cacahuètes sur une table basse un peu massive qui occupait un espace stratégique d'où l'on voyait l'entrée, l'accueil, le bar, le salon et les escaliers qui menaient aux étages.

Mireille Ballite, voilà comment elle s'appelait, Mireille Ballite, Suzanne se sentit pleine d'énergie et presque à l'aise dans ses mocassins.

– Alors dites-moi, je vous assure je serai discrète, c'est quoi tout ce tintouin ? C'est invraisemblable, on se croirait au début d'une guerre ou dans un film. J'ai pas vu ça ici depuis l'affaire Caldeira, vous vous souvenez le trafiquant qu'on avait trouvé mort pas loin d'ici ? J'étais débordée de journalistes, policiers, ça parlait toutes les langues, ça courait dans tous les coins ! (Elle avala une gorgée et soupira d'aise en se calant dans son fauteuil.) Mais d'abord, comment allez-vous ? La dernière fois qu'on s'est vues, c'était pas fameux !

Suzanne l'observait en trempant ses lèvres dans son verre. Mireille Ballite avait le rire en embuscade dans des yeux noisette, des pommettes un peu slaves, une bouche généreuse, et une peau de rousse malgré ses cheveux bruns. En fait, elle était jolie et on disait qu'elle changeait d'amant comme de chemise, mais aucun de ces compagnons de passage ne s'était jamais posé ni devant sa caisse, ni derrière son bar, ni à l'accueil. Bref, la dame prenait grand soin de séparer sa vie privée de ses activités professionnelles. Ses employés étaient tous des gens du coin qui acceptaient volontiers les fluctuations de l'embauche liées aux aléas de remplissage, ainsi c'étaient toujours les mêmes qui partaient, qui revenaient et semblaient fascinés par l'énergie de ce bout de femme.

Suzanne soupira.

– Je ne saurais vous dire. Vous savez, Lionel ne me confie pas grand-chose. Je veux dire de son travail, ajouta-t-elle précipitamment devant le sourcil étonné de la dame. (Et puis, en plus, avait-elle envie d'ajouter, on se connaît pas, j'ai pas gardé les bœufs avec vous, par conséquent, arrêtez de vous comporter comme si j'étais votre super-copine que vous retrouvez après deux jours d'absence, parce que je trouve ça indécent, même si je vous trouve sympa. Bien sûr, elle n'en fit rien.) À vrai dire, continua-t-elle dans son verre, je comptais un peu sur vous pour me renseigner. En tout cas, tout cela est bien mystérieux, n'est-ce pas ?

Elle se pencha comme l'autre lui faisait signe de se rapprocher.

– Tout ce que je sais, c'est que ces messieurs sont partis en réunion à la mairie qui a spécialement ouvert ses portes ce soir. C'est quand même pas ordinaire, non ? Il y a (elle compta sur ses doigts) votre mari, le commandant de la base militaire qui est stationnée à une heure d'ici, le directeur de la police, le préfet, le maire bien sûr, sa première adjointe et un jeune qui débarque, chargé des affaires spéciales, je crois. C'est lui qui m'a informée. (Et devant le silence de Suzanne.) C'est un ami... (Elle éclata d'un rire de gorge.) Un ami très cher que je pratique depuis... trois semaines ? Un mois ? Je ne sais plus... Un corps d'athlète, une personnalité un peu obscure et des mains de travailleur, un trompe-l'ennui parfait.

Suzanne n'écoutait plus, une brume tranquille s'installait dans sa tête et, du coin de l'œil, elle vit son palmier s'agiter. Quelqu'un s'était assis à sa place, là où elle avait vécu les moments inoubliables qui avaient enchanté ses oreilles et emporté, le temps d'une soirée, le cafard qui lui griffait les entrailles.

Un bruit de fond, un ronronnement désagréable, Mireille Ballite parlait toujours en agitant les mains, sa bouche était rose et charnue, Suzanne se sentit vaguement dégoûtée. Elle n'entendait plus, elle percevait simplement du côté du palmier une intensité qui lui chauffait la tête et lui bougeait les jambes. Elle allait regarder, regarder franchement. Il y avait quelqu'un là, si c'était un homme elle enlèverait une chaussure, une femme, les deux chaussures et elle étalerait ses orteils sur le minuscule tapis sans se soucier des bêtes, insectes ou autres araignées qui pouvaient s'y loger. Oui, elle ferait cela.

– Et franchement, n'hésitez pas à utiliser le piano si ça vous fait plaisir, il est à vous pendant votre séjour. Vous jouez depuis longtemps ?

Suzanne perçut la question très loin, elle avait ôté une chaussure, c'était un homme, pantalon en toile, chemise blanche, sandales, deux lasers sombres derrière des lunettes rondes, il tenait à la main un journal qu'il ne lisait pas puisqu'il la regardait. Enfin, elle avait l'impression qu'il la regardait. Elle termina son verre cul sec, le martini lui chauffait les oreilles, c'était bon, elle en voulait un autre.

– J'ai suivi des cours pendant une quinzaine d'années, ici et là, au gré des mutations de mon père et...

– Et vous aimez ça, une seconde... (C'était une affirmation, son hôtesse se leva et se dirigea vers le palmier.) Pour vous, Alakipou, ce sera comme d'habitude, un whisky ? Je ne vous ai pas vu arriver ce matin, vous allez bien ? Vous restez parmi nous ? Mais, Seigneur, je n'ai plus une seule chambre, ni la vôtre, ni aucune autre.

– Pas grave Mireille, je ne fais que passer.

Il lui avait dit Mireille, cela signifiait sans doute qu'il faisait partie de la collection personnelle de la tôlière. Cette femme était incroyable et Suzanne se sentit misérable avec sa chaussure abandonnée sur le tapis qui lui faisait un pied très nu qui, à tout moment, pouvait être attaqué par l'armée des invisibles qui logeaient dans cette partie du monde. Elle enfila son mocassin, se leva, se dirigea d'un pas qu'elle jugeait ferme vers le bar, grimpa sur un tabouret et ne maîtrisa absolument pas le filet de voix qui lui échappa.

– Je prendrais volontiers un autre martini, avec des olives si c'est possible.

L'homme quitta son palmier pendant que la tôlière préparait deux verres. Pressée, Suzanne se tordit les mains, se demandant ce qu'elle allait bien pouvoir faire de cette audace, la magie de l'instant était en train de fuir. Sûrement, elle allait se mettre à pleurer, il fallait qu'elle regagne sa chambre, vite, ou alors qu'elle avale des tas de martinis, vite. Elle gloussa, l'homme grimpait sur le tabouret à côté du sien. Pourquoi si près ? La panique arrivait doucement, elle saisit son verre, l'avala d'un trait, suça le citron, eut immédiatement envie d'un autre verre, farfouilla dans les olives et perçut la voix de Mireille.

– Madame Gandri l'épouse du procureur, Alakipou qui signe le poète, Alakipou, madame Gandri... Je croyais que vous vous connaissiez. Bon, c'est pas tout ça, ajouta-t-elle en s'extirpant du bar, je vais m'attaquer à la paperasse pendant que vous êtes là. Si vous avez besoin de quoi que ce soit, vous sonnez ici (elle désigna un bouton sur la cloison). Je suis un peu toute seule ce soir et quand les zigotos vont revenir ça va être la foire, et (menaçant Suzanne du doigt) n'oubliez pas le piano !

Et ce fut le silence, long.

Au début, elle se sentit mal à l'aise, mais c'était tellement banal dans sa vie que cela ne la perturba pas plus que d'habitude. Puis, au fur et à mesure que le temps s'étirait et qu'elle ne faisait rien d'autre que regarder les glaçons fondre dans son verre vide, une sorte de paix s'installa, les bruits de la nuit lui parvenaient par bribes, comme si le réel s'invitait de temps en temps dans un rêve, et tout cela créait en fait un rythme prenant.

Ainsi, il s'appelait Alakipou, elle ne l'avait pas vraiment regardé, mais son corps était tellement proche du sien qu'elle savait. Son odeur était bonne, il sentait la terre et les fleurs, sa respiration était légère, il n'envahissait pas son espace et elle se sentait petite. Au plafond, autour d'un abat-jour qui dispensait un éclairage de clandé, un papillon s'obstinait à attraper la lumière et menaçait de se brûler les ailes, les bruits de sa lutte écrasaient la musique du soir.

Suzanne avait trop envie d'un autre verre, peut-être qu'il pourrait la servir. Elle cassa le silence en le regardant, il avait des pommettes hautes, des yeux sombres et glacés derrière ses lunettes, est-ce qu'il était jeune ? Elle ne savait pas, elle avait envie de poser les doigts sur sa bouche qui tranchait son visage comme un coup de machette. Ses lèvres étaient rouges, un peu épaisses, elle l'observa avec curiosité, ce silence était tellement réconfortant.

Il bougea la tête, ses traits s'étirèrent, ça devait être un sourire mais cela ne montait pas aux yeux, Suzanne était fascinée, peut-être perplexe, en tout cas sans questions. Il ouvrait la bouche : peut-être elle verrait l'intérieur de son corps ?

– Vous avez un prénom ?

Sa voix était rugueuse, sèche, elle ignora la demande et lui tendit son verre.

– Je crois que j'ai envie de trop de martinis, de plein de martinis avec des glaçons et du citron, vous pouvez faire ça pour moi ? Vous avez l'air...

– De connaître la maison. Et la patronne. Je sais... C'est une fille simple, courageuse et j'apprécie qu'elle m'apprécie. (Il passa derrière le bar, y posa la bouteille de martini.) Vous n'avez plus qu'à vous servir autant que vous voulez.

Elle murmura :

– De lire dans mes pensées. Vous avez l'air de lire dans mes pensées. (Elle regardait son verre obstinément.) Je préfère que ce soit vous.

– Moi, quoi ?

– Qui me serviez. Je... je ne suis pas à l'aise avec l'alcool.

Il s'esclaffa :

– On ne dirait pas !

– Vous trouvez que je bois beaucoup ? fit-elle ravie.

Il lui versa une énorme quantité de martini, sans glace, sans citron.

– …

– C'est la première fois que j'aime ça.

– Que vous aimez quoi ?

– Eh bien, boire. Et surtout ce que je ressens, c'est la première fois que j'aime ce que je ressens quand j'ai bu.

Il la gratifia de son sourire minéral et elle avala son verre d'un trait. Le monde changeait autour d'elle, les formes s'étiraient comme le visage d'Alakipou et ses mains. Il avait des mains d'artiste avec une existence à part, elle les toucha, puis toucha son visage, il fallait qu'elle lui ferme les yeux, cela lui brûlait trop le ventre. Sa peau était douce, pas une peau d'homme en fait, cela dit pour ce qu'elle en savait... Elle lui ôta ses lunettes, lui caressa les paupières et contre son visage clos murmura :

– Je m'appelle Suzanne.

Il lui prit les mains, les enveloppa dans les siennes et les lui rendit, mais curieusement elle ne se sentit pas repoussée ; elle se resservit, consentit à boire des petites gorgées pendant qu'il récupérait ses lunettes et lui posait toutes sortes de questions sur sa vie, sur elle, sur son enfance, sur sa famille, sur ses lectures, sur la couleur de sa robe. Alors elle raconta, et en racontant elle trouvait presque intéressant ce qu'elle avait à dire. Elle s'immergeait dans sa petite existence sans se noyer, elle arrivait à conter sans jamais mentionner ni Lionel ni Jonathan, c'était jouissif. Jusqu'à ce qu'il lui dise :

– Je connais bien Jonathan.

Elle ne voulait pas entendre.

Elle quitta son tabouret de bar en titubant à son bras, elle allait toucher le piano. Jouer, pas pour lui, mais pour ce moment. Et elle joua.

Et c'est ainsi que Lionel la trouva. Il devait être tard, car la nuit s'était tue. Il s'arrêta, debout dans le hall, il avait dû pleuvoir, il avait les cheveux mouillés. Il regarda sa femme dont le balancement du corps sur le piano disait une lascivité qu'il ne lui connaissait pas, tandis que ses doigts arrachaient au clavier une qualité de sons qui ferait pleurer le désert. En face d'elle, sur un fauteuil trop près pour le hasard, il y avait ce type qui était fiché par les polices de trois pays au moins, pour des soupçons de toutes sortes de trafics qui n'avaient jamais pu être prouvés.

# 32

Julie ouvrit les yeux, il faisait froid, une fraîcheur humide, attaquée par la virulence des moustiques. La nuit était épaisse et elle avait soif, elle s'était endormie comme une masse à même le sol de la véranda de l'école, avec son sac à dos glissé sous la tête en guise d'oreiller. De loin en loin, elle apercevait les braises qui se consumaient doucement sous des carcasses dépecées. Un chat glissa furtivement avec un truc dans la gueule, sinon tout était immobile. La fête était finie, les chants et les danses s'étaient tus, même les murmures, les halètements, les rires chatouillés qui s'échappaient des tentes jetées n'importe comment s'étaient endormis. Calme plat, elle avait mal aux os, elle s'étira et se mit en quête d'une bouteille, n'importe quoi, mais il fallait qu'elle boive.

En fait, elle tenait une sacrée gueule de bois qui provenait beaucoup plus de ce qu'elle avait fumé que de ce qu'elle avait bu. Bien que. Elle se gratta le crâne, elle avait ingurgité pas mal de rhum pour étouffer le son des tambourins qui lui vrillait la tête. Il lui semblait qu'à un moment, elle s'était retrouvée seule avec Douna au milieu de nulle part. Ou alors elle confondait avec le vieil homme avec qui elle avait partagé une longue pipe et des fous rires. Elle s'en souvenait bien tout d'un coup, le vieux lui avait parlé de l'enfant qu'elle allait avoir – n'importe quoi –, du grand honneur que faisaient les esprits aux pauvres humains en leur permettant de donner un sens à la vie. Elle se souvenait qu'elle était pliée de rire et que l'autre faisait pétiller ses yeux en aspirant de larges bouffées.

Ensuite, elle avait fait quoi ? Ah, oui ! Elle avait cherché Alakipou, c'était comme une obsession, il fallait qu'elle le trouve, il avait disparu avec les derniers rayons du soleil et, d'une façon qu'elle ne s'expliquait pas, elle s'était sentie trahie.

C'est Douna qui lui avait dit que son frère avait quitté le campement, appelé par une urgence. Et là, re-fou rire. D'abord, « appelé » comment ? Et ensuite, elle ne voyait pas trop à quoi pouvait ressembler une urgence par ici. Elle avait dû penser à voix haute car Douna, pour la première fois, avait couvert son visage d'un masque glacé et l'avait clouée avec les yeux. Jamais au grand jamais elle ne s'était sentie aussi « petit tas de merde ».

Bref, ça lui avait sérieusement gâché la fête et ils s'étaient engueulés.

– Douna, je comprends pas, tu veux que je me détende, je me détends, que je me lâche, je me lâche, que je ne me prenne pas le chou sur le comment du pourquoi, je me prends pas le chou, je ne pose même plus de questions et tu fais quand même la gueule ! Je… je…

– Tu crois en quoi, toi ? (Il lui jetait les mots à la figure.) Tu es une pilleuse, tu ne prends jamais rien pour le poser juste là, au milieu de ton corps, et le garder, et le penser, et longtemps. Tu prends pour prendre. On s'est plantés avec toi !

Voilà, c'était ça qui troublait son sommeil. Julie se leva et marcha vers la table à tréteaux. Il devait bien rester un fond de quelque chose de liquide. Douna avait dit « On s'est plantés avec toi ! » comme s'il y avait eu un projet pour elle, pour eux. Julie était sûre, son intuition ne la trompait jamais, il y avait un projet, il y avait un plan, elle était un pion d'un jeu qu'elle ne maîtrisait pas, ils étaient tous des pions d'un immense complot, et si elle ne buvait pas tout de suite, elle allait s'abîmer dans une paranoïa que même l'escogriffe n'arriverait pas à calmer.

Elle tomba sur Douna au moment où elle avait enfin repéré une bouteille d'eau à moitié vide. Installé en tailleur sous un vieil acacia tordu, il avait les yeux grands ouverts et l'air parfaitement réveillé. Elle attrapa la bouteille et s'assit à ses côtés en avalant goulûment.

– Tu dors pas ?

Il lui sourit.

– Comme toi.

Ils chuchotaient, autour d'eux la vie avait vraiment besoin de repos, Julie réalisa que bon nombre d'entre eux avaient fait comme elle, un lit à la belle étoile, parfois seuls, parfois en couple ou en groupe, tous terrassés par un profond sommeil.

– On a été drogués ou quoi ? (Douna étouffa son rire dans ses grandes mains et lui tapa l'épaule.) Arrête, c'est vrai quoi, ils dorment pas ces gens-là, ils sont assommés, rétamés, kaput, morts.

Elle pouffa. C'était bon de retrouver le Douna d'avant, elle avait dû rêver leur dispute.

– La dernière fois qu'on s'est parlé, dans une autre vie, je t'ai demandé où était passé Alakipou, et tu ne m'as jamais répondu.

– Si je t'ai répondu, mais tu n'as pas voulu comprendre.

– Pff.

– Je t'ai dit qu'il avait quitté la fête parce qu'il y avait un truc urgent.

Elle baissa la tête, chuchota un ton en dessous :

– Et c'est là qu'on s'est engueulés.

Il lui prit la main.

– Tu as l'air beaucoup plus intéressée par la disparition d'Alakipou que par la disparition de ta copine Maïla par exemple. (Il plissa le nez, ses yeux rigolaient.) C'était quand la dernière fois que tu l'as vue ?

Elle fit un geste de la main pour signifier qu'elle s'en foutait et épousseta son pantalon en se levant.

– Viens, on va faire comme tout le monde, des caresses et des gémissements. Tu veux bien glisser la main dans mon pantalon Douna ?

– Là, maintenant ?

– Oui là, maintenant.

– Non.

– Comment non ?

– On va gâcher.

– Tu as raison, je vais le faire toute seule.

Et elle marcha vers sa véranda, une main dans la pogne de Douna, l'autre enfoncée dans son pantalon et c'était divin.

Au bout de son plaisir, elle couina comme une souris en faisant trembler son froc. Quand ils s'assirent près du sac à dos, Julie tenta mollement de poser sa main sur l'entrejambe de Douna, mais il se contenta de lui saisir les doigts, de les humer un à un et de les reposer sagement à côté de ses cuisses.

Julie se lova comme un petit animal repu.

– Si on dormait ? J'aime bien que tu dormes avec moi, Douna. (Elle bâilla bruyamment.) C'était quoi cette fête, au fond ?

Il laissa s'étirer le silence, puis :

– Dis-moi, toi, ce que c'était pour toi.

– Euh, un truc pour être ensemble ?

Il souffla.

– Ouais, on peut faire des tas de trucs ensemble, des manifs, la guerre, la révolution… des tas de trucs !

– J'ai dit « être », Douna, être comme exister, être ensemble, entends les mots s'il te plaît !

Elle se cala encore plus confortablement et s'endormit aussi sec. Douna bougea doucement son bras qui s'engourdissait, elle pesait une plume, mais elle était dense. Il écoutait attentivement le ronronnement qui accompagnait son sommeil et le doute s'insinua comme un serpent dans ses pensées.

Peut-être Alakipou s'était-il trompé sur cette femme-là.

Peut-être qu'elle ne ferait pas l'affaire.

Peut-être, il faudrait un plan B.

Mais il était indéniable qu'il aimait bien Julie, et même, il la reconnaissait. C'est sans doute pour cela qu'il prononça ce qu'elle aurait aimé entendre si elle ne dormait pas, même s'il n'en pensait pas un mot :

– Tu fais des progrès Julie, tu fais des progrès.

Il allait pouvoir dormir enfin.

# 33

Alakipou quitta le Rayon Vert à 21 heures, s'installa dans sa Porsche recapotée, mit le contact et démarra bruyamment. Il roulait vite, dans l'habitacle fermé, glacé par la clim', les basses surgonflées d'un tube R'n'B lui percutaient le plexus. Il était furieux.

Rien ne se passait comme prévu, le convoi était bloqué de l'autre côté du fleuve, la rencontre minutieusement organisée risquait d'être un fiasco si les arrivants étaient aussi nerveux, l'armée avait envahi Campan comme des grappes de macaques tombant de leurs arbres et il n'arrivait pas à cerner les intentions des militaires.

Ils préparaient tous cette opération depuis… dix ans ? Quinze ans ? Trouver les bons interlocuteurs, attirer les voyageuses, trouver l'itinéraire, offrir aux prédateurs un poulet alors que le garde-manger engraissait le cochon… Au moins ç'avait marché avec les Cubains, mais les hommes étaient devenus nerveux. Trop de morts ! Dire le faux pour garder le vrai, chercher dans toute l'Amazonie, qui n'était pas qu'un pays, celui ou celle qui saurait conduire le futur, composer avec la parole des vieux, des esprits, des jeunes qui s'exprimaient souvent dans l'urgence, tout cela avait pris un temps fou. Il n'était pas comme les anciens qui conversaient avec le temps, il était un homme pressé…

quinze ans ! Il ne fallait pas que la beauté de l'édifice s'écroule, il fallait qu'il puisse contrôler chaque maillon de la chaîne comme il l'avait toujours fait. Or, tout lui glissait entre les doigts.

Il fallait qu'il en sache davantage, au moins sur la stratégie des militaires. Tous ses contacts s'étaient volatilisés, sa seule piste infime c'était cette femme, la femme du proc'. Gandri ne comprenait sûrement rien mais il savait sans doute tout ; côté ordre, justice occidentale, il était un faiseur. Alors sa femme lui parlerait, il ferait ce qu'il faut. Elle n'avait pas l'air bien stable, il voyait bien que la raison s'échappait par bouffées de sa petite tête bien serrée, mais il l'emmènerait là où il avait besoin d'elle.

Il freina à la porte de Lulla. C'est là qu'il dormirait cette nuit, Lulla était de l'autre côté du fleuve, avec les autres, son taudis ferait l'affaire. Demain il attaquerait Suzanne.

C'est alors qu'il les vit dans le halo de ses phares, ils arrivaient de la forêt. Les rues étaient désertes, la plupart des lampadaires clignotaient comme ils pouvaient, le ciel lavé par la pluie scintillait, il y avait des étoiles partout. Ils étaient trois, il les connaissait bien, c'était le guerrier, la petite dont la mère était morte récemment et Félicité, la belle Félicité dont la volupté l'effrayait suffisamment pour qu'il soit un des rares mâles du coin à ne pas avoir connu l'envoûtement de ses caresses.

Ces trois-là dehors, ensemble, à cette heure du soir, c'était étrange, mais ce n'était pas son affaire. Il franchissait la porte de Lulla lorsque Félicité l'interpella :

– Monsieur Alakipou, c'est bien vous ?

Il se retourna posément, ses lunettes brillaient dans la pénombre.

– Hello Marie, fit-il en se penchant vers la petite. La dernière fois qu'on s'est vus, tu avais plein de larmes dans ton sourire et aujourd'hui ça n'a pas l'air d'aller très fort. (Et levant la tête.) Bonsoir Félicité, bonsoir Tiouca.

– Alakipou, Alakipou, elle est morte, bien morte, raide !

La petite sautait comme un ressort, Félicité avait les yeux rouges et le poète ne se souvenait pas d'avoir connu le guerrier aussi blanc, il avait l'air ailleurs, déconnecté.

– Vous voulez bien venir jusqu'à chez nous ? C'est à deux portes. (Félicité chiffonnait un mouchoir.) Je voudrais vous parler.

Il referma la porte de Lulla et leur emboîta le pas. Il aimait bien Tiouca, si ses souvenirs étaient bons c'étaient bien les Indiens de sa lignée qui lui avaient donné le surnom de « guerrier ». Cet homme-là était à contretemps. Il avançait en reculant, mais avançait quand même. Pour cela, Alakipou le respectait. Il avait abandonné les siens, chose inconcevable pour l'Indien, et embrassé un « autre chose » indéterminé dont personne ne comprenait les contours. Cela aussi était respecté et le poète regardait avec curiosité cet homme qui évoluait hors de sa communauté, vivait chaque jour comme le premier et survivait à toutes les embrouilles.

Il s'assit pour la première fois à la table de Félicité ; jusqu'à ce jour, il n'avait jamais dépassé la pièce qui servait de boutique. Et là, on était loin du capharnaüm qui régnait autour de la caisse, là, tout était rangé, propre, sentant le désinfectant et le relent chaud des restes de midi.

Sans cérémonie, Félicité lui agrippa le bras, elle parlait depuis un moment.

– Alors quand je vous ai vu devant la porte de Lulla, je me suis dit que c'était un signe, qu'il fallait que je vous demande à vous ! (Elle alla chercher une carafe d'eau et quatre verres, Tiouca ne disait rien, la petite s'était enfermée dans sa chambre.) C'est vrai que vous êtes un homme très respecté chez les vôtres, je veux dire les natifs, alors vous saviez que ma grand-mère était vivante et que les Indiens s'occupaient d'elle ? Et qu'elle leur parlait ou plutôt qu'elle délirait ? Vous saviez ? (Alakipou cadenassa son visage, il attendait.) Qu'est-ce qu'elle disait ? Elle a parlé de… ma mère ? De où elle était ? Parce qu'à moi, elle a rien dit et là, vous voyez, eh bien, elle est morte… Alors !

Tiouca s'en mêla, en posant doucement la main sur le bras de Félicité, la voix grave.

– On l'a trouvée dans la grotte là-haut, parée comme une princesse, on était là quand elle est partie, on l'a laissée là-bas, on sait pas comment faire !

Il laissa les mots faire leur travail dans sa tête. Ainsi, la vieille était morte et ces deux-là connaissaient la grotte. Il termina son verre d'eau.

– Il faut lui amener un médecin pour constater le décès. (Alakipou parlait lentement.) Ensuite, si vous voulez, on s'occupera des obsèques. Je crois que là-haut ils l'ont beaucoup aimée, ils se sont occupés de sa maladie à leur manière et c'était bien pour elle.

– Elle disait quoi ? éructa Félicité. Elle disait quoi cette salope ? Elle m'a tout détruit, mon corps, mon cœur, mes bébés, je la hais encore plus morte que vivante, et je m'en fous si c'est pas bien... je m'en fous !

Elle hurlait et Tiouca était visiblement dépassé, Marie descendit lentement les marches de l'escalier et le silence s'installa péniblement. Alakipou se leva, froid et lointain.

– Je ne l'ai jamais entendue moi-même, mais d'après ce que l'on m'a dit, je crois qu'elle aurait voulu que vous rejoigniez votre mère, que ce serait mieux pour toutes les deux. Je crois... Elle parlait tout le temps de l'enfant. C'était vous, non ? Je... je vous laisse. Et toutes mes condoléances.

En passant la porte, Alakipou se dit qu'au moins un problème venait de disparaître avec la vieille. Cela commençait à devenir pesant son délire sur l'enfant que les chamans prenaient au pied de la lettre. Mine de rien, à cause des paroles de la vieille, le projet avait pris quatre ans dans la gueule, même si, au bout du compte, cela avait été pour le meilleur. Et dans le même temps un autre problème surgissait : maintenant tout le monde connaîtrait la grotte. Il fallait qu'il communique avec Douna, ça sentait l'urgence.

# 34

– Holà, patron ! Il y a quelqu'un ?

Du fond de l'ajoupa, un pas traînant accompagné d'un cliquetis prit son temps pour arriver jusqu'à ses oreilles. Il était clair que la construction la plus importante de la propriété était le ponton, qui amarrait solidement un baraquement couvert de tôles au bouillonnement perpétuel du fleuve. Ici, les eaux n'étaient pas calmes, jamais, à aucune période de l'année. C'est sans doute pour cela que la famille du passeur avait pu s'y installer sans réveiller les convoitises de ceux qui, d'ordinaire, négociaient les bons plans à coups de fusil.

Napi compta, il y avait trois bateaux au ponton, sans parler du rafiot de l'Indien, dont un magnifique cigare qui devait tracer à deux cents kilomètres-heure facile.

Donc pas trop de monde, on allait traverser rapidement et changer de pays rapidement. Napi était soulagé, ils avaient mis trop de temps pour arriver jusqu'ici. Trois jours au lieu de deux. Il avait fallu tout du long se repasser l'enfant car, même s'il battait les adultes aux cartes à un jeu tellement compliqué que Napi n'avait jamais pu le saisir vraiment, même si l'enfant semblait parfaitement capable d'engager des conversations sans fin à coup de gestes et de mimiques, même s'il avait l'air de comprendre y compris la langue de Napi, même si son regard était vieux de plusieurs millénaires, même s'il faisait des choses qui étonnaient le jeune guide chaque jour, c'était quand même un bébé qui ne savait pas marcher et il fallait le porter tous les jours, s'arrêter pour le nourrir.

Napi trouvait que sa mère et ses deux compagnons traitaient le gamin comme une sorte de poteau mitan autour duquel tournaient leurs vies. Il avait amélioré sa relation avec les trois voyageurs, surtout les garçons qui l'acceptaient mieux depuis qu'il avait arrêté de s'isoler avec la femme pour parler. Ils avaient maintenant un rituel le soir : une fois l'enfant endormi, ils s'asseyaient ensemble tous les quatre et échangeaient des mots de leurs langues respectives en désignant des objets autour d'eux ou sur leurs corps. Les ciel, arbre, branche, feuille, eau, homme, femme étaient maintenant partagés dans leurs deux langues, et il s'était créé une joyeuse fraternité au moment de la désignation des différentes parties de leurs corps. Ils riaient tellement qu'ils n'arrivaient plus à parler, et Napi pensait que ce rire leur avait fait gagner du temps.

Lee arriva juste derrière lui, le bébé dans les bras, et l'interrogea. Du doigt, elle désigna les bateaux puis mima la traversée du fleuve. Napi pointa sur le rafiot qui se balançait au bout d'une lourde chaîne. Elle éclata de rire et, se tournant vers ses compagnons qui arrivaient, elle lança un flot de paroles.

C'est vrai que c'était le plus moche des quatre bateaux : une grosse barcasse à fond plat, couverte en son milieu par une sorte de dais décoré de dentelles de bois. Vu le peu de bancs aménagés, on sentait bien qu'elle servait davantage à transporter des marchandises que des hommes. D'ailleurs, des carcasses, caisses vides et cartons encombraient l'arrière du rafiot, mais le moteur avait l'air neuf.

Napi connaissait bien la femme qui traînait ses savates jusqu'à l'entrée de l'ajoupa, elle était de chez lui et son grand-père venait souvent lui porter des produits de sa chasse qu'elle payait rubis sur l'ongle, ici il y avait toujours de l'argent dans la caisse.

Le père, la mère et les deux aînés avaient aussi toujours une arme à feu à portée de main, c'était leur vie.

– Hé, Napi ! Qu'est-ce que tu fais par ici, où est l'ancien ?

La femme était sûrement bien plus jeune que ne l'annonçait son allure. Elle s'essuya les mains à un tablier qui cachait un tee-shirt délavé, tombant au ras des genoux. Sur son épaule dénudée brillait une large cicatrice qui ressemblait à une araignée, et elle avait piqué dans la laine de ses cheveux un curieux peigne en plastique rouge.

Quand il lui eut expliqué qu'il voulait traverser avec les trois adultes et l'enfant le plus rapidement possible et qu'il avait l'argent pour payer, les yeux de la femme se plissèrent jusqu'à devenir deux fentes étroites et elle ne dit plus rien.

Napi regarda autour de lui, il n'y avait personne, à part eux :

– Ils sont où les gens des bateaux ?

Il poussa de la main des chapelets d'ail qui tombaient du plafond, il y avait de la viande séchée accrochée aux poutres qui soutenaient la tôle, ça sentait l'oignon, la salaison, et Napi saliva, il avait faim.

– Ils chassent, c'est ce qu'on vient faire par là, en général !

– Ils vont remonter loin sur le fleuve ?

– Tu veux savoir quand ils partent d'ici ?

– …

– Demain, c'est sûr, ils remontent vers l'intérieur.

– Ton homme, il peut nous faire traverser aujourd'hui ?

– Aujourd'hui ? (Elle se gratta la tête et attrapa une petite fille qui courait autour de ses jambes.) Regarde l'eau, elle est montée avec les pluies, elle est mauvaise et on voit même pas l'autre bord.

C'est vrai que l'autre rive n'existait pas, gommée par un brouillard qu'exhalait la brousse jusqu'au mitan du fleuve. C'était le plus dangereux pour passer, mais en même temps le plus sûr, car on ne risquait guère de rencontrer l'ombre d'un douanier. C'était le temps des trafiquants, et parfois il valait mieux être ailleurs pour éviter de se retrouver dans un sac de nœuds. Rien n'était pire par ici que le hasard, voir ce qu'on n'aurait jamais dû voir était une faute, une erreur dont on portait l'entière responsabilité et en général le verdict de la brousse était rapide : coupable et une balle dans la tête.

Napi savait tout cela, son grand-père le lui avait mille fois rabâché. La femme continuait :

– De toute façon, mon mari n'est pas là, ils avaient besoin d'un guide les autres, ils vont revenir tard.

Napi chercha ses compagnons, ils étaient tous les quatre assis sur le ponton et conversaient à grands gestes, visiblement c'était la somptuosité du cigare qui les fascinait.

Il se tourna vers la femme, ouvrit la banane qu'il avait autour des reins et lui tendit une pépite, la plus petite du pactole que les Indiens lui avaient donné, il y a un siècle lui semblait-il. La femme fit disparaître la pierre dans ses poches après l'avoir mordillée. Napi était prêt à parier que son homme ne verrait pas la couleur de cette miette d'or et que la petite Bushi devait tranquillement se constituer son trésor de guerre quand l'autre s'absentait.

– Pour ça, mon aîné va te faire traverser. Il est allé aux pièges, il revient dans une heure à peu près. (Elle leva les yeux.) Mais si tu veux de la viande salée, du lait pour l'enfant ou des légumes, il va falloir que tu donnes l'argent. Pour les comptes.

Napi acquiesça et partit rejoindre les autres. Il entendait leurs voix et en enjambant les cordages qui encombraient le ponton, il se prit à penser à l'après. L'idée de les quitter bientôt, de regagner la maison de son grand-père en les laissant à Campan était désagréable. Qu'est-ce qu'ils feraient là-bas, sans papiers, sans boulot, sans existence légale ? Ils devaient avoir un but, un projet qu'il ignorait, car Campan c'était nulle part, les Indiens ne fonctionnaient pas comme les immigrés qui s'accrochaient à tous les jobs de survie. D'abord, ils étaient chez eux partout dans ce pays, ensuite ils ne faisaient jamais rien qui n'ait de sens pour eux.

Il pointa sa bouche pour leur dire qu'il fallait manger et sortit deux doigts : dans deux heures, ils traverseraient avec des provisions qu'ils empaquetteraient avant d'embarquer, car une fois de l'autre côté, le chemin serait long et difficile pour aller à Campan.

Lee lui fit signe d'approcher, son visage irradiait. Visiblement, elle voulait lui faire partager quelque chose de très important qui faisait courir un frisson de bonheur à la surface des eaux boueuses. Elle le fit asseoir et lui fit signe de regarder, puis elle se saisit du bébé et l'emmena à l'autre bout du quai branlant et le lâcha.

Napi sentit la femme bushi s'installer juste derrière son dos, le spectacle allait commencer. Les compagnons de Lee tapaient dans les mains pour encourager l'enfant qui avançait à petits pas, d'abord incertains, puis de plus en plus assurés, sur les planches disjointes et couvertes de limon.

Napi avait des ratés dans la poitrine chaque fois qu'il trébuchait, de chaque côté de l'assemblage hétéroclite de bois, de cordes, de pieux enfoncés dans la vase, de clous gros comme le bras, de chaque côté les eaux tumultueuses du fleuve s'énervaient à gros bouillons.

Peut-on aimer à ce point des gens qu'on ne reverra jamais ? Pourquoi non, se disait Napi, pourquoi non ?

– Faut que tu saches, Napi, disait la femme derrière lui, il y a plein d'hommes en vert dans la forêt en face. Plein partout, depuis hier. Ça va pas être facile de pas les rencontrer.

L'enfant marchait toujours, il avait parcouru toute la longueur du ponton crânement et s'arrêta devant lui en battant des mains. Il était bien debout sur ses jambes, comme s'il faisait cela depuis des années, et le regardait intensément. Puis il arrêta d'applaudir et posa les doigts sur la joue du Bushi, Napi sentit une eau claire habiter son corps et voulut croire qu'Aha lui disait que tout irait bien.

# 35

« Jonathan, tu es le meilleur. Jonathan tu es le meilleur. » Le garçon accompagnait la petite musique dans sa tête d'un air qu'il sifflotait entre ses dents. Il était assez content de lui, il sentait sur son dos le poids du sac dans lequel il avait entassé un tee-shirt de rechange, une veste militaire qui le protégerait des humeurs du temps, le pistolet qui alourdissait son paquetage et un sandwich maison débordant de tomates, viande et morue salée, bien serré dans un emballage en papier alu.

Il allait bon train, posant ses bonnes vieilles grolles dans le chemin de nuit qui s'ouvrait jusqu'au monticule de la grotte. Tiouca était un mou, définitivement mou. Il l'avait mené à la grotte avec ce gros veau de Lune pour rencontrer un débris de vieillarde qui allait couler sa bielle sous peu, comme si là était le bout du voyage. Or lui, Jonathan, même s'il avait joué les indifférents, avait été percuté par l'endroit. Magnifique. Impossible d'imaginer un instant que ce lieu serve seulement d'abri à une vieille qui se barrait en loques, c'était plus que ça. La vieille, c'était un paravent, il en était sûr, un repousse-curieux qui permettait de développer bien à l'abri un grand projet. D'abord, c'était un repaire formidable, ensuite la légende qui l'accompagnait convoquait au respect sinon à la discrétion, C.Q.F.D. C'était l'endroit idéal pour planquer le plus gros magot de la décennie.

C'est donc armé de ses déductions que Jonathan avait entrepris de se rendre sur place pour inspecter chacune des cavernes. Il était sûr d'une chose, si le matos n'était pas encore là, il ne tarderait pas à arriver. Et qui serait là pour le réceptionner ? Bien planqué pour en tirer sa part, qui ? Eh bien Jonathan le plus malin, et tant pis pour le guerrier s'il n'avait pas le cran ou le désir d'en être.

Oh, il n'avait pas une bien grosse ambition, il ne voulait pas tout, mais puisqu'il pensait qu'il y avait soit du bon or, soit des pierres, soit des armes, il prélèverait sa part ni vu ni connu, dût-il rester planqué là-bas, y coucher, pisser et le reste pendant des jours.

Au fond, il ne savait pas trop ce qui lui plaisait le plus dans toute cette histoire : l'appât du gain un peu, l'excitation de l'entreprise sûrement, faire bouger sa vie, ça oui, emmerder son père totalement. Au fil des années, il avait développé une haine pleine pour cet homme qui prétendait régir sa vie, il n'aimait pas la façon dont il se frottait les mains avant de passer à table, il détestait son air suffisant quand il s'adressait aux autres, n'importe quel autre, qu'il soit clochard, chasseur de fauves ou ministre de la République, il vomissait le regard de surveillant de dortoir qu'il posait en permanence sur sa mère. Il haïssait l'idée qu'il pût poser la main sur elle, en fait c'est ça qui le rendait le plus dingue.

À un moment, il avait pensé partir, quitter le continent et atterrir en Australie pour y mener la vie qui lui ressemble : avaler les grands espaces, guider les gogos dans le bush, chasser l'antilope sur des kilomètres de terre rouge et sèche, accroché à une jeep qui dévorait des kilomètres de piste. Loin, loin de tout ce vert, de cette humidité, de ce trop-plein d'eau. Un endroit où l'on a soif, où avoir soif signifie qu'on est vivant, où la vue se perd dans une éternité de paysages lunaires. Oui, à un moment il en avait rêvé, et puis il était resté prisonnier de ces lianes qui lui barraient l'horizon et il avait la rage.

Il arrêta sa marche, les oreilles ouvertes sur un craquement. Les voix n'étaient pas loin, quelque part à sa droite, elles venaient vers lui. Visiblement ces gens-là ne se cachaient pas, il attendit.

– Tiouca, il faudra qu'on parle quand même.

Puis, plus tard :

– On arrive, ne faites pas de bruit, je pense que mon frère est là.

Un éclat de rire. Jonathan se demanda s'il fallait tout simplement aller vers eux et les accompagner. Il décida que non et se cala sur une énorme racine, il attendrait. Il attendrait qu'ils fassent leur petite visite et qu'ils s'en aillent, il n'avait aucune envie de participer à leur équipée mortifère qui ne servait à rien d'autre qu'à subir les regards bêlants de la grosse Lune dont il avait reconnu la voix. Tiouca devait être là avec Félicité et la petite Marie. « La nouvelle famille ! », pathétique. Ça allait foutre un beau bordel à Campan, sûrement Félicité allait s'acheter une conduite et, comme tant d'autres, Jonathan ne serait plus le bienvenu dans son lit. Au fond, il s'en contrefichait. Il posa la tête sur le tronc de l'arbre, renifla pour repérer l'odeur d'un éventuel nid de fourmis et prit ses aises avant de s'endormir.

C'est un souffle léger qui le réveilla. Il faisait encore nuit, mais le ciel n'allait pas tarder à s'ouvrir pour accueillir le petit matin, l'aube incertaine des jours de pluie. Une bête, une branche qui ploie sous le poids d'un mouton paresseux, les sons feutrés de la forêt qui s'éveille, transpercés par des stridences tout là-haut, dans les grands arbres. Il avait froid, même si pendant la nuit il s'était emmitouflé dans sa veste militaire, il aurait bien donné un peu de son futur magot pour un café brûlant. Il fit le vide dans sa tête, les autres étaient sûrement repartis, il pouvait bouger. Il arracha une bouchée à son sandwich, le remballa, hissa son sac sur ses épaules et pissa contre un arbre avant de reprendre sa progression, on n'y voyait goutte. Quand il reçut le coup sur le crâne, il pensa d'abord qu'il avait heurté de plein fouet la branche d'un arbre, cela lui arrivait souvent quand il était petit et il n'avait aucune vision périphérique au-delà du front. Une fois, il avait même saigné, mais là, en s'effondrant, du coin de l'œil il aperçut une, deux, trois, dix ombres qui sortaient de la touffeur et se découpaient sur le ciel blanchissant. Puis il ne vit plus rien.

*

Elle était suspendue au bout d'un fil qui s'accrochait à une composition diaphane et compliquée. Elle tournait au-dessus de lui, immense, menaçante, il était mort de trouille. Il était sûr que c'était une araignée géante, mais chaque fois qu'elle se rapprochait de son visage, il distinguait parfaitement la bouche écarlate, le nez pincé et les yeux verts de sa mère. Parfois sa bouche s'ouvrait pour le mordre, mais elle ne crachait que des mots d'autrefois, elle hurlait ou encore riait grassement. Il était terrorisé.

C'est ce rire qui accueillit son retour au réel, il mit du temps à accommoder ses pensées. Le rire était tonitruant et venait d'une gorge bien masculine, d'ailleurs il s'éveillait en pleine hilarité partagée, entrecoupée de phrases qui arrivaient de partout autour de lui. On parlait espagnol et la première chose qu'il constata c'est qu'il n'arrivait pas à soulever les paupières, ni à ouvrir la bouche. Il avait du mal à respirer et la douleur qui lui battait les tempes n'était sûrement pas un cauchemar. Il tenta de se redresser pour vomir, impossible, il avait les mains liées derrière le dos. Il essaya de se lever, impossible, il avait les chevilles attachées, serrées l'une contre l'autre. La panique arriva comme un tsunami, incontrôlable. Il allait s'étouffer avec son vomi, mourir étouffé. Il hurla dans son bâillon et s'agita comme un diable dans une bombe de fer-blanc. Même si son cœur explosait, il allait péter ses liens, il lui fallait de l'air, il allait tuer le vent, se consumer de rage, il allait pleurer. De l'eau s'accumulait sous le truc qui lui clouait les paupières, il hurla, muselé, arc-bouté. Presque debout, retomba, trouva un appui et s'assit.

Un premier coup de pied lui percuta les côtes, un deuxième au plexus lui coupa le souffle, un troisième pour l'équilibre côté gauche, et là, Jonathan se dit qu'il fallait juste se concentrer sur sa respiration, lentement, régulièrement, pour ne pas mourir.

Les voix et les rires étaient suspendus au sifflement qui lui brûlait les narines. Il se lova en position fœtale, la joue posée sur une écorce rugueuse, l'humidité de la terre traversait ses vêtements, il n'était plus qu'une immense blessure. Inspirer, expirer, inspirer, expirer, chaque respiration réveillait une douleur insupportable. Ne pas bouger, inspirer, expirer. Les voix avaient retrouvé leur conversation, Jonathan comprenait les mots sans parvenir à leur donner un sens, il fallait se concentrer, repousser la douleur et écouter.

À peu près, ils n'étaient pas d'accord sur le sort qu'il fallait lui réserver. Ils parlaient espagnol :

– Lui ouvrir la gorge d'une oreille à l'autre.

– Et faire quoi du corps ?

– On le laisse plus loin dans la forêt, les bêtes vont s'en charger.

Gros rires.

– On a laissé assez de traces.

– On le planque dans un coin, on finit le travail et on se casse, il nous connaît pas.

– Et si on doit attendre longtemps, on se fait chier avec lui ?

Un chuintement, quelque chose qu'on déplace.

– On a trop de trucs à faire, il faut que la vieille soit dégagée pour qu'on s'installe.

– Le convoi sera là dans deux jours max, d'ici là on verra, ils sont où les militaires ?

Silence.

– Partout dans la forêt, mais surtout vers Awala.

– Merde.

Des pas qui soulèvent des odeurs d'humus et de terre, on l'attrape par les pieds, par les bras, on le balance comme un paquet avant de le jeter contre une surface dure, il croyait savoir où il était. Son visage s'écrasa sur les feuilles humides qui tapissaient la terre, « il y a un rocher, le premier de l'éboulis qui mène à la grotte ». Il était coincé dans une sorte de terrier, comme un rat. Son estomac gargouilla au-dessous de la douleur, comme un vague souvenir. Il avait soif et les larmes avaient commencé à décoller le sparadrap sur ses paupières.

# 36

Marie n'arrivait pas à se concentrer, d'habitude les divisions à deux chiffres ne lui résistaient pas, mais aujourd'hui, après une nuit agitée où un sommeil peuplé de chrysalides éthérées la visitait par intermittence, elle peinait à garder les yeux ouverts.

« 269 divisé par 48, ou 26 divisé par 4. » Elle posa son stylo et jeta un œil sur sa voisine, la grosse Bertha bouffait du papier et écrivait à toute allure, c'était déprimant. Cela faisait bien trois fois que le maître passait près de son pupitre et penchait sa tête d'oiseau sur sa feuille vierge. Le contrôle de maths lui était tombé dessus comme une catastrophe et Félicité allait lui passer un savon comme elle savait si bien le faire, avec dans les yeux ce truc insupportable qui disait à Marie « Je suis pas à la hauteur. Malgré tout l'amour que j'ai pour toi, j'arrive pas à te montrer le chemin. »

C'était trop lourd pour elle, elle aimait bien Félicité même si ce n'était pas sa mère et qu'elle pouvait respirer quand elle la regardait sans cette douleur de tendresse qui lui attrapait le cœur. Elle voulait que Félicité la garde près d'elle malgré la présence encombrante de Tiouca qui semblait avoir pris racine chez elle.

En suçotant son crayon, elle promena son regard dans la salle de classe, on entendait voler les mouches et tous ses camarades, presque tous, étaient penchés sur leur copie.

Tous, sauf Agathe, la nouvelle, qui fixait le mur d'un œil morne, comme si la solution allait s'inscrire en lettres de craie sur le tableau noir.

Dehors, la pluie fifinait paresseusement et l'heure tournait.

– Attention les enfants, il vous reste une demi-heure. Concentrez-vous sur ce que vous savez faire et laissez de côté ce que vous n'avez pas compris. Marie, la fenêtre ne te donnera pas les réponses !

Le maître arpentait la salle, slalomant entre les bancs. Qu'est-ce qu'il pouvait l'agacer celui-là ! Elle pensa à son père qui allait rentrer bientôt avec une paye qu'il s'empresserait de liquider au bar du coin, où il faudrait aller le chercher pour le ramener à la maison. Elle ne voulait pas y retourner, c'était quand même sa maison mais elle ne voulait plus y retourner. Au sortir de l'école, elle faisait toujours un détour pour éviter le jardin délaissé depuis la mort de sa mère. Félicité avait bien proposé d'aller donner un coup de sécateur aux fleurs abandonnées et de rafraîchir le gazon qui tournait fou, elle avait refusé.

D'ailleurs, tout lui rappelait Elsa, l'école, la jungle, ses copines avec lesquelles elle ne partageait plus rien ; elle avait compris que quand on enterrait sa mère on devenait une étrangeté qu'on ne fréquentait pas avec les mêmes mots, les mêmes gestes. Parfois, elle avait envie de hurler pour que bougent les ombres autour d'elle, mais ça non plus elle n'y arrivait pas.

Un jour elle partirait, elle emmènerait Félicité, elle partirait dans un monde qui ne connaissait pas Elsa, comme ça elle n'emporterait que le sourire. Elle soupira.

« 4 fois 6 égale 24, non c'est pas comme ça. »

La porte de la salle de classe s'ouvrit brutalement sur la mine effarée de la directrice, elle était talonnée par un grand type en uniforme avec un béret sur la tête. Tournant le dos à la salle, elle engagea une sorte de conciliabule avec le maître et le silence studieux explosa. Même la grosse Bertha arrêta d'écrire et chuchota comme les autres.

– On dirait la guerre, tu crois pas ?

– Pourquoi tu dis ça ?

– Parce que c'est un militaire.

– Tu crois qu'on va arrêter le contrôle ?

Toute la classe murmurait, en ébullition, et quand la directrice quitta la place, il semblait totalement impossible de calmer les élèves.

– M'sieur, m'sieur, il se passe quoi ?

– On peut sortir ?

– Il faut que j'aille voir ma mère !

– On renvoie le contrôle, m'sieur ?

Tête d'oiseau tapotait énergiquement sa règle sur son bureau.

– Personne ne bouge, on fait silence, je ramasse vos copies dans un quart d'heure. Et, précision, il n'y aura pas de récréation ce matin, vous êtes consignés dans la classe. On se tait ! N'oubliez pas, hurla-t-il, que cette note comptera pour le passage en septième !

# 37

Il était parti, il était enfin parti. Par la fenêtre ouverte, Suzanne apercevait la cascade des arbres qui dévalait le morne, le soleil était haut dans le ciel voilé, pourtant il était à peine 8 heures et la femme de ménage avait déjà toqué à la porte. Suzanne se précipita dans la salle de bains et s'imposa une douche vigoureuse ; quand elle mentait, elle allait mieux, elle se retrouvait dans une ouate molle qui la trimballait de l'aube au coucher du soleil, mais là, elle n'avait pas menti.

Elle ouvrit le robinet à fond, l'eau giclait sur ses épaules, elle ferma les yeux et dirigea le jet sur son visage. Ça, c'était pour la gueule de bois.

Elle avait tout dit à Lionel.

Il l'avait enfin eue, sa fameuse conversation, il l'avait voulue il l'avait eue, et plus elle s'énervait, plus son visage à lui devenait gris, plus ses traits, tirés vers le bas, lui composaient un masque mortuaire. Elle s'était apaisée en lui assénant tous les détails d'une voix atone qui s'échappait comme une vieille eau sale. Elle s'était prise à raconter l'histoire comme si ce n'était pas la sienne, avec des détails et des mots précis qu'elle ne reconnaissait pas. Elle lui avait dit les yeux de Jonathan contre les siens, la violence de la force physique de son fils, son poids sur son corps, son incapacité à traduire ce qui lui arrivait, son immobilité, son silence, le regard jaune égaré, sa tête qui partait... Lionel avait baissé les bras sur les accoudoirs du fauteuil puis, comme s'il ne savait plus quoi faire de ses mains, les avait nouées en un poing serré pour y poser la tête. Ses yeux brillaient quand il avait relevé le front. Elle avait cessé de parler depuis un bon moment quand il lui avait asséné d'une voix blanchie par l'effort :

– Ma pauvre Suzanne, tu es complètement folle, complètement folle. Je savais... (Il balbutiait.) Je ne m'étais pas rendu compte à quel point tu perdais la tête. Comment oses-tu... (Sa voix se cassait.) Comment as-tu pu imaginer une pareille horreur, ton fils... Il faudra (il se levait, s'agitait en long en large, la chambre devenait trop petite), il faudra... (il posa ses mains à plat sur ses épaules, c'était repoussant) on ira consulter, j'ai une adresse. Un très, très bon médecin. Il faudra qu'on parte à Paris, on ne peut pas faire ça ici.

Puis, comme s'il étouffait, il s'était jeté sur la porte et avait disparu dans le couloir.

C'était il y a quelques minutes ou une heure, ou deux.

Elle se brossa énergiquement les dents. Elle n'avait jamais été aussi déterminée, elle devait voir Élisabeth ou Alakipou, elle ne savait pas très bien pourquoi mais il fallait qu'elle les voie l'un ou l'autre.

Lionel n'avait pas cru un mot de ce qu'elle lui avait révélé ; elle avait lâché ses tripes, ouvert les vannes sur ses angoisses, sur l'indicible, et il ne l'avait pas crue. Elle savait ce qu'il mijotait : il allait l'enfermer, plus encore, la faire enfermer. Il lui avait craché à la figure qu'elle était folle. Était-elle folle ?

Elle enfila ses vêtements à toute vitesse, pas de maquillage, pas de robe, pas de sandales à talons compensés, un pantalon, un tee-shirt, des mocassins, une urgence. En attrapant son sac elle fut saisie d'un tel tremblement qu'elle dut s'asseoir. Sur le lit défait s'étalait le pyjama de Lionel, et tout se mit en ordre : il fallait plier ce pyjama, le ranger correctement dans un des tiroirs de la commode qu'elle aurait préalablement soigneusement inspecté pour en chasser toutes les bestioles et les moisissures qui avaient dû le coloniser. Après, elle verrait si elle avait besoin d'un café ou d'un thé pour ouvrir la journée.

On frappa à la porte.

– Il y a quelqu'un pour vous en bas, madame.

Elle suspendit son geste, reposa le pyjama et entrebâilla la porte.

– Qui est-ce ?

– Je crois, la dame qui vous a déposée l'autre jour, elle est en bas, elle dit…

– J'arrive !

La main sur la poignée, son regard fit le tour de la chambre, s'arrêta sur le pyjama dont une des manches pendait sur le tapis. Elle était satisfaite. Elle referma doucement la porte et descendit rejoindre Élisabeth. Depuis l'escalier elle tendit les mains pour serrer la visiteuse dans ses bras, elle se sentait forte et puissante, et un peu coquine aussi.

– Chère, chère Élisabeth, juste au moment où j'avais une folle envie de vous revoir tout en réalisant que je n'avais même pas votre téléphone. Bref, je désespérais de pouvoir vous joindre et vous voilà. C'est charmant, n'est-ce pas ? (Elle l'entraînait vers les tables du petit déjeuner.) Vous partagez un café avec moi ? Non ? Non ! Je vois à votre mine perplexe que vous avez un autre projet pour moi. C'est trop chouette, je vous suis, je vous suis. Je suis tout à vous. (Elle se pencha.) En fait j'ai besoin de vos conseils. Ha ! ha ! J'ai bien peur que nous ne devenions inséparables, vous avez été tellement, tellement… bonne avec moi hier, mais je sais comment vous remercier. (Elle prit un air mystérieux.) J'aurai un joli cadeau pour vous, il me vient de ma mère. (Elle franchit la porte sans s'inquiéter du silence de sa visiteuse et se dirigea vers la voiture.) Vous conduisez bien sûr, moi je ne suis pas très douée au volant. Remarquez, c'est pas comme si ça m'empêchait de vivre, je me débrouille toujours, vous voyez. Ha ! ha !

– Madame Gandri, en fait…

– Oh non, vous m'appelez Suzanne quand même.

– En fait Suzanne, j'étais juste venue vous ramener votre foulard que vous avez dû oublier hier dans la voiture.

– Merci, merci, mais pas du tout, pas du tout, on est ensemble, on va faire les folles !

– Parce que je dois être au collège dans vingt minutes, j'ai juste fait le détour. Je vais travailler, Suzanne.

– …

– Faites pas cette tête, je vous promets de revenir après mes cours vers 5 heures, ça vous va ?

Suzanne aspira la fébrilité autour d'elle, enferma son rire dans un grand silence et claqua la portière.

– Suzanne ?

– Je ne serai plus là à 5 heures.

– Dites-moi où vous serez, je viendrai vous rejoindre, c'est pas bien grand Campan vous savez.

– Non, je sais pas, je sais pas où je serai, je n'ai nulle part où aller.

– Bon (l'autre soupira), on va commencer par le commencement. (Elle démarra.) Je vais vous déposer au village, ça vous fera du bien de voir du monde, O.K. ?

– …

– Oh oh, allô ! la communication est coupée là ?

– …

– Il s'est passé quoi hier ?

– Rien. Rien du tout.

La vieille voiture cahotait, Suzanne regardait défiler la vie des autres par la vitre, tous ces gens qui traversaient la rue, entraient dans les échoppes, s'interpellaient, se croisaient, tous ces gens savaient où ils allaient, chaque matin ils avaient une série de petits objectifs qui permettraient que s'écoule la journée jusqu'au soir où ils reposeraient leurs corps fatigués dans une petite mort de huit heures, ensuite le moteur pourrait repartir et *ad libitum* jusqu'à ce que mort s'ensuive. Son moteur à elle tournait à vide, elle n'allait nulle part et ne méritait pas son sommeil.

Elle regarda Élisabeth.

– Juste, je lui ai raconté, comme vous m'aviez conseillé.

Élisabeth freina, deux hoquets et la voiture s'arrêta.

– J'ai jamais dit qu'il fallait tout lâcher n'importe comment.

– C'était pas n'importe comment, j'avais bu.

Élisabeth enclencha la première, seconde, troisième, insulta un vélo qui lui barrait la route et considéra longuement la rue familière, les gamins en uniforme qui se dirigeaient vers leur école et formaient des paquets bavards et énergiques.

– Excusez-moi Suzanne, on ne se connaît pas, je vous trouve très… sympathique, mais je ne veux en aucun cas être mêlée à votre vie privée. Avant-hier vous m'auriez écrasée sur le trottoir sans me saluer !

L'autre secouait la tête, énergiquement :

– Ce n'est pas vrai ! D'abord, je ne conduis pas, ensuite je ne risquais pas de vous croiser ; je vous rappelle que je ne vis pas à Campan, par conséquent… (Elle s'arrêta et pouffa en regardant Élisabeth.) Vous faites très maîtresse d'école là, ça vous va pas du tout. (Elle avait sérieusement besoin d'un café.) J'ai besoin d'un café (coup d'œil à sa voisine) en plus… Je m'en fous de ce que vous pensez, je sais que vous êtes mon amie comme je sais que je suis une enfant gâtée. Il y a des trucs sûrs, pas négociables… et même ma seule amie… ha ha je les ai bien eus ! J'ai réussi. Lionel m'a toujours bassinée avec ça, « t'as pas d'amis, t'as pas d'amis », comme si ça se trouvait sous le sabot d'un cheval. (Elle eut un sourire charmant.) C'est une expression de mon père, il était magistrat vous comprenez, il avait, je crois, le sens du verbe…

– Il avait, je crois, le sens du verbe ! imita Élisabeth en secouant la tête. Vous en avez beaucoup des comme ça ?

– Au lieu de vous moquer… j'ai bu hier avec un homme !

Élisabeth soupira.

Mais qu'est-ce qui faisait qu'elle avait le sentiment avec cette femme de continuer une conversation commencée il y a des années et peut-être avant ? C'était quoi cette étrange intimité qui ne s'accrochait à aucun souvenir, aucune fraternité, aucune expérience partagée, rien que le hasard d'une rencontre ? Elle passa en revue les visages de Maé, Natie, Bertha, Élie et Max, ils étaient toute sa vie. Avec eux, elle ne se posait pas de questions ou plutôt elle se les posait toutes, et s'agrippait à leur moindre sourire, ou malaise, ou bonheur, elle modelait chaque jour autour d'eux, c'était full-time job et l'expression d'un miracle. Ce qu'elle avait pour eux n'était pas un gros truc divisé par cinq mais un gros truc multiplié par cinq et pourtant chaque fois, à chaque naissance, elle ne pensait pas pouvoir aimer davantage, chacun prenait toute la place, ça marche pas en mathématiques : x égale l'infini, 2x égale 2 infinis...

– Vous entendez ? J'ai bu hier avec un homme et c'était pas Lionel.

Et cette pauvre femme était là, à se débattre dans un non-amour qui lui séchait le corps. Voilà, elle avait besoin de se remplumer, de prendre le gras de la vie, d'ouvrir ses poumons, de dévorer un touffé de requin avec des alokos, de crier sous les coups de boutoir d'un homme, voilà ce qu'il lui fallait.

– Vous savez qui c'était au moins ?

– Il m'a dit qu'il s'appelait Alakipou et je veux le revoir.

– Oh non !

Une interjection spontanée, entre le refus, l'épouvante, la mise en garde et la lassitude, mais Suzanne n'écoutait pas :

– Ça vous en bouche un coin, hein ? D'ailleurs je vous signale que vous êtes en train de rater votre cours, vos collégiens doivent vous attendre, fit-elle en tripotant sa montre. En fait ils vous attendent plus, je vous fais un mot d'excuse. (Elle souriait.) Et vous m'emmenez voir Alakipou.

Élisabeth caressa la petite lumière qui dansait dans ses yeux, ce n'était pas tout à fait la même femme qu'elle avait ramassée il y a deux jours sur la route de Campan. Elle secoua la tête, l'Éducation nationale ne la payait pas pour secourir une petite bourgeoise qui sombrait dans la vacuité et l'ennui.

– Vous savez ce qui vous manque Suzanne ? Je devrais pas vous dire ça, mais quand même, il vous manque une occupation, quelque chose à faire le matin quand vous vous réveillez, on peut ne pas être très intéressant pour soi et faire des trucs pour les autres. (Elle roulait lentement, son itinéraire l'écartait délibérément du collège, sa voisine triturait le foulard qu'elle lui avait rendu.) Non mais sans déconner je parle sérieusement, y a plein de gamins qui ont besoin qu'on les accompagne. Regardez, ils traînent dans la rue, c'est là qu'ils apprennent à vivre. Vous pouvez donner des cours quand vous venez ici, des cours de rattrapage. Je suis sûre que le père Ponchin vous prêterait le presbytère pour ça, non ? Ça vous dit pas ? (Suzanne se cala sur son siège.) Ça serait utile et ça vous occuperait.

– Les seuls cours que je peux donner sont des cours de piano, de toute façon je ne saurai pas et je n'ai pas envie.

– Du piano… (Élisabeth secoua la tête.) Et ça leur servirait à quoi à ces mômes qui ne savent pas lire pas compter, c'est n'importe quoi !

– Pas du tout ! fit Suzanne énergiquement, pas du tout, la musique ça donne des couleurs à la vie, sans quoi c'est tout noir ou tout blanc, on mange ou on ne mange pas, on travaille ou on ne travaille pas, on aime ou on n'aime pas, on est malade on est en santé, on a de l'argent ou pas, vous voyez…

Élisabeth négocia un virage et se gara le long du trottoir.

– Ouais, en attendant, dans l'urgence, c'est mieux qu'ils apprennent à lire, vous essayerez ?

Suzanne regarda autour d'elle, on était où là ? Les rues étaient devenues bruyantes et s'excitaient dans la chaleur qui montait avec le soleil, ça sentait la cannelle et la crotte de chien, elle avait entendu dire par Lionel que le préfet allait prendre un arrêté pour débarrasser les villes des chiens errants qui devenaient de plus en plus agressifs, dans certains coins ils attaquaient les humains. Elle imagina des battues nocturnes à la lueur des flambeaux, les hommes armés de coutelas, mâchoires serrées, luttant crocs à crocs avec les bêtes faméliques, du grand n'importe quoi.

Elle se demandait où les autorités allaient les mettre, ces chiens qui se battaient avec les plus pauvres pour arracher un quignon au quotidien. Il y avait sans doute beaucoup à faire pour aider la vie, mais elle se sentait trop… à part ? marginale ?

Elle balaya la question d'une main distraite.

– Peut-être j'essayerai, je vais réfléchir, mais d'abord je veux voir l'Indien Alakipou. C'est quoi son nom de famille ?

– Imprononçable le nom.

Elle claqua la portière et se retrouva sur le trottoir avec Élisabeth qui lui désignait une enseigne : « Chez Félicité on trouve tout ».

– On va voir Félicité, elle sait toujours tout ce qui se passe. Alakipou n'a pas de domicile fixe par ici. (Elle marqua une pause.) En plus, Suzanne, c'est pas un type fréquentable. On dit des choses…

– Comment ça pas fréquentable ? Il a l'air très ami avec Mireille, il est très cultivé et agréable. Il fait quoi dans la vie ?

Elles pénétrèrent dans le magasin, d'un coup Élisabeth avait l'air pressée. Dans la pénombre, il y avait des gens qui farfouillaient dans les tissus, dans les casseroles, les calicots, et une femme aux formes généreuses était penchée sur un baril de viande salée, elle servait une cliente, à la louche.

– C'est Félicité, je vous la présente, vous lui demandez, moi je me jette au collège pour ma deuxième heure de cours, en essayant de trouver une excuse pour la première, et si vous voulez on se retrouve ici à 5 heures. (Elle s'enfonçait dans le magasin.) Elle est sympa Félicité, c'est une des… (elle mima des guillemets dans l'air étouffant) « copines » de mon mari. (Elle rigolait.) Bonjour tout le monde ! Félicité, mon amie Suzanne cherche Alakipou, tu l'aurais pas vu par hasard ?

– Il sort d'ici, fit l'autre en pesant un paquet de salaison. Cela vous fera 3,75 euros, s'il vous plaît. Il m'a pris du café, du pain et du martini, apparemment il a installé ses quartiers chez Lulla. En tout cas, il est là en ce moment, c'est à deux portes. Je peux même pas vous offrir un kawa, j'ai trop de monde ! cria-t-elle en s'engouffrant dans l'arrière-boutique.

# 38

Par chance le téléphone fonctionnait ce matin, en même temps quand c'était le cas il y avait une telle surchauffe sur les lignes qu'on avait parfois du mal à obtenir la tonalité. Alakipou avait déjà tenté de joindre Douna. Il avait le numéro de l'école là-bas mais la sonnerie s'égosillait dans le vide ; il était tôt le matin et après la nuit passée à festoyer sur la plage du fleuve tout le monde devait dormir ou soigner sa gueule de bois. Il avait également essayé le portable de Julie. Si tout s'était déroulé normalement, elle ne devait pas être très loin de son frère et elle faisait partie de ces gens qui se jetaient sur la moindre prise de courant pour recharger la batterie de leur téléphone. Mais là non plus : rien.

Il alluma la cafetière, chercha le sucre dans le frigo. Ce matin, Félicité lui avait confirmé qu'elle s'occupait du médecin. Une fois le constat fait, il pourrait évacuer la vieille et libérer l'espace. Ici on ne traînait pas pour enterrer les morts, la vie travaillait à toute allure à la décomposition des corps. Vraisemblablement il n'y aurait pas de veillée, donc tout cela pouvait se faire discrètement. Cela arrangeait bien ses affaires. Pour l'instant, l'info des retrouvailles et du décès de la grand-mère de Félicité ne battait pas encore le pavé, mais c'était un miracle qui n'allait pas tarder à s'évanouir. Il faudrait que l'enterrement se déroule avant que l'on se pose la question de savoir où et comment elle était morte, sinon on s'embarquait dans un fouillis administratif qui allait pourrir l'ambiance et réveiller le zèle de tous les représentants de l'ordre qui pullulaient à Campan en ce moment.

Il s'installa face à la fenêtre, sa tasse fumante à la main, il avait une vue imprenable sur la rue, c'était un bon choix qu'avait fait Lulla de s'installer ici, en fait pas du tout un gourbi. La pièce n'était pas grande mais elle avait été complètement ravalée, couverte de bois blanchi à la chaux du sol au plafond, meublée de rien : un lit, un fauteuil à bascule, une large tablette posée sur des tréteaux, un coin douche-cuisine avec un mini-réfrigérateur qui contenait deux bananes pourries et un morceau de beurre. Cela lui avait permis de prendre un vrai petit déjeuner qui lui rappelait son enfance avec son père, l'arôme du café parfumait ses souvenirs. Il savait qu'il allait y arriver, les militaires lâchés dans la brousse n'étaient pas vraiment un problème, il leur donnerait la poule pendant que le cochon mijotait dans l'arrière-cour.

– Alakipou, vous êtes là ?

La voix venait d'en bas, il se pencha à la fenêtre, c'était bien Suzanne qui l'interpellait. Il regarda sa montre. En préparant une deuxième tasse de café, il se dit que finalement tout se déroulait avec une fluidité qu'il avait cru perdre cette dernière semaine.

Suzanne s'était emparé du fauteuil à bascule, elle n'avait fait aucun commentaire à son invitation à monter le rejoindre. Cette femme l'étonnait un peu quand même, vu la fonction de son mari et l'usine à rumeurs qu'entretenait le moindre regroupement de plus de trois habitants de ce village, il la trouvait assez culottée d'installer sa réputation dans la garçonnière d'un type qu'elle connaissait d'hier.

Il resta debout et avala une gorgée. Pour l'heure, elle avait l'air d'apprécier fortement le breuvage qu'elle dégustait à petits coups :

– J'en mourais d'envie, je n'ai pas eu le temps ce matin. (Elle maniait ce langage un peu précieux qui installait naturellement une certaine distance avec ses interlocuteurs. Ce n'était pas tant les mots que la manière dont elle les proposait. Il la laissa venir, après tout c'est elle qui avait cherché à le voir.) Hier soir, j'étais très très soûle, et je voulais m'excuser. (Sa voix descendit dans les contraltos.) Je ne sais pas ce que je vous ai raconté, je ne me souviens plus, je ne sais pas trop non plus ce que j'ai fait avant que mon mari ne me ramène.

Il posa sa tasse sur l'unique table et s'assit au bord du lit, elle avait l'air moins lisse qu'hier. Son visage était nu et on ne voyait plus que ses yeux, même ses cheveux s'indisciplinaient autour de son front.

— Vous avez joué du piano, c'était magnifique, c'est ce dont je me souviens. Je me souviens aussi que vous croyez être très malheureuse (son regard l'attrapa), et que j'aime votre odeur.

Elle quitta son fauteuil, se posa près de lui, mais à l'extrême bord du lit, droite et raide comme la justice.

— Je ne sais pas faire ces choses-là, Alakipou. Je n'ai jamais appris.

— Vous n'êtes obligée de rien, surtout ne faites rien, j'aime quand vous me parlez et que je rentre dans votre vie par la fenêtre, la porte de derrière, par erreur, par inadvertance. Je serai toujours une erreur pour vous Suzanne, mais une erreur que vous connaissez depuis des millénaires. (Il lui prenait la main.) Nous allons parler et je vous caresserai les épaules, le dos, le ventre, les seins, sans jamais vous toucher… Voulez-vous qu'on essaie ?

Elle fit oui de la tête, son corps disait tout, tout de suite, et tremblait d'un appétit qu'elle ne connaissait pas, mais il ne la touchait plus.

Elle manqua d'air, sa voix s'était réfugiée au fond de son ventre et sa langue pesait des tonnes. Pourtant elle raconta et cette fois ne parla que de Lionel et Jonathan. Parfois il avançait la main vers ses cils ou posait les doigts dans le creux de ses coudes avec une telle douceur qu'elle en aurait pleuré.

— Il est où votre mari, en ce moment ?

Elle soufflait, hagarde, il allait lui dire qu'elle était folle, qu'on n'inventait pas des histoires pareilles, qu'elle n'était pas normale, il allait la jeter comme Lionel… non, ça, c'était Lionel.

Elle se redressa.

– Quelque part avec les militaires. Ils ont envahi la forêt, vous êtes au courant ?

– Voulez-vous qu'on se revoie, Suzanne ?

Elle fixait sa chemise blanche sans ciller, sans bouger les paupières, elle voulait se serrer contre lui, debout pour sentir chaque muscle de son corps, pour presser son ventre, ses cuisses contre les siennes, plonger le nez entre son oreille et son épaule et respirer goulûment. C'est ça qu'elle voulait. Il parlait :

– Alors essayez de savoir tout ce qu'il fait, tout ce que projettent les militaires, pourquoi ils sont là, où ils vont, tout.

Sa voix découpait l'air, sèche, impersonnelle. Il s'éloignait, il était loin, c'était intolérable. Elle se leva, lui attrapa le coude, l'obligea à se lever et se colla à lui tout entière, elle voulait sentir chaque pouce de chair et d'os, chaque filament, chaque tendon ; il y avait sûrement moyen pour que son corps à elle entre au-dedans du sien, là où elle se sentirait bien. Il la raccompagna doucement à la porte et lui dit :

– À demain.

# 39

Julie se réveilla dans une cacophonie qui lui vrillait le crâne. Tout s'agitait autour d'elle, depuis la véranda de l'école elle pouvait voir la plage dans son entier : ce n'était que fébrilité d'empaquetage et de rangement, l'immense table sur tréteaux était débarrassée des restes de nourriture et bouteilles qui formaient des ballots bien serrés attendant d'être embarqués. Elle se souvint de s'être endormie sur l'épaule de Douna qui pour l'heure avait disparu. Visiblement, on pliait bagage. Elle avait un urgent besoin de deux choses, un café et se laver. Pour le café, elle ne voyait rien à l'horizon qui lui permette d'en espérer un, elle partit donc à la recherche d'un lavabo, il devait bien y avoir des toilettes dans cette école. Elle trouva ce qu'elle cherchait après avoir traversé une cour déserte et emprunté un couloir aveugle qui sentait l'eau croupie. Des chiottes, quatre lavabos, l'endroit était propre, elle anticipait avec délice le confort de se soulager ailleurs que dans de maigres buissons. Depuis quand ne s'était-elle pas assise sur une vraie lunette de chiottes ? Quatre, cinq jours. Quelque part un téléphone sonna.

Elle posa son barda, en sortit un paréo qu'elle humecta, se défit de ses vêtements, ouvrit un robinet, et entreprit de frotter chaque centimètre de peau. Dans le miroir au-dessus du lavabo, son reflet lui parut étranger, la peau cuite, les cheveux en bataille, le torse tout blanc de n'avoir pas été exposé. Elle se massait énergiquement les gencives et les dents avec le doigt quand son ombre se doubla d'une silhouette :

– J'ai du dentifrice si tu veux !

– Waouh, le luxe ! Tu étais passée où ?

Maïla lui tendit un tube :

– Oh, ici et là, mais j'ai toujours su où tu étais et ce que tu faisais. En fait je te suivais des yeux tout le temps, sauf cette nuit. J'ai… C'est un truc dément qui nous arrive Julie. Je n'y comprends rien, mais c'est extravagant non ?

Julie s'enferma dans les toilettes : elle avait besoin d'une pause, ses muscles étaient douloureux de sa nuit passée agrippée au sol de la véranda. Elle avait cru tenir Douna dans ses bras mais il n'était plus là. Elle n'arrivait pas à se détendre, la présence de Maïla la ramenait à une époque où tout ce qu'elle vivait aujourd'hui n'existait ni dans ses rêves, ni dans son quotidien. Cette histoire n'avait ni queue ni tête, elle voguait hors du temps, hors de l'espace, en tout cas du sien, et finalement c'était assez déconcertant : il ne se passait rien en fait, mais ce rien pesait lourd. Elle commençait à saturer, la magie était rompue, elle avait envie de rentrer chez elle et ranger tout cela dans la boîte à souvenirs.

Elle tira la chasse, enfila ses vêtements. Maïla était debout, s'observant dans le miroir avec gravité. Elle était toujours aussi belle, d'une beauté décalée, sa bouche avait doublé de volume et ses yeux s'enfonçaient dans des cernes qui lui mangeaient les joues.

– Je crois que j'ai envie qu'on rentre. (Julie se sentait rassurée par sa silhouette familière, elle continua.) Cette nuit, tu disais quelque chose sur cette nuit ?

Elles avançaient toutes les deux dans la cour et entendaient dans le lointain monter une sorte de rumeur.

– Qu'est-ce qui se passe ?

Elles coururent jusqu'à la véranda. De partout arrivaient des hommes, des femmes qui envahissaient la plage, ils avaient des paquetages sur le dos mais surtout, ce qui était impressionnant, c'était un énorme chariot recouvert d'une bâche qui semblait être le centre du convoi. Dans les effusions, accolades et embrassades qui suivirent, Julie se prit à compter le nombre de traversées qu'il faudrait pour passer de l'autre côté. Elle n'avait vu que deux bateaux, et au bout du compte, en additionnant les nouveaux arrivants aux anciens, on arrivait bien à deux ou trois cents personnes, sans compter le contenu du chariot qui devait bien remplir une barcasse à lui tout seul.

Douna et la Hollandaise traversaient l'esplanade. Ils avaient l'air très occupés à slalomer entre les petits groupes. Visiblement, lui connaissait pas mal de monde, s'arrêtant, discutant, enveloppant de sa grande main une épaule, un bras.

Julie se demanda ce qu'il fichait avec cette femme improbable qui semblait lui coller aux basques.

– C'est dingue, Julie, tous ces gens !

Elle dévorait déjà la plage à grandes enjambées, si tout ce monde était là, venu de loin, ce n'était pas pour passer un dimanche au bord du fleuve et repartir avant que l'école ne rouvre ses portes le lendemain. Elle attrapa Douna par la manche, le secouant d'une avalanche de questions et d'exigences :

– Je vais traverser avec le premier bateau, je veux partir d'ici Douna. Tout ce monde, vous êtes dingues. Les flics de tous les pays à huit cents kilomètres à la ronde doivent être au taquet.

Puis elle vit arriver deux, trois, quatre bateaux qui commençaient à entasser bagages et voyageurs. Le chariot semblait bénéficier d'un régime spécial, il fut le premier à être embarqué avec un homme au front fuyant qu'accompagnait un groupe de jeunes qui se disputaient bruyamment les places autour de la cargaison.

– Un jour tu vas m'expliquer tout ça, hein Douna ?

C'est à peine s'il la regardait, il répondait à mille questions qui fusaient autour de lui, et semblait improviser une organisation. Toutes les femmes qui avaient partagé le week-end avec Julie et Maïla s'étaient regroupées au bord de l'eau, chacune découvrant l'urgence de partir. Maïla avait sorti son appareil photo et mitraillait la scène.

Sur le fleuve, la brume se déchirait mollement, laissant entrevoir de l'autre côté des bouts de terre accablés de chaleur. La journée allait être torride et sans nuages, les filles prenaient la pose. Pour la première fois, Julie les compta, elles étaient une quarantaine, yeux bridés, masques africains, pommettes slaves, nez aquilins, cheveux raides ou crépus, nattés ou libres, bruns, blonds, roux, courts, longs, quarante-deux avec Maïla et elle. Tout d'un coup, elles avaient vraiment l'air de touristes, un Club Med improvisé avec des tour-opérateurs du dimanche. À quel moment le client payait, combien et comment, c'était en fait la seule question sensée. En face, c'était la France.

Julie éclata de rire, son sac à dos lui sciait l'épaule. Elle le posa aux pieds de Maïla et lança à Douna qu'elle partirait sur le même bateau que lui.

— Alors ce sera le dernier, sourit-il en tournant les talons.

Des oiseaux farceurs tournoyaient en piaillant autour des poubelles, il était impossible qu'un semblant de paix puisse s'emparer à nouveau de cet endroit.

Maïla tomba à côté du sac, elle avait l'air vannée et s'amusait à décoller les grains de sable de ses cuisses :

— Vous vous entendez bien… tu as passé la nuit avec lui ?

— Plus ou moins. Quand je me suis réveillée, il était parti.

— Moi, ils sont restés.

— Comment ça, *ils* ?

— Oui ils étaient deux, le frère et la sœur, regarde ils sont là-bas.

Elle tendait le doigt vers un couple qui empilait casseroles et écuelles en s'esclaffant. Julie plissa les yeux, elle voyait deux adolescents qui pliaient bagage avec les mêmes gestes, en parfaite synchronisation, ils étaient tellement semblables l'un et l'autre qu'on avait l'impression qu'ils ouvraient un nouveau mystère dans l'univers.

— Ils sont… identiques !

— Julie c'était divin, avec eux j'ai oublié… tout, ils m'ont lavée des péchés du monde, ils m'ont donné un truc que j'avais jamais eu.

– Lavée des péchés du monde, rien que ça ? (Elle haussa un sourcil.) Un peu emphatique pour un plan baise ?

Maïla se crispa :

– Tu n'en as pas marre d'être comme ça, tellement coupante, tueuse de rêves, tu n'as pas de chair, t'as que des os, des trucs durs déjà morts, fossilisés, malades... oui malades, c'est ça, malades !

– O.K., calme-toi. Quand tu auras trouvé quelque chose de bien chez moi tu me feras signe, on sait jamais ça pourrait me faire plaisir.

Elle se déplia. La crique se vidait petit à petit, il faudrait un deuxième voyage des six bateaux pour évacuer tout le monde, les premières barcasses au milieu du fleuve paraissaient minuscules. Ça pétaradait et puait l'essence, donc tout le monde allait bouger, personne ne resterait en terre surinamienne, y compris leurs hôtes.

– Tu t'es protégée au moins ?

Maïla laissa s'installer le silence. Le vrombissement des moteurs disparaissait dans la brume et un commencement de tranquillité descendit sur la crique, le deuxième convoi attendait.

– Tu sais quoi ? Si j'étais enceinte de lui, d'eux, je serais contente, heureuse même.

– Ha ! pardon. (Julie grinça.) Je pensais plus aux maladies qu'aux bébés, mais c'est très intéressant, tu es vraiment complètement folle !

Elle marcha vers le groupe de femmes, chacune d'entre elles consolidait son paquetage, aidées par des garçons qui leur tenaient familièrement l'épaule ou la hanche, tout ce monde avait l'air de se connaître, de se reconnaître, de s'apprécier et de continuer une conversation commencée il y a longtemps. Du coin de l'œil, elle vit les jumeaux se rapprocher de Maïla et l'aider à porter ses affaires. Il y avait partout une sorte de joie intime que Julie ne partageait pas ; même Douna faisait le joli cœur avec la Hollandaise. Elle était seule, comme souvent. Elle n'allait pas se plaindre, elle avait voulu sa vie comme ça. Elle ne savait gérer rien d'autre qu'elle-même, cela lui permettait d'avoir la tête à l'abri des émotions intempestives, et là tout de suite, ses idées se mettaient en place : rien n'était dû au hasard, ce ballet fantasmatique auquel elle participait depuis une semaine avait été soigneusement, minutieusement orchestré, et celui qui tenait la baguette ne pouvait être que le grand absent de ce week-end : Alakipou, qui observait le monde derrière ses lunettes rondes comme un serpent épie sa proie.

Il était clair que le contenu du chariot était précieux. C'était malin d'organiser son voyage à travers l'Amazonie avec des autochtones flanqués de touristes un peu babas pour lesquelles toute expérience qui mettait quelques pincées de spiritualité dans l'eau tiède du quotidien était bienvenue. Oui, il y avait de ça ; mais pourquoi des femmes, que des femmes ? Aucune réponse ne lui paraissait acceptable, même la plus macho qui voudrait que les femmes soient plus faciles à manier. Non, Alakipou n'était pas idiot, il y avait autre chose, mais quoi ?

Le temps passait doucement. La plage était nette, seuls les traces de pas et l'enchevêtrement de sillons dans le sable racontaient la fête de la veille. Tout le monde était affalé près de l'eau pour attendre le retour des bateaux, la Kenyane embrassait un homme à pleine bouche, les filles riaient autour d'elle, appuyées, alanguies sur tout ce que la crique comptait d'Indiens en dessous de 40 ans.

« Tourisme sexuel. » Julie était perplexe : cela ne collait avec rien, rien de ce qu'elle avait reçu d'ici, les auras autour d'eux étaient claires.

– Tu es prête à bouger ? (Douna tendait le doigt vers le large.) Ils arrivent, et tu avais raison, il faudra faire vite, la douane commence à rassembler ses hommes. On aura à peine le temps.

Julie ne lui demanda pas comment il avait eu ces informations, et, désignant la Hollandaise qui offrait un sourire béat au soleil :

– Tu lui trouves quoi à cette pétasse ?

Il se gratta la tête :

– Elle est rigolote, pas compliquée et elle a un beau cul.

C'était comme si elle se prenait une raclée. Est-ce que ce n'était pas elle qui avait dit à Douna de la toucher, de lui faire les choses qu'il voulait ? Est-ce que ce n'était pas lui qui avait refusé, qui l'avait repoussée ? Oui c'est ça, repoussé… Est-ce qu'elle ne s'était pas tout de même endormie en confiance sur son épaule, et il l'avait désertée pour s'envoyer cette blondasse aux dents chevalines ?

– Tu dis trop de choses et trop fort.

Elle réalisa qu'elle avait parlé à voix haute, refusa la main apaisante que Douna posait sur sa cuisse, bizarre ce picotement de rage dans les sinus qui lui mettait de l'eau dans les yeux.

– Je serai là quand tu en auras vraiment envie, mais je crois que ça n'arrivera pas, tu n'as aucun désir pour les hommes. Ne joue pas à te faire du mal.

Elle baissa le nez sur ses grolles crasseuses. C'est vrai que les expériences qu'elle avait tentées avec les garçons s'étaient soldées par un grand fiasco. Elle détestait se faire bourrer par un animal qui haletait dans son dos ou sur son ventre ou sous son ventre. Mais Douna, c'était pas pareil, elle pourrait lui apprendre, le temps de ce voyage. Après, tout redeviendrait comme avant.

– Malgré ce que tu crois, tu n'en as absolument pas envie. Allez, on y va !

Les bateaux accostaient. Ils embarquèrent très vite, six barcasses pleines à ras bord, et la poussière retomba sur la crique. En regardant la petite école s'éloigner, Julie eut la certitude d'avoir laissé quelque chose sous cette véranda où elle avait découvert un tableau noir sur lequel on enseignait aux enfants d'Amazonie le parler néerlandais.

# 40

Elle cahotait, collée contre la portière du véhicule pour maintenir à distance le conducteur qui dégoulinait, piégé par la chaleur. Elle tenta une ouverture vers la vitre baissée.

Félicité avait eu un mal fou à le convaincre. Ce matin-là, elle avait expédié Marie à l'école sans écouter toutes les histoires de récréation supprimée qu'elle lui racontait en avalant son chocolat, puis elle s'était précipitée au cabinet médical, avant même son ouverture, et avait cueilli le docteur Gros à sa voiture. L'homme était méticuleux, tiré à quatre épingles, il venait de Guadeloupe. Fraîchement arrivé, il soignait le petit peuple de Campan à crédit et plus souvent que rarement avec la pharmacopée du coin. Le plus chimique qu'il avait dû prescrire en deux ans était des cachets d'aspirine et des antibiotiques lorsque l'infection gagnait du terrain sur les herbages et potions qui réglaient la plupart des problèmes.

Félicité ne lui avait même pas laissé le temps de refermer la portière de son véhicule. Il avait d'abord refusé de l'écouter hors du cabinet, puis avait fini par installer dans sa salle d'attente les patients qui l'attendaient sur le trottoir, et enfin, après quelques vagues excuses et la promesse de revenir très vite, il avait embarqué Félicité.

La vieille Toyota bringuebalait sur la piste qui les rapprochait de la forêt. Félicité se taisait, après un flot de paroles où il apparaissait que sa grand-mère avait été retrouvée dans une grotte où elle était très malade et incapable de se déplacer. Gros en avait vu d'autres, on l'apercevait souvent promenant sa carcasse dégingandée jusque dans les bars mal famés, appelé au chevet d'un coma éthylique par le tôlier ou des camarades de beuverie. Il n'avait pas d'états d'âme et savait qu'il devait la plupart du temps se débrouiller seul, l'ambulance arrivant rarement avant le corbillard. De toute façon, le premier hôpital était tellement loin qu'il valait mieux parfois prendre directement le chemin du cimetière. C'est en tout cas ce que lui disaient les gens d'ici. Il abordait tout cela avec une décontraction nonchalante qui semblait rassurer les malades.

– Elle est consciente, elle vous a reconnue ?

– Bien sûr qu'elle m'a reconnue, elle m'a même fait un signe de la main pour me dire de me casser.

– Et… ?

– C'est une teigne vous savez docteur, elle a plus de 90 ans, enfin je crois.

La piste butait sur les énormes racines d'un baobab, derrière commençait la touffeur d'un chemin qu'on ne pouvait emprunter qu'à pied. Félicité claqua sa portière :

– C'est par là.

Elle n'avait même pas jeté un regard au terrain herbeux qui descendait en pente douce vers les trois baraquements en bois qui abritaient la solitude de Tiouca. Pourtant il devait être là, il avait disparu avant le matin comme si leur équipée de la nuit avait réveillé ses vieux démons. Il avait lâché l'affaire comme d'habitude, et Félicité n'avait ni l'énergie, ni le temps de s'appesantir sur son absence.

Elle allait d'un pas décidé. Le soleil, déjà haut, avait lavé les molles brumes du matin ; la journée était nette, bien découpée dans la lumière, et le bois était plein de bruits, de craquements, de cris d'oiseaux et de macaques qui vaquaient à leurs occupations. Elle entendait le docteur Gros souffler dans son dos, de temps en temps il s'arrêtait pour s'éponger le front.

– C'est encore loin ?

– On y est presque.

Elle jeta un coup d'œil à ses chaussures, de bonnes vieilles baskets. Il fallait qu'elle le prépare, sa voix se fit pleine d'espoir :

– À mon avis, elle a dû y passer.

– Ne soyez pas pessimiste, bien que je pense que vous auriez dû la faire transporter immédiatement à l'hôpital.

Il ne décelait pas une once de tristesse dans son attitude.

Elle ricanait :

– Pour que l'ambulance arrive après le corbillard ?

Gros soupira. Ils s'arrêtèrent devant un éboulis de rochers qui avaient dégringolé d'une sorte de petit morne, invisible pour celui qui ne connaissait pas. La forêt avait laissé au monticule juste un peu d'espace pour respirer mais pas plus. Autour, ce n'étaient que fondrières et ronces emmêlées aux lianes qui s'échappaient des grands arbres. L'endroit était assez sinistre.

– Il faudra grimper un peu, suivez-moi.

Gros regardait autour de lui, sérieusement intrigué : comment une vieille de près de 100 ans avait pu se percher là-haut ? Il suivait les chevilles de Félicité, c'était sans doute elle qui l'y avait emmenée, portée, pour des raisons qui lui échappaient, et sûrement pas toute seule.

Il s'accrochait d'une main à sa sacoche, de l'autre au rocher, il était curieux de savoir ce qui l'attendait là-haut. Il n'eut pas le temps de s'extasier devant la beauté de la voûte rocheuse qui s'arrondissait au-dessus d'une sorte d'esplanade, c'était immense et caverneux.

– Ce n'est pas possible… merde, elle est passée où ?

Félicité se tournait vers lui avec une telle panique sur le visage qu'il la crut immédiatement.

– Elle était là, dans un hamac. (Elle alla au fond de la grotte.) Elle était là.

L'endroit était désert et même plus : vide et lisse comme une pierre poncée par le temps. Juste, aux rochers du fond, deux anneaux où pendaient deux chaînes, au bout desquelles se balançaient ce qui ressemblait fort à des menottes couvertes de tissus. Gros ressentit l'urgence de sortir de là pour aller directement au poste de police avec cette femme qui semblait au bord de l'hystérie. Clairement tout cela n'était plus de son ressort, et ses clients attendaient à son cabinet.

Il y a des murmures de la jungle qui ressemblent à des cris d'enfant. Félicité les a en horreur, les Indiens appellent ça « l'appel du bébé mort », cet appel elle était sûre de l'avoir entendu en sortant de la grotte, mais il y avait en elle un tel modèle de colère que sa vague prenait toute la place. Elle arrivait presque à effacer la peur, car elle avait peur. Elle suivait le docteur Gros qui se précipitait vers sa voiture en se cognant aux branches, en butant sur les racines, comme un qui aurait vu le diable. Au passage elle avait récupéré dans l'herbe mouillée un filament blanc : des écouteurs, de ceux qu'utilisent les jeunes pour s'assourdir de musique. Quelqu'un est venu, quelqu'un a déménagé la vieille, a transporté son cadavre. Oui, elle avait très peur. Elle avait rattrapé le docteur en glissant les écouteurs dans sa blouse, il fallait bien qu'elle s'excuse. Après tout, elle l'avait dérangé pour rien.

– Docteur (elle s'essoufflait), je suis désolée. Je ne comprends pas, je vous dédommagerai, elle était là et…

Il avançait sans rien dire. Arrivée à la voiture, elle lui toucha le bras.

– Je m'arrête là, je ne viens pas avec vous.

– Comme vous voulez.

Il s'assit au volant.

– Je vous préviens (il cherchait nerveusement la clé de contact), je file directement au poste de police. Si, comme vous dites, votre grand-mère était là, d'abord elle a disparu, ensuite elle a laissé derrière elle des menottes, des chaînes, dans un endroit invraisemblable. Je… suis obligé, tenez-moi au courant.

Il démarra sans même refermer sa portière et Félicité resta immobile jusqu'à ce qu'il termine son demi-tour, ensuite elle dévala la pente vers les baraquements qui s'étalaient jusqu'à la rivière.

– Tiouca, Tiouca !

Elle hurlait, glissait sur le dénivelé caillouteux. On apercevait sous l'ajoupa une paire de bottes qui dépassait d'un hamac, aussi immobiles l'une que l'autre. Elle le secoua par les épaules, par la tête, par les jambes. Complètement inanimé, bouche ouverte, exhalant des effluves de rhum à soûler les mouches qui lui tournaient autour, Tiouca cuvait visiblement une des plus belles cuites de sa vie.

Félicité s'arma d'une bassine d'eau froide qu'elle lui balança à la figure, une fois, deux fois, à la troisième il marmonna, jura. Elle rappliqua avec un café froid auquel elle avait rajouté une bonne dose de rhum, l'obligea à tout avaler, ce qui le précipita contre un arbre où il vomit ses tripes.

Tout en s'activant, elle lui racontait la disparition du corps, le médecin qui allait prévenir la police, et finalement elle sortit les écouteurs de sa poche.

– Le problème, fit-il, enfin un des problèmes c'est que je n'ai rien entendu vu que j'étais K.O. (Et en guise d'explication) J'ai bu tout ce qui traînait chez moi, comme ça je suis tranquille il n'y a plus rien.

Félicité avait envie de lui rappeler que s'il était resté avec elle tout cela ne lui serait pas arrivé.

– J'ai peur. Il est où son corps ? Qui a fait ça ? Les frères de Lune sont tous partis à Awala, il n'y a que toi et moi. Ils vont t'interroger. Si au moins tu étais resté chez moi... Tiouca, tu n'as vraiment rien entendu ? Toi qui sais tout ce qui se passe ici ?

Elle ouvrit les bras. Il la regardait, le filament blanc entre les mains.

– Ça, dit-il, ce sont les écouteurs de Jonathan. Tu vois la petite encoche, là ? C'est moi qui l'ai réparée il y a quelques mois.

# 41

Il court, il court, il court, de toute la vitesse de ses jambes, il sait qu'il peut y arriver, il était bon en athlétisme à l'école. Derrière lui la cavalcade s'estompe, il les a distancés, mais il est taraudé par une obsession, il ne sait qui ou ce qui le poursuit, et il comprend qu'il n'ira jamais en paix s'il ne le sait pas, alors il ralentit, il faut qu'il sache. Ils vont sûrement le rattraper mais son obsession est plus forte que sa peur, il va attendre. À la cavalcade succèdent des bruits de lutte, des pas lourds, il ouvre les yeux, un truc noir bat comme une aile de papillon, dans sa bouche un morceau de carton lui mange la salive, il a tellement soif que c'est inhumain. Des bruits de bottes qui martèlent le sol, des éclats de lutte, des coups sourds, cette fois il est réveillé. La souffrance envahit des lieux secrets, des espaces qu'il ne connaît pas dans sa chair. Combien de temps tient-on sans boire une goutte d'eau ? Sous son corps, la terre est humide, il frotte son visage contre le sol pour décoller le sparadrap qui lui bloque la bouche. Il frotte à s'arracher la peau, un liquide salé au bout du carton entre ses lèvres, il saigne ?

Il continue, le sparadrap se décolle, lui libère la langue qu'il plonge dans la terre pour en aspirer l'humidité. À son œil droit l'aile de papillon est partie, il voit flou : une fente de lumière, une déchirure au bout d'un trou noir, ils ont ramené de la terre pour barrer l'ouverture de sa tanière. Il hurle en sanglotant car ce qui sort de sa gorge est plus proche d'un croassement que d'un cri. Dehors à quelques mètres, un combat se règle, des ordres tombent sec. Il couine sans discontinuer, personne ne l'entend, il lèche le sol et boit ses larmes, c'est tout ce qu'il a. Son épaule est un monument de douleur ; ses poignets, son dos, ses chevilles sont en feu, il brûle de fièvre et ne sent même pas les colonies d'insectes qui lui grimpent dessus.

Dehors encore, le silence est retombé, Jonathan a réussi a s'emparer d'une goutte d'eau qui le narguait sur une feuille sèche, il se laisse tomber doucement dans un abîme tout noir.

## 42

Lionel avait eu l'air soulagé de la trouver dans la salle à manger de l'hôtel. Assis en face d'elle, il l'observait avec un pli au milieu du front, son costume était froissé et ses mains qui déplaçaient les couverts tremblaient sur la nappe. Elle dit gentiment en lui touchant le poignet :

– Tu as l'air crevé, tu devrais enlever ta veste et t'habiller plus léger, cela semble tendu dehors.

Il la regarda, c'était un gros effort. Il se promenait sur son front, ses yeux qui se remplissaient de quelque chose qu'il ne reconnaissait pas, son nez pelait un peu, elle était allée au soleil ? Son menton, l'allongé de son cou lui donnait cette élégance qui l'avait séduit il y a trop longtemps.

Il savait qu'ils ne parleraient plus, que la conversation du matin était destinée à mourir dans un silence qui se refermerait sur la possibilité d'un secret, il avait envie de paix.

– Je mangerais bien un morceau, tu as commandé ?

– Juste une salade.

– Je prendrai la même chose.

Il leva la main vers le serveur qui slalomait entre les tables, il y avait beaucoup de monde dans la salle à manger du Rayon Vert, des clients pressés que Mireille avait accueillis avec un clin d'œil qui semblait signifier « je vous l'avais dit », essentiellement des militaires qui se jetaient sur la nourriture. Lionel en avait salué quelques-uns en traversant la pièce.

Elle déplia sagement sa serviette et l'étala sur ses genoux. Ils étaient à l'écart sur une petite table qui posait ses pieds sur la véranda, les bruits de vaisselle et le murmure des voix tenus à distance par le silence fragile qui s'installait entre eux.

– Tu as fait quoi ce matin ?

Elle émietta une tranche de pain, la porta à sa bouche, elle adorait le pain.

– Rien, rien de spécial. (Elle bougea sur son siège et reformula.) Ça a l'air tendu dehors.

– Il faudra que j'y retourne.

Il s'attardait sur les arbres qui séchaient au soleil, tout sauf le souvenir des mots qui tentaient de se glisser entre leurs assiettes. Il attrapa son verre, fit mine de le porter à ses lèvres, réalisa qu'il était vide, le reposa sans la regarder et continua :

– Les militaires ont arrêté un groupe d'hommes dans le bois à la sortie du village, ils... ils étaient en train d'enterrer un cadavre. (Un serveur vint déposer sur leur table la salade de Suzanne.) La même chose, s'il vous plaît. (Lionel avait l'air hagard.) Il semble que ce soit le corps d'une femme très âgée. Ils avaient des armes, ils ont été déférés à la prison de la capitale, des étrangers hispanophones, c'est... (Il s'essuya le front avec sa serviette.) C'est complètement surréaliste.

Un léger courant d'air annonciateur de pluie souleva quelques mèches de cheveux sur le front de Suzanne. Son visage était lisse :

– Ils sont venus pour ça ?

– Qui ?

– Ben l'armée.

– Non, enfin si... sûrement.

Elle avait l'air concentrée, elle voulait retenir chaque mot, chaque phrase qu'elle allait rapporter fidèlement à l'homme qui l'attendait dans le petit studio de la Grand-Rue. Elle n'irait pas demain, elle irait cet après-midi, parce qu'elle pouvait à peine respirer quand il n'était pas près d'elle, il lui manquait physiquement, elle en avait mal au ventre. Ce repas n'était qu'une parenthèse totalement inintéressante entre le moment où elle était près de lui et le moment où elle serait à nouveau contre lui à calmer l'affolement de son ventre. Elle rêvait qu'il lui touche les bras, les cuisses, qu'il la caresse jusqu'au fond de sa gorge et l'ouvre à son plaisir. Elle ferait ce qu'il veut, comme il veut, elle n'aurait peur de rien. Elle gémit.

– Ça ne va pas ?

Elle leva les yeux, étonnée que Lionel soit là. Le serveur posa la deuxième salade : laitue, carottes, des morceaux de mangue verte, du maïs, des miettes de thon et des bouts caoutchouteux d'un quelconque animal marin. Il repoussa son assiette, il n'avait pas faim, seulement envie d'être ailleurs. Le regard vert de Suzanne lui soulevait l'estomac, casser le silence :

– Cette femme, on ne sait pas qui c'est, pas de papiers. La police municipale dit avoir une idée. Pour l'instant elle est à la morgue près du commissariat. Je… je dois assister à l'autopsie.

Elle enroula lentement une mèche de cheveux autour de son doigt :

– Tu ne manges pas !

Elle avait l'air tellement vulnérable avec sa chevelure libre et son visage sans une once de maquillage qu'il eut peur, les mots revenaient le fracasser. Vu d'ici à ce moment précis, tout pouvait être vrai. Lionel repoussa l'horreur en sortant brutalement de table. Il avait envie de tout démolir, il jeta violemment :

– Et je te signale que ton fils a disparu, je suis inquiet, il n'est nulle part, il faudra que ça cesse, toute cette inquiétude sur ce qu'il fait !

Il tourna les talons et se précipita dehors, il n'avait rien bu, rien mangé.

## 43

Voilà, elle lui avait tout dit. Les mains posées sur les genoux, elle avait ce regard de soumission émerveillée qui cimentait désormais leur relation. Quand elle avait frappé à sa porte dans la touffeur silencieuse de l'après-midi, Alakipou n'avait pas eu l'air étonné, il lui avait seulement dit : « Je vous attendais demain. »

Elle avait balayé le rappel d'une main distraite, saisie par l'urgence que la porte se referme, éloigne le reste du monde et qu'elle l'oublie derrière elle, talonnée par le besoin de retrouver une place qu'elle n'aurait jamais dû quitter, même pas une demi-seconde, collée à sa peau, la bouche enfouie dans le col de sa chemise, les membres tremblant d'avoir trop attendu, et petit à petit son corps s'était apaisé tandis qu'il l'entraînait vers le lit. Il lui emprisonna les mains dans les siennes tout en la contraignant à s'asseoir.

Elle soupira, elle savait qu'il allait faire cela, l'obligeant à ne plus le toucher. Elle supporta stoïquement l'intolérable. Pourquoi ne voulait-il pas, pourquoi bloquait-il le cri qui lui brûlait la gorge ? Comme s'il ne savait pas qu'elle pouvait mourir sans ses mains pour la pétrir, pour lui faire une âme qu'elle enferme dans son corps.

Alors elle se mit à parler, ses mots reproduisaient fidèlement ceux de Lionel, elle lui dit le cadavre, les hommes arrêtés, même la disparition de Jonathan, puis elle chercha paniquée ce qu'elle avait pu oublier. Elle avait tellement peur que le silence creuse entre eux une distance qui lui ferait mal.

Alakipou était silencieux, il écoutait sans l'interrompre, son visage était fermé, ses yeux seulement. Il alla à la fenêtre, les mains dans les poches, regardant la sieste envahir les rues de Campan. Finalement, la pluie n'était pas au rendez-vous et l'air était menacé d'incandescence.

Il fallait qu'il arrive à joindre Douna. Il regarda sa montre : à cette heure, si tout s'était bien passé, le gros du convoi se trouvait chez lui, à Awala. Au moins, cette étape-là était bouclée. Pour le reste, ce qu'il craignait était en train d'exploser.

Il croyait savoir qui étaient les hommes arrêtés à Bois Peut-Être, si près de la grotte ; en revanche, il lui fallait une confirmation que le corps était celui de la vieille. C'était un gros emmerdement parce qu'il y aurait enquête, mais ce n'était pas insurmontable.

Derrière lui, Suzanne respirait lourdement, le regard perdu. Il se rapprocha, ôta ses lunettes, la repoussa doucement en ouvrant son chemisier : elle avait une poitrine menue aux pointes goulues et violacées, ses doigts se promenèrent sur sa peau comme des papillons qui se posaient partout, le bout de ses seins, le creux de ses coudes, l'ombre moite de ses aisselles. Quand il dénuda son nombril et y posa la langue, elle ne s'appelait plus personne, il lui écarta les jambes, ses vêtements s'entassaient sur le plancher, il posait ses papillons sur son corps. Dans la lumière crue de l'après-midi qui enjambait la fenêtre, il examina chaque pouce de sa chair et Suzanne, qui ne s'était jamais offerte aux regards de quiconque, acceptait comme une bénédiction l'interminable vibration, sous ses doigts qui écartaient, sous ses yeux qui s'attardaient, sous sa langue qui goûtait. Elle entendait parfaitement la musique de l'instant. Il fallait que ça dure l'éternité.

– Ouvre les yeux.

Elle entendit sa voix au-dessus de ses gémissements, et pressa furieusement les paupières. Elle ne voulait rien voir, attendant comme un immense soulagement qu'il envahisse son corps, la pénètre enfin, lui fasse mal un peu, la bouscule pour que la douleur atténue cet océan de sensations dans lequel elle commençait à se noyer. Elle sentit le frôlement d'un tissu sur sa peau à vif, son chemisier, sa culotte, son pantalon. Il lui remettait ses vêtements, un à un. Elle se débattit.

Il ne comprenait donc pas qu'il fallait qu'il l'emmène au bout du chemin, là où dormaient ses rêves ? Il la sortit du lit, elle était debout avec entre les jambes un vibrato qui menaçait d'exploser, elle eut un premier orgasme alors qu'elle tentait de retrouver son équilibre, ses cuisses tremblaient. Il était à l'autre bout de la pièce et elle lui tendait les mains, ce fut interminable. Elle eut un second orgasme quand il la rattrapa alors qu'elle menaçait de s'étaler sur le sol du petit studio, et elle entendit le feulement qui venait de sa gorge.

Il lui baisa les poignets et l'accompagna jusqu'à la porte, elle était défaite et ouverte comme un fruit mûr, mais elle avait bien compris qu'il lui fallait marcher, trouver une voiture et retourner à l'hôtel, se recroqueviller dans son lit et attendre que l'ouverture béante qui s'était faite en son corps se referme un peu.

Elle redressa la tête, cambra les épaules et lui jeta en sursaut :

– Je reviens quand je veux.

Il lui fit son premier sourire :

– Et si je ne suis pas là, la clé est sous la pierre devant l'escalier… tu me diras qui est la femme à la morgue !

Il referma doucement la porte et décrocha le téléphone.

## 44

Pour la première fois depuis le début de cet étrange voyage, Napi était fatigué, il sentait chaque muscle de son corps tendu et chiffonné. Il faut dire qu'après la traversée du fleuve, une fois le bateau reparti avec la femme et sa pépite, ils avaient tracé dans la jungle sans s'arrêter dans un épais silence. À la nuit, ils avaient bivouaqué, mais Napi n'avait pas fermé l'œil, à l'affût du moindre craquement qui pourrait signifier la présence des militaires ou des tueurs fous. Résultat, il avait du mal à tenir les paupières ouvertes.

Il savait qu'il fallait s'arrêter, faute de quoi il ne serait plus bon à rien. Trouver un coin tranquille n'était pas difficile, ils étaient dans cette partie de la forêt que les hommes ne fréquentent guère, à l'écart de toute voie de circulation. Même les chasseurs l'évitaient, trop dense, trop vierge, trop loin de tout. Ils butèrent sur les racines d'un arbre tellement imposant que le ciel et le soleil ne descendaient jamais jusqu'à ses tentacules.

Aha babillait, accroché à la main de sa mère qui s'était enfermée dans un mutisme total. Quelque chose avait changé, quelque chose avait bougé.

Napi fit signe à Lee, il fallait s'arrêter. Elle lui fit non de la tête et entama une conversation animée avec ses deux compagnons. Napi, qui commençait à comprendre quelques mots de leur langue, attrapa au passage « partir », ils avaient dit « partir » plusieurs fois.

Les yeux de Lee étaient rouges, s'enfonçaient dans l'ombre de grands cernes et une étrange tristesse était descendue sur le petit groupe. Le ton montait. Napi posa son baluchon :

– Chuuuuut ! On va s'arrêter une heure ou deux, je n'entends plus rien, suis trop fatigué, on repartira après.

Il leur parlait comme s'ils pouvaient comprendre. L'enfant faisait bouger ses petites mains autour de son visage en le montrant du doigt. Quand Napi saisit qu'il traduisait ses paroles, il ne voulut même pas essayer de comprendre ce que cela signifiait. Aha regardait sa mère en se tapotant le front de sa paume ouverte.

La touffeur verte se refermait sur eux comme un gigantesque piège, grouillant d'une vie sur laquelle ils n'avaient aucune prise. Ne jamais s'arrêter le jour. Le secret de la sauvegarde c'était marcher, toujours marcher pour être synchrone avec la vitalité des habitants de tous poils et plumes et carcasses qui vaquaient à leurs petites affaires jusqu'à disparition du soleil. Cela, Napi le savait, c'était même la base si l'on ne voulait pas devenir la proie immobile du peuple des bois. Mais il était exténué.

Lee farfouilla dans son paquetage et leur distribua à chacun des feuilles minces aux bords ourlés, elle en prit une et la mâchonna. Napi savait que les feuilles de coca ne lui réussissaient pas, certes elles le tenaient éveillé, mais son cœur se mettait en panique et battait comme un dératé sans parler des hallucinations qui le visitaient pendant des jours. En fait il détestait cela, mais visiblement Lee ne lui laissait pas le choix.

Ils se posèrent sur la souche et mâchonnèrent leurs feuilles. Napi levait les yeux vers le ciel invisible, quelque part au-dessus de cette cathédrale verte, le soleil devait être au zénith. Il calcula qu'il leur restait à peu près un jour et demi de marche, si tout allait bien et s'ils n'étaient pas contraints à un détour pour fuir la présence des militaires. Lee lui parlait doucement en cherchant ses yeux.

Il entendit « Campan », il entendit « Alakipou », le reste se perdait quelque part dans sa tête, même si l'acuité provoquée par la cocaïne lui donnait le sentiment que tout devenait possible.

Il se sentit puissant, en conversation avec la forêt qui n'avait plus aucun secret pour lui, chaque bruit, craquement, glissement, cri, feulement prenait une signification précise. Son cœur s'emballait, il était le seul à tout comprendre, le corps plein, habité tout entier par cette certitude et une extrême allégresse. Aha vint à lui, posa la main droite sur sa poitrine et la gauche sur la sienne, les yeux fermés il lui offrait un sourire lunaire. Napi baissa les paupières, luttant contre les fulgurances qui lui traversaient le crâne. Il attendit que la violence des battements qui secouaient son corps s'atténue.

Il entendit le silence qui baignait dans une eau fraîche, il entendit tour à tour la turbulence d'une conversation entre macaques, les cris des oiseaux, les chuchotements de la faune invisible qui grouillait sous le tapis humide des feuilles, il entendit le battement des ailes de papillons, puis il ouvrit les yeux.

L'enfant le regardait en souriant. Lee et les deux autres n'étaient plus là. Il les chercha jusqu'à la tombée de la nuit, revenant sur ses pas, traquant leurs traces, luttant contre la pluie qui s'était mise à tomber à seaux. Il ne s'arrêta que pour partager avec l'enfant un peu de viande séchée et de farine de manioc trempée dans du lait condensé qu'il sortait parcimonieusement de son sac à dos.

Aha était grave comme un vieux bouddha, ses gencives enfermées dans le silence de sa bouche, il tournait vers lui le noir liquide de ses yeux, il pleurait sans bruit et Napi paniquait.

La lumière s'en allait appelant le sommeil, et la forêt se préparait pour la nuit. Napi prit l'enfant dans ses bras et décida de tracer vers Campan, les feuilles de coca le maintenaient dans une effervescence que seule la marche pouvait calmer pendant que ses pensées galopaient vers des contrées inconnues.

Elle avait dit « Campan « et « Alakipou ». Il irait à Campan et chercherait Alakipou.

# 45

– Parce que là, j'ai un peu exagéré, tu comprends !

Julie regardait Douna. Pour lui parler elle était obligée de basculer la tête en arrière, cela l'amusait. Elle continua :

– Imagine, c'est la première fois que je ne donne aucunes nouvelles à personne, enfin je veux parler de mon associée et de l'escogriffe.

Douna haussait le sourcil.

– Mais si, je t'en ai parlé, Pierre, mon éducateur… tu sais, enfin, mon chaman à moi.

Cela faisait bien une heure qu'ils avaient décollé d'Awala. Ils avaient quitté un village endormi après une nouvelle nuit de libations, danse, musique et chuchotements dans le secret des tentes montées à la hâte comme l'autre soir.

Julie s'était réfugiée chez les parents de Douna et d'Alakipou, enroulée dans son duvet sur la varangue, le hangar aux hamacs étant surpeuplé. Maïla avait retrouvé ses jumeaux et semblait partie pour une autre folle nuit, la plupart des femmes visiteuses avaient repris la conversation entamée de l'autre côté du fleuve avec leurs nouveaux amis.

Douna s'était éclipsé avec la Hollandaise, et Julie avait partagé avec la famille une soupe odorante dans laquelle baignait un énorme pied de porc. Ensuite le père avait bourré sa pipe en s'installant dans son fauteuil à bascule.

Il lui manquerait plus tard, ce moment où le calme était convoqué et partageait leur espace. Dans le fond, on entendait les bruits de vaisselle et les éclats de voix des filles, et devant, la jungle attaquait son vacarme ordinaire.

« La plus belle symphonie du monde », pensa Julie.

– Mais il faut avoir quelque chose dans le ventre pour l'apprécier, n'est-ce pas ?

Le père tirait doucement sur sa pipe, elle le voyait à travers un rideau de fumée. Avait-elle pensé à voix haute ou s'était-il installé dans sa tête ? De toute façon ces choses lui paraissaient dorénavant de très peu d'importance.

– C'est vrai qu'elle est trop bonne cette soupe, elle va me manquer.

– Mais non, tu l'emmènes avec toi, ainsi que tout ça. (Il étendit les bras et arrêta le balancement de son fauteuil.) Pourquoi tu n'es pas avec eux, à rire, danser et le reste jusqu'au matin ?

Comme les choses paraissaient simples avec cet homme qui parlait peu.

– Je… je crois que Douna n'a pas voulu, et Alakipou a disparu, alors…

Le pétillement s'alluma aux coins de ses yeux.

– Il n'y a pas que mes fils ! Il y a tous les cousins d'en face et d'au-delà. (Il rigolait franchement.) Et puis il y a moi !

Elle laissa leurs rires s'évaporer dans le silence.

– Vos fêtes, elles sont toujours comme ça ? Je veux dire, étranges ?

Les bruits de vaisselle s'étaient tus, ne restaient que les chuchotements des filles qui se racontaient leur soirée, Julie les entendait sans écouter. Autour de la lampe à gaz suspendue au bord de la véranda, des dizaines de bestioles exécutaient une danse rituelle, plus loin les hommes et les femmes faisaient pareil autour des feux de bois dispersés dans l'obscurité.

Julie s'attardait sur les ombres furtives qui glissaient d'un groupe à l'autre, la jungle était tranquille et Awala semblait répondre à une éternelle question.

– C'est la fête de la fécondité.

Le vieux avait repris son balancement. Julie replia les jambes et posa le menton sur ses genoux.

– Aaah...

Le silence s'invita dans la conversation et tint le crachoir un long moment. Julie se rapprocha du vieux. Vu de dessous, son visage émacié racontait tout autre chose, il racontait l'affaissement de la peau, le creusé des narines, la rareté des longs cheveux qui glissaient sur la lassitude des épaules, elle eut envie de lui prendre la main.

Derrière eux la voix de la mère précisait :

– La coutume dit que, quand les êtres vivants s'accouplent durant cette fête, ils fabriquent toujours de la vie. (Un torchon à la main, elle essuyait le faitout dans lequel avait mijoté la soupe.) En clair, acheva-t-elle dans un éclat de rire, tout ce qui respire dans les environs fera des petits après ces deux nuits.

– Y compris ceux-là, grinça le père en montrant la sarabande des insectes autour de la lampe.

Elle avait alors raconté à l'ancien ce qu'elle ferait une fois revenue à Paris, éprouvant un réel plaisir à répondre à ses questions et à installer ses petits tracas quotidiens sous la lumière improbable d'une lampe à gaz qui se balançait au bord d'une nuit magique :

– Je vous assure, je prends rarement le métro. Ça m'oppresse d'être coincée entre tous ces gens que je ne connais pas, leurs chagrins, leurs misères, leurs angoisses, j'entends tout et j'entends que ça, et puis la peur aussi. À mon retour ? J'irai voir tous les derniers films, j'adore le cinéma, et puis m'occuper des merdes du château. Oui, avec mon associée, on rêve d'acheter ou de louer un château pour installer notre business... Notre business ? C'est le bien-être, bien sûr c'est cher. C'est le mental qu'il faut travailler.

Elle avait parlé longtemps, jusqu'à ce que le vieux se lève pour souffler la lampe à gaz. Dehors les bruits de la fête s'estompaient, c'était l'heure des chuchotements et des soupirs, les feux couvaient sous leur braise, les ombres ne fuyaient plus et Julie avait des sourires dans la tête, elle n'attendait ni Maïla, ni Douna, ni personne et c'était bien ainsi.

Quand elle le retrouva au petit matin, il lui proposa un bol de café qui la fit saliver de plaisir, puis l'entraîna à sa suite avant que quiconque se réveille. Sur la pointe des pieds, il longea la plage jusqu'à un bras d'eau qu'ils remontèrent sur quelques centaines de mètres à l'intérieur des terres couvertes d'un fouillis de végétation.

Là, le ruisseau devenu rivière déboulait d'un saut, qui se transformait en mini-cascade tourbillonnante. Ils s'étaient déshabillés et jetés dans l'eau glacée.

– Je peux faire pipi dans l'eau ?

Douna haussa les épaules. Ils avaient joué à s'asperger et se poursuivre jusqu'à ce que le soleil envahisse le ciel. Elle n'avait posé aucune question.

– On va partir sur Campan, tout le convoi, je pense qu'on en a pour deux jours. (Il l'essorait vigoureusement avec sa chemise, elle avait les lèvres bleues qui accrochaient les étoiles dans un sourire permanent.) Et on retrouvera Alakipou là-bas.

– Douna, j'ai adoré tout ça, tout (elle ouvrait les bras), même si j'ai rien compris.

Il hochait la tête :

– Et Campan sera la fin du voyage.

Elle enfila son pantalon et son tee-shirt, s'accroupit pour laver ses sous-vêtements.

– Je t'enverrai toutes les photos que j'ai faites, tu me donneras ton adresse mail.

– Tu l'as Julie, c'est celle du site qui t'a invitée.

Elle s'assit sur ses talons :

– C'est toi qui m'as invitée ?

Il la releva doucement.

– Non, c'est nous.

Puis il emprisonna sa taille et la souleva jusqu'à hauteur de son visage. C'était tellement bon de serrer sa grosse tête contre sa poitrine, il lui faudrait sans doute une éternité pour user ce moment-là.

Une berceuse lui vint, bouche fermée, les paroles avec. Qui donc avait pu lui chanter ces mots mièvres qui avaient imprimé sa mémoire ?

*…ma poupée chérie*
*va bientôt dormir*
*petit ange mien*
*tu me fais souffrir*
*ferme tes doux yeux*
*tes yeux de saphir*
*ma poupée chérie…*

Douna avait soufflé pour faire des bulles sur sa peau, pendant qu'elle enfermait sa tête dans ses bras et chantait en laissant couler un peu d'eau de ses yeux, de ses mains, de ses cheveux, allez savoir. C'est tout cela qui lui revenait pendant qu'elle marchait à ses côtés.

– Tu vois qui c'est Pierre, mon Pierre à moi ?

Il hocha la tête, ils allaient en tête du cortège qui s'était considérablement rétréci. Tous les hommes ou presque étaient restés à Awala, seuls Front-fuyant, ses amis et la famille d'Awala accompagnaient le grand coffre ainsi que les femmes visiteuses.

Julie attendit que la Hollandaise la rattrape et lui fit « hey ! » de la main. L'autre lui renvoya un grand sourire :

– On ne t'a pas vue hier soir, c'était simplement géant !

Elle débordait d'un tel enthousiasme que Julie hésita à lui balancer : « Ce qui était géant c'est les kilomètres de queue que tu t'es enfilés ! »

Mais elle le fit quand même. La Hollandaise éclata de rire :

– Oui, ça aussi c'était bon, mais je te parlais plutôt du moment où les chamans sont venus quand on était tous ensemble et qu'ils nous ont demandé de nous concentrer sur cet endroit, et d'essayer d'en décoller pour le voir d'en haut.

Elle lui attrapa le bras, ses yeux étaient furieusement allumés.

– Alors je ne sais pas si c'est ce qu'on avait fumé ou bu ou mangé, enfin quelque chose, mais ce qui s'est passé c'est qu'on a décollé, Julie, décollé, pas moi seule (elle secouait les mains, complètement excitée), tous les autres. Je les ai vus regarder en bas avec moi, et on voyait tout : le fleuve, la forêt à perte de vue, le fleuve encore et puis la mer. Et j'ai eu peur de me perdre, je suis redescendue me noyer dans le plaisir, et...

Elle s'immobilisa, les hommes portaient l'immense brancard qui supportait le coffre, les autres femmes avançaient en se parlant gaiement. Le chemin qui s'ouvrait sous les arbres était paisible.

– O.K., O.K., fit Julie, c'est un peu mieux que le Club Med, mais franchement, c'est pas loin !

Comment elle s'appelait déjà cette conne, Gerda ? Non... Hilda, c'était ça, Hilda.

Julie commença à compter ses camarades de voyage, elle s'était dit une cinquantaine comme ça à vue de nez, mais elle montait à soixante-dix quand une voix tomba des arbres et stoppa net la progression du cortège.

– On ne bouge plus !

# 46

Félicité était très énervée. On était dimanche et, au sortir de la messe, comme s'il n'y avait pas suffisamment d'emmerdes à se partager en ce moment, Marie et elle étaient tombées sur l'imposant Rudy. Il avait quitté son chantier la veille et avait crapahuté toute la nuit pour passer une journée avec sa fille.

– Je ne dirais pas non à un petit café Félicité, vu qu'il n'y a rien chez moi. (Une main de propriétaire posée sur les nattes de Marie.) J'ai bien gagné là-haut, je pourrai te donner un peu d'argent pour la petite.

Félicité fit non de la tête. Rudy avait l'air sobre, certes il n'était pas rasé et semblait avoir dormi dans ses vêtements depuis dix jours, mais dans ses yeux, il n'y avait pas ce raz-de-marée de colère qu'il noyait dans le rhum. Marie semblait montée sur ressort, elle n'arrêtait pas de lui sauter autour.

– Tu m'as ramené des choses ? Tu m'as ramené des choses ?

Félicité accéléra le pas. Marie, sa Marie était contente de voir ce grand benêt de Rudy !

Elle serra la bouche.

– Tu veux l'emmener te faire tes lessives et nettoyer ta maison, je te rappelle qu'elle est à l'école, qu'elle a des leçons à apprendre pour demain.

Rudy se gratta la tête.

– Non, on fera le jardin, hein Marie ? Et ensuite je te ramènerai, je repars à l'aube !

Félicité déverrouilla sa grille : il n'avait pas l'air bien offensif le Rudy, peut-être que la disparition de sa femme avait réveillé une ombre enfouie ; elle revit la détresse animale qui avait secoué son grand corps devant la dépouille d'Elsa, c'était un monstrueux chagrin, même s'il la rouait de coups c'était un monstrueux chagrin. Elle n'aima pas cette idée, ce type méritait qu'on l'enferme et qu'on le soigne, point barre. Il baissait la tête sur sa tasse de café, les souvenirs lui remontaient, Campan était sûrement pour lui un endroit de douleur.

– S'il te plaît Félicité, tu me feras travailler quand je rentrerai, cet après-midi, hein papa ?

– Après tout c'est ton père, il doit savoir ce qu'il fait. (Rudy se leva pour poser sa tasse dans l'évier.) Et comme ça, je pourrai aller à la morgue, ils m'ont convoquée.

Marie s'arrêta net :

– Qui ?

– Ben, la police, ils ont retrouvé un corps que des gars essayaient d'enterrer, une femme.

– Près de la grotte ?

– Près de la grotte.

– Félicité, c'est… ?

Elle se posa sur une chaise et entreprit de frotter sa vieille table avec un torchon.

– Peut-être, peut-être que c'est la vieille. (Un petit sourire rassurant, une caresse sur la joue puis une sorte de découragement, Félicité sentait monter la migraine.) J'en ai marre, j'en peux plus, suis fatiguée moi.

Rudy suivait leur échange en silence.

– Les flics sont par ici ?

Félicité ricana :

– Mon pauvre vieux, les flics, la police municipale, l'armée… ils sont tous là.

Il ramassa son paquetage et sortit dans le soleil.

– Tu viens minette, ton père ne fera pas de vieux os par ici. À plus tard Félicité.

Elle ne perdit pas deux minutes à les regarder s'éloigner, referma son rideau et se précipita vers le commissariat, la rue était déserte.

« Même le dimanche ils travaillent ces cons-là, ils auraient pu faire un break. » Elle ruminait en galopant sur ses talons compensés, la seule élégance qu'elle accordait au Seigneur. Avec sa robe qui moirait au soleil, elle avait une drôle d'allure, mais elle s'en fichait, elle voulait savoir, et être débarrassée une fois pour toutes de la sorcière. Après, elle s'occuperait de sa relation avec Tiouca, car c'était bien cela qui lui occupait essentiellement l'esprit, elle le voulait pour elle toute seule, arrêter sa fuite et le poser dans sa maison. Malgré toutes ses lâchetés, elle crevait d'envie qu'il accompagne sa vie, qu'il soit là pour elle, avec elle, comme il savait le faire parfois. Dormir avec lui, ne plus se distribuer au tout-venant, avoir son homme à elle qui lui souhaiterait ses anniversaires, qui l'aiderait à ranger ses stocks, qui lui prendrait la main quand elle avait mal et saurait alléger le poids qui lui alourdissait la poitrine. Pour cela, il faudrait qu'il se vide du secret purulent qui lui empoisonnait le corps et le jetait en panique dans la solitude de son ajoupa. Elle le ferait parler, bercerait sa tête malade entre ses seins pour l'aider à oublier, c'est ça qu'elle voulait.

Le policier qui l'attendait était un fonctionnaire de la municipalité qu'elle connaissait bien, ils avaient grandi ensemble, un peu à l'école, beaucoup dans la rue, et plus tard avaient assouvi leur poussée d'hormones le plus naturellement du monde. C'était un grand maigre qui rasait ses cheveux crépus et ses joues mangées par une acné tardive.

Il la conduisit dans le bâtiment qui jouxtait le commissariat. On y avait installé un container réfrigéré qui servait de morgue lorsqu'on était obligé de conserver un corps.

– Je crois bien que c'est elle, Félicité.

Il l'entoura d'un bras compatissant dont elle se débarrassa d'un coup d'épaule.

– On verra.

– Je suppose que tu veux savoir qui a fait ça.

– Qui a fait quoi ?

– Eh bien… la tuer !

– Pourquoi tu penses qu'on l'a tuée ?

– Je ne devrais pas te le dire parce qu'il y a enquête, mais les types qu'on a arrêtés étaient en train de l'enterrer.

Il se pencha sur la seule table qui occupait le container, dessus un linceul blanc usé par les lessives, il faisait un froid de tombe et ça sentait le formol. Il libéra la tête du cadavre. Félicité s'arrêta sur les lèvres pincées, le visage tiré vers le bas, un masque de méchanceté, voilà ce qu'elle voyait.

– Bien sûr, c'est elle… (et froidement), elle avait bien l'âge de mourir tu crois pas ?

– Sans doute, sauf que… (il souleva le drap et découvrit le corps), regarde ses poignets, les marques là, avant de mourir elle a été attachée, et pendant longtemps, on croit même savoir où.

Félicité coinça les mots dans sa bouche. Elle était au bord de tout lui dire, les Indiens, la grotte, le ragoût, les paroles qui coulaient d'elle comme d'un livre déchiré, et puis elle imagina Lune, lavant la vieille avec douceur, protégeant les menottes d'un coussinet de chiffons. Ces gens avaient aimé sa grand-mère plus qu'elle ne pourrait jamais le faire. Elle, elle n'était qu'un bloc de haine, il fallait se taire, elle se tut.

L'autre continuait :

– Tu te souviens de la grotte qui nous faisait peur ? On n'y allait jamais. Eh bien on a retrouvé des anneaux coincés dans la pierre, c'est là sans doute.

– Ça veut dire quoi ? Je l'enterre quand ?

Le garçon rabattit le drap.

– Ça veut dire qu'on va faire les papiers comme quoi tu l'as reconnue, et puis il y aura une autopsie pour savoir de quoi elle est morte.

– Mais vous avez déjà arrêté des gars.

Il se gratta la tête.

– Sauf qu'ils racontent qu'ils l'ont trouvée morte dans la grotte et que c'est par charité qu'ils l'enterraient... par charité ! (Il ricana.) Vu le profil des types c'est juste à pisser de rire mais du coup on doit approfondir.

Elle n'avait qu'une envie : se tirer d'ici. Elle se jeta dehors, le policier sur les talons.

– Je veux l'enterrer vite, qu'elle disparaisse de ma vie. (Elle se mit à hurler.) Qu'on la brûle, qu'on la découpe en morceaux ou qu'on la jette dans le fleuve, j'en ai rien à foutre !

L'autre lui attrapa les mains.

– Tu te calmes, tu vas ameuter tout le quartier. C'est ta grand-mère, ou tu pleures, ou tu...

Elle stoppa net. Elle allait signer les papiers et attendre des jours que la police veuille bien lui restituer le corps de cette vieille carne, et ensuite elle allait employer le reste de sa vie à l'effacer de sa mémoire.

Elle s'assit en face du policier, respira un grand coup. Elle avait chaud, sa robe moirée était mouillée aux aisselles et la gênait, surtout se calmer sans quoi elle aurait l'air... comment il s'apprêtait à dire... suspecte ? Manquerait plus que ça.

Le policier brancha un ventilateur poussif qui brassait un air tiède, ça faisait du bien. Sur les murs, des plannings, des tracts syndicaux, une affiche qui invitait à une fête indienne datant de l'année précédente. Trois bureaux métalliques qui commençaient à rouiller s'éparpillaient dans la pièce plutôt spacieuse, aux fenêtres fermées sur la rue.

– C'est qu'on ne chôme pas ici en ce moment ! C'est pour ça qu'on t'a fait venir aujourd'hui. (L'autre se rengorgeait.) On est sur un gros coup, un truc de trafiquant, mais énorme, ça nous prend la semaine. À côté, l'affaire de ta grand-mère c'est une petite affaire !

Elle secoua la tête :

– Arrête de faire ton cacou, il ne se passe jamais rien dans ce bled, alors pour une fois, et tu te la pètes !

– Je ne me la pète pas, c'est vrai. (Il se renfonça sur sa chaise en lui reprenant le stylo.) Et si on dîne ce soir, je te raconte tout.

Félicité lui rendit les papiers avec un petit rire :

– Ça va pas la tête…

L'autre se pencha vers elle, enveloppant :

– Même que le fils du proc' a disparu, tu vois le topo ? Alors ce soir ?

Elle repoussa tranquillement son siège et l'invitation, les battements de son cœur lui défonçaient la poitrine. Il fallait toute affaire cessante qu'elle parle à Tiouca.

Le temps de passer chez elle, d'enfiler un tee-shirt, un jean, des baskets, elle se précipita sur le chemin qui menait aux ajoupas du guerrier. Le soleil tapait une chaleur épouvantable.

Là-haut, deux maigres nuages se poursuivaient, mollement poussés par un vent qui refusait de descendre jusqu'à terre. Elle s'accrocha un panama sur la tête, elle en avait pour trois bons quarts d'heure. Quand elle arriva sur place, il n'y avait personne.

Tiouca était absent, mais sûrement pas parti chasser : son arc préhistorique et ses flèches reposaient abandonnés sur son bout de varangue, comme s'il était parti trop vite. Elle décida de l'attendre jusqu'à ce qu'elle ait trop faim, à sa montre il était 11 h 30.

# 47

Il était perché sur une branche, à la limite d'une trouée sûrement aménagée par la main de l'homme, une respiration qui s'ouvrait plate et bosselée, une déchirure dans la brousse.

Napi regardait son plumage couleur feu, l'oiseau était figé dans une totale immobilité depuis un long moment. Il posa l'index sur les lèvres pour qu'Aha ne bouge plus. Visiblement le coq-roche, comme on l'appelait par ici, était en pleine manœuvre de séduction, il devait y avoir une femelle pas loin. L'oiseau pouvait rester dans cette transe d'amour pendant de longues minutes.

Si le coq roche était sur son aire de drague, cela signifiait la présence d'arbres fruitiers, l'oiseau était friand de ces sucres et n'était pas du genre à draguer loin de son garde-manger. C'était une bonne nouvelle, ils pourraient améliorer leur ordinaire de lait condensé, boîte de sardines, farine de manioc. L'enfant avait besoin de fruits. Pour le moment, Aha lui tirait la chemise pour attirer son attention, il visait le coq roche avec son index puis se tapait la bouche avec les doigts pour signifier qu'il se ferait bien une volaille en broche. Napi lui fit non de la tête. Il attendait que l'oiseau termine sa parade pour pénétrer son territoire, après ils seraient à découvert pendant deux bonnes heures de marche. Ils devaient atteindre Campan avant l'aube, et profiter du calme du petit matin pour trouver Alakipou.

Il se souvenait bien de l'homme aux yeux glacés derrière ses lunettes rondes qui avait parlementé de longues heures avec son grand-père autour d'une lampe à pétrole. C'était chez lui, c'était il y a tellement longtemps lui semblait-il, avant tout cela et pour tout cela.

Un froissement dans l'air, dans un envol lourdaud la femelle vint s'accrocher à la branche, l'autre ne bougeait toujours pas, cela pouvait durer longtemps. Napi ne voulait pas les déranger, il attendrait.

Depuis vingt-quatre heures que la famille de l'enfant avait disparu, il avait peu à peu apprivoisé l'idée qu'il allait s'occuper du gamin tout seul. En vérité, il ne savait plus très bien qui s'occupait de qui. C'était le plus étrange enfant qu'il ait jamais rencontré, certes, parfois ses yeux se remplissaient d'eau et son regard devenait aussi noir que le fond d'un puits, mais la plupart du temps, il était en mouvement constant, en curiosité démesurée. La veille au soir, quand ils s'étaient retrouvés tous les deux dans le hamac que Napi leur avait tendu pour la nuit, il avait sorti du sac le livre du Bushi et, pointant d'un doigt impérieux les mots qu'il voulait entendre, il avait réussi à inventer des phrases nouvelles, dans une langue qu'en principe il ne pouvait comprendre, éclairant d'une autre lumière les paroles de papier. Puis il tapait des mains et recommençait.

Cela avait duré des heures, jusqu'à ce que les insectes qui collaient à leur lampe les obligent à éteindre et à sombrer dans le sommeil.

Dans la nuit totale, il s'était réveillé plusieurs fois avec le sentiment d'une présence qui avait le visage de Lee, puis s'était rendormi le corps chaud du petit lové contre lui, suspendu entre les arbres, la tête couverte d'une moustiquaire, bien à l'abri des insectes, poussière et feuilles qui leur tombaient du ciel.

Les oiseaux s'envolèrent ensemble à la recherche d'une branche plus discrète pour abriter leurs amours. Napi cherchait des yeux les arbres fruitiers qui devaient immanquablement se trouver dans le coin. Il repéra un buisson alourdi de pépites mauves qui allait leur fournir leur petit déjeuner, des icaques, icacos comme on disait chez lui, les Créoles disaient zikaks. Il fallait les laver de l'urine des prédateurs. Il sortit une écuelle, y versa l'eau de sa gourde et passa à la cueillette. Aha allait plus vite que lui, se moquant avec son rire silencieux et édenté.

– On va traverser la clairière, tu vois là-bas, on atteindra les arbres vers midi. Après, il faudra marcher jusqu'à la nuit, on s'arrêtera pour dormir.

Aha l'interrompit en lui désignant le livre dans son sac, il pointa son doigt sur Napi puis sur les pages ouvertes.

– Oui, si tu veux on lira encore.

L'enfant battit des mains.

– Et on se lèvera bien avant le soleil, pour arriver à Campan à l'aube.

Il touilla les fruits dans la gamelle, se débarrassa de l'eau sale, libéra la chair fadasse de sa coque, et lui donna la béquée. Malgré la mise en garde de la femme du ponton, ils n'avaient croisé aucun uniforme depuis la traversée du fleuve :

– Tu connais Alakipou ?

Le petit arrêta de manger et regarda Napi avec une gravité qu'il ne lui avait encore jamais vue. Ses sourcils refermaient un pli au milieu de son front, il ne riait plus du tout. Il fit oui de la tête et Napi ne sut s'il était soulagé ou inquiet.

Dès qu'ils pointeraient à Campan, il irait chez Félicité, la seule Bushi qu'il connaissait dans ce village. Elle lui dirait qui était Alakipou et où le trouver.

# 48

Des rubans rouge et blanc délimitaient l'espace que la police avait installé autour de ce qui paraissait être une tombe de terre battue. Tiouca en contourna le périmètre. Les types avaient creusé profond, il était clair qu'ils connaissaient leur affaire et ne voulaient pas que le corps soit déterré par un quelconque prédateur. Une pluie fine légère comme la brume s'insinuait dans le col de sa chemise et donnait à l'ensemble du décor un aspect fantomatique. Il s'arrêta et planta ses yeux sur le monticule qui cachait la grotte, c'est ici que les images qu'il repoussait tous les jours l'avaient envahi jusqu'à la nausée. Cet endroit l'effrayait, adossé à rien d'autre que des histoires qu'on se racontait au tomber du jour. C'était bon pour terroriser les enfants, c'était bon pour exciter les adultes. Une flèche de soleil transperça le brouillard et se ficha dans les empreintes de pas qui chiffonnaient la terre. Combien de militaires, policiers et représentants de la loi avaient piétiné la scène? Suffisamment en tout cas pour qu'il ne reste plus rien à glaner, pourtant il était revenu avec les écouteurs d'iPod de Jonathan, enfoncés dans la poche. Le garçon avait rôdé par ici après leur première visite. Pour quoi faire et avec qui? On le saurait bien assez tôt. Mais ce type ne savait pas vivre sans sa musique aux oreilles, et n'était même pas passé chez lui alors que son ajoupa était à une poignée de kilomètres.

Tiouca s'agenouilla dans la gadoue. La terre glissait entre ses doigts, grasse et rouge, elle contournait le petit morne, bousculée par un fouillis de buissons âpres et maigres qui peinaient à pousser à l'ombre des grands arbres.

Il se leva, épousseta son pantalon et reprit sa marche silencieuse. Plus il se rapprochait de la grotte plus il sentait la présence, une présence animale. Il n'avait ni fusil ni arc ni flèches, juste son vieux couteau qu'il sortit de son étui.

Il suivait les flaques roussâtres qui perçaient de temps en temps l'enchevêtrement de lianes, racines et autres résineux. Il ferma les yeux : le nez, les oreilles et aussi les frissons sur sa peau, c'est avec cela qu'il chassait depuis des années. Là, là et là, il y avait des traces. On avait traîné quelque chose de lourd.

Il s'accroupit, colla sa tête à la glaise et attendit que les battements de son cœur laissent place aux craquements infimes qui disaient l'agitation des fourmis, le glissement d'un serpent ou plus loin la danse d'une biche.

C'est alors qu'il entendit, léger, loin, un grincement ténu, un rythme déconnecté de toute cette harmonie. Il fallait se rapprocher encore. Il repéra un monticule de terre, hâtivement poussé pour boucher un trou dont il ne restait plus qu'une fente au pied des rochers.

Quand il récupéra Jonathan, Tiouca était certain que le garçon était à peu près mort. À peine un souffle soulevait par intermittence sa poitrine couverte de croûtes et d'ecchymoses, des bouts de sparadrap lui pendaient des lèvres et des paupières, son visage, un brouillon méconnaissable. Ce qui lui restait de pantalon était souillé d'excréments, d'urine et de terre, et il s'échappait de sa bouche comme une plainte d'agonie, il semblait se battre pour attraper un peu d'air et n'y arrivait pas toujours.

Tiouca regarda les yeux révulsés, embarqua le garçon sur son épaule et entreprit de rentrer chez lui. Il avait conscience de fonctionner depuis quelques jours au-delà des limites qu'il s'était fixées. On avait dépassé le stade des emmerdements, on était dans la haute sphère de la galère. Si ce gamin lui claquait entre les doigts, il pouvait dire adieu à sa tranquillité si chèrement acquise.

Sur ses papiers qui pourrissaient dans une boîte en fer-blanc enfouie près des tinettes, il y avait écrit : Philippe Lemay. C'était son nom, il l'avait soigneusement gommé de sa vie, mais s'il était obligé de quitter ce pays, il faudrait déterrer cet homme-là. Il fallait qu'il parte, avant que la folie ne le charroie dans un tourbillon dont il ne pourrait plus s'extraire. Et si Philippe Lemay était recherché, eh bien, la boucle serait bouclée. Une profonde tristesse l'accabla.

Au fond de sa cour il apercevait Félicité qui lui faisait de grands signes avec les bras.

# 49

Ils tombaient des arbres par grappes en aboyant des ordres :

« Ne pas bouger. »

« Stopper tout. »

« Les bras le long du corps. »

« Les femmes d'un côté, les hommes de l'autre. »

« Lâcher le brancard. »

Une cavalcade organisée comme une partition de musique. En trente secondes exactement, le convoi avait été neutralisé, les Indiens soulagés de leurs couteaux, arbalètes, arcs et flèches (personne n'avait de fusils), les femmes fouillées et Julie se dit que le travail était bien fait. Elle avait participé à des opérations commandos avec l'armée et elle reconnaissait la patte des hommes en vert.

Le moment de panique était passé. Quand les militaires avaient surgi, elle avait regardé l'impassibilité de Douna pendant que les autres criaient leur peur, il n'avait pas bronché, juste une pression de main sur son bras dont elle n'avait pas compris le sens. L'homme qui faisait autorité réclama de parler au chef de l'expédition. Douna se détacha du groupe. Julie promenait ses yeux sur la scène, ils avaient bien l'air d'une troupe de touristes qui accompagnaient une quelconque cérémonie proposée par les Indiens.

Les femmes, ayant compris qu'on avait affaire à l'armée française et pas à quelque bande armée, reprenaient du poil de la bête et commençaient à s'insurger contre les méthodes agressives qui venaient mettre le boxon dans leur havre de paix.

En face de Douna les questions tombaient dru :

– Qui sont tous ces gens ?

Vu le nombre de barrettes à ses épaules, l'homme était colonel, on avait déplacé la grande artillerie. Un peu enrobé, la tête en melon, sa casquette posée sur ses cheveux impeccablement coupés cachait un regard bleu glacé. Les autres étaient en tenue de combat.

Mais à qui donc pensaient-ils avoir affaire ? Julie était au bord du fou rire, elle chercha Maïla des yeux et l'aperçut au milieu des autres femmes qui râlaient en parlant de démocratie et de droits de l'homme dans toutes les langues.

Douna avait entrepris de présenter chaque membre du groupe, un par un.

« Il gagne du temps, réalisa Julie. Mais pourquoi, pour qui ? »

– Tout le monde a ses papiers ? Vérification s'il vous plaît.

Le périmètre était quadrillé par les soldats en armes, il était hors de question d'essayer de fuir. L'affaire semblait sérieuse. Au grand étonnement de Julie, tout le monde avait l'air parfaitement serein. Normal pour les camarades touristes qui étaient complètement en règle avec leur pays d'origine et aussi avec la terre d'accueil, les passeports européens et les visas pleuvaient et s'entassaient, après vérification, dans la sacoche d'un adjudant. Mais côté Indiens aussi, c'était impeccablement huilé, la plupart d'entre eux étaient français, et l'équipe de Front-fuyant qui venait de Colombie avait tout bon, visas de sortie, visas d'entrée. Julie interpella Douna du regard. Quand elle se remémorait la façon dont ils s'étaient tous retrouvés et le chemin parcouru, elle savait qu'il était impossible que tous ces papiers aient pu être faits en bonne et due forme, donc, c'était des faux.

Douna avait le visage fermé des jours sans paroles. Le temps s'écoulait lentement, la vérification était sérieuse, minutieuse.

Enfin, le dernier passeport refermé, le colonel se dressa de toute sa taille :

– Et où allez-vous ?

– À Campan.

– Pour y faire ?

– C'est un voyage organisé pour partager avec des touristes nos coutumes, nos rites, faire tourner la parole, ouvrir le dialogue.

Douna parlait comme un prospectus. Julie se retenait, elle allait exploser de rire et cela gâcherait tout. Le colonel se tourna vers les « touristes » et entreprit de les interroger sur leurs motivations, c'étaient ses termes. Tout doucement l'ambiance virait, Shakira la Sud-Africaine entreprit d'insulter en anglais tous les hommes en uniforme de la planète en agitant un doigt menaçant, la Hollandaise la relaya immédiatement, les Japonaises affirmaient ne pas du tout aimer la plaisanterie et demandaient si c'était prévu dans le forfait, bref, c'est dans une cacophonie sans nom que la question tomba.

– Que transportez-vous dans ce container ?

# 50

Suzanne était à la porte d'Alakipou et s'apprêtait à frapper quand des crissements de freins bouffèrent l'asphalte : un gros 4x4 se déporta vers elle. Elle reconnut vaguement la voiture de Lionel et comprit qu'il lui hurlait quelque chose depuis l'habitacle, mais elle n'avait envie ni d'entendre ni de comprendre. Cette irruption inopportune allait l'empêcher de voir Alakipou et c'était hors de question. Elle détourna la tête et cogna à poing fermé sur le battant. Il ne se passait rien de l'autre côté.

« Tu viens quand tu veux », lui avait-il dit. Non, c'est elle qui lui avait dit : « Je reviens quand je veux », et lui avait répondu un truc à propos de la clé : « Si je ne suis pas là, elle sera... » Elle sera où ? Qu'est-ce qu'il lui avait dit ? Maintenant Lionel était sur son dos et la secouait comme un vieux sac.

– Tu m'entends, Suzanne, tu m'entends !

Elle pressa ses paumes sur ses oreilles. Non, elle n'entendait pas et il fallait surtout que cet homme s'en aille et arrête de s'introduire dans son intimité. Elle s'était douchée, préparée, habillée d'une robe fluide qui frissonnait sur sa peau. Elle n'avait ni culotte ni soutien-gorge, ses cuisses étaient humides, elle avait décidé de l'obliger, de le vaincre, de le convaincre aujourd'hui. Elle l'introduirait en elle et ne bougerait plus jusqu'à s'endormir dans son odeur, elle embrasserait ses longs cils dénudés après lui avoir ôté ses lunettes, elle jouirait à réveiller le quartier puis elle fermerait les yeux, c'était cela son plan. Donc Lionel ne pouvait pas exister, là, présentement entre elle et cette porte :

– Jonathan ! Jonathan, il est à l'hôpital !

Elle se débattit. Ça y est, il avait dit : « la clé sous une pierre près de l'escalier ».

– Tu m'entends Suzanne ! Jonathan est à l'hôpital !

Le silence dans sa tête, elle n'avait pas de mots, rien n'était à sa place, un début de hoquet, « ah non pas ça », elle se concentra, arrêta sa respiration, laissa passer la crispation de son estomac et murmura :

– Eh bien c'est parfait Lionel, tu l'as retrouvé !

Il la traîna vers la voiture, il grondait :

– À l'hôpital et tellement mal en point ! Mon Dieu, Suzanne… il va peut-être mourir !

Sa voix se brisa en mille morceaux qui dansèrent à ses pieds, elle essaya de les éviter. Il la posait sur le siège, lui attachait sa ceinture, par la vitre fermée elle regardait la rue et cette porte derrière laquelle il y avait un miracle, cet endroit, le seul où elle avait envie d'être.

La voiture avala la Grand-Rue, dérapa à la sortie d'un rond-point de terre battue, mangea des kilomètres d'asphalte avant de piler devant un cube blanc qu'entourait par intermittence un mur rongé d'humidité. L'hôpital se déployait sur la route qui menait à la capitale, assez loin du village. C'était un bâtiment disgracieux, aux proportions improbables accommodées en fonction des besoins, des crédits, de l'ouverture de nouveaux services. Il se voulait moderne et capable d'offrir autre chose aux patients qu'un lieu où mourir guéri comme on disait par ici.

Suzanne se sentit arrachée à son siège par une poigne solide, Lionel tremblait en la traînant à travers les couloirs qui sentaient le propre javellisé. Elle perçut quelques injonctions brèves, des questions, des réponses, le précipité de ses pas et se retrouva dans le silence d'une petite chambre, bercée par la cadence d'un bip, bip, qui provenait d'un écran lumineux.

– Comment va-t-il ?

Lionel chuchotait à une femme en blanc, penchée sur un lit. Dans la pièce il y avait deux autres personnes, Lionel leur serrait la main, il avait l'air de les remercier d'un air distrait. Elle connaissait la femme, c'était celle qui tenait boutique dans la Grand-Rue de Campan, l'homme c'était un Blanc maigre et efflanqué avec une paillasse jaune sur la tête, lui aussi elle le connaissait mais elle ne savait pas d'où. Et dans le lit, il y avait un corps massacré d'où s'échappaient des fils, des tuyaux, des tubes reliés à des machines. Un grand vide s'installa.

Ce visage concassé à la mâchoire ouverte, ces yeux clos sur une pâleur livide, ce torse maigre qui soulevait à peine ses bandages, étaient ceux de son bébé. Il était bien, couché là, elle ne voulait pas qu'il se lève. Debout il lui ferait peur, elle ne voulait pas qu'il ait mal non plus car elle sentait que son ventre se tordait d'une douleur qui ne lui appartenait pas. Il était bien là. Il fallait le raccommoder. De temps à autre elle se levait pour embrasser ses lèvres desséchées, puis elle se rasseyait et se transportait là-bas, dans son miracle.

La porte de la chambre se referma doucement sur les étrangers. Elle sentit un bruissement à ses côtés, Lionel s'assit, il chuchotait :

– Ils l'ont retrouvé dans les bois, je ne sais pas trop où, presque enterré. Le médecin m'a dit qu'il était complètement déshydraté, ils l'ont mis sous perfusion, au moins trois jours. Côtes cassées, mâchoire fracassée... craint traumatisme crânien... colonne vertébrale... il faut attendre... peu de chances.

Elle attrapait des bribes de phrases, mais cela ne faisait pas tout à fait sens. Le silence l'obligea à décoller les yeux du corps sur le lit. Elle regarda l'homme vautré à ses côtés, les épaules secouées, il avait la tête dans les mains. Peut-être qu'il pleurait ?

Suzanne se pencha vers le lit, effleura le drap, elle allait rester là, tant que le bip rassurant continuerait à lui parler. La porte de la Grand-Rue s'éloignait, elle l'avait déposée quelque part, dans un coin tranquille où elle pourrait la retrouver plus tard. Elle parla pour la première fois :

– Tu devrais rentrer à la maison et nous ramener un pyjama pour Jonathan, sa brosse à dents et son iPod.

Lionel lui tendit un cordon blanc.

– Ils ont trouvé ça sur les lieux. (Il se leva, chercha ses clés.) Je suis de retour dans trois quarts d'heure maximum. (Il tournait en rond dans la pièce.) Ça ira, tu tiens le coup ?

Elle fit oui de la tête.

# 51

Campan dormait, en haut la voûte obscure d'un ciel sans étoiles commençait à blanchir, en bas les toits de tôle rafistolés luisaient doucement, ponctuant la pénombre des maisons plus cossues. Pas une lumière, sauf derrière les vitraux latéraux de la petite église où des bougies de prière finissaient de se consumer.

Napi pressa le pas, il fallait faire vite, le jour se levait. Il était épuisé, amarré à son dos l'enfant ballottait, profondément endormi, sur sa poitrine le lourd sac qui contenait hamac, casseroles, son livre précieux et plus aucune provision. Il était temps d'arriver.

Il traversa la place de l'église et s'engouffra dans la Grand-Rue. Derrière les portes closes, il entendait les bruits du petit matin, raclement de gorge, toux, chasse d'eau, chuintement de pas. Une fenêtre s'entrouvrit, libérant une chaude odeur de café. Napi saliva, il accéléra le pas, cherchant des yeux l'enseigne du magasin de Félicité. C'était là-bas, tout au bout de la rue.

Une petite main lui chatouilla l'oreille. Le petit était réveillé, il faudrait lui trouver de quoi manger car s'il y avait une certitude concernant Aha, c'est qu'il avait tout le temps faim et qu'il usait une bonne partie de son imaginaire à transformer à grands gestes tout ce qui l'entourait en nourriture.

Il allait taper à la grille de la boutique quand elle s'ouvrit sur un paquet d'eau qui atterrit à ses pieds, cela sentait le grésil :

c'était l'incantation du matin qui favorisait les affaires et lavait le commerce des mauvaises vibrations de la nuit.

En apercevant Napi, Félicité lâcha son seau :

– Bon Dieu bon, qu'est-ce que tu fais là, Bushi ?

Il se débarrassa du gros sac et fit glisser un paquet gigotant de ses épaules. Le paquet posa sur Félicité l'eau noire de ses yeux, son visage était fendu d'un sourire grand comme la lune. Il rapprocha ses doigts de sa bouche dans le langage international qui signifiait qu'il mangerait bien quelque chose.

La femme inspecta la rue déserte, la rumeur du petit jour commençait à s'installer, elle les fit entrer :

– Bushi, c'est quoi cet enfant ?

Napi souffla : il fallait d'abord qu'il mette de l'ordre dans ses idées avant de raconter quoi que ce soit. Il traversa le bric-à-brac du magasin, lâcha son sac dans la cuisine et hissa le gamin sur une chaise :

– Tu as le bonjour du vieux.

Félicité démarra la cafetière, posa une casserole de lait sur le feu et un morceau de pain rassis sur la table, elle sortit le beurre et une confiture de goyave du frigo et aligna le tout devant le visage épanoui du gamin.

– Il tient le coup, ton grand-père ?

– Ouais, on peut dire ça, mais maintenant c'est moi qui fais le boulot. (Il hésitait.) Enfin… de temps en temps.

– Et tu as quoi pour moi ?

D'habitude le jeune Bushi lui ramenait des bijoux ou des babioles, tissus peints, peignes en bois, coffrets qui provenaient des coopératives artisanales saramacas.

Napi baissa le nez et montra le gamin du pouce. Félicité le regarda sans bouger, puis tourna les talons, récupéra deux tasses où elle versa le café, un bol qu'elle remplit de lait, désigna le sucre et s'assit.

Le petit émiettait le pain dans son lait après l'avoir généreusement poudré de sucre. Cet enfant était d'une beauté lumineuse, ses yeux lui mangeaient le visage. Elle regarda trembler l'ombre de ses cils, le jour s'infiltrait doucement dans la petite cuisine, bientôt elle pourrait éteindre l'ampoule du plafonnier, il y avait tant de douceur dans ce petit matin.

– Et tu t'appelles comment ?

L'enfant leva un doigt et l'agita sous son nez. Il mangeait tout seul, enfournant d'énormes bouchées sans en perdre une goutte.

Napi posa sa tasse avec un soupir satisfait : il avait sifflé son café d'une lampée.

– Je peux en avoir un autre, Félicité ? (Puis en remuant mollement sa cuillère) Il ne parle pas.

Félicité semblait fascinée. Elle entendit le lit grincer à l'étage, la petite Marie se réveillait.

– C'est normal, il est un peu petit c'est encore un bébé.

L'enfant arrêta net de manger et fixa Félicité, ses cils étaient immenses et recourbés comme s'ils avaient été travaillés par une maquilleuse.

– Non, ce n'est pas ça, fit la voix de Napi. Il ne parle pas, il n'y a pas de sons dans sa gorge, rien. Mais il comprend tout ce qu'on dit, et dans plusieurs langues : en bushi, en amérindien, en français. Et peut-être plus, je sais pas, il est... spécial. (L'enfant descendit de sa chaise, se dandina avec assurance jusqu'à l'escalier et se posta en bas des marches, il attendait. Napi murmura) Je dois le remettre à Alakipou, il est ici à Campan, mais je sais pas où.

– On peut dire que tu tombes mal, toi ! (Elle frotta ses cheveux ras de la paume des mains.) Il y a un tel bordel à Campan en ce moment ! On n'y comprend plus rien, des flics, des militaires, des blessés, des mourants, des morts. (Elle s'interrompit.) La vieille, elle a cassé sa pipe.

– Quelle vieille ?

– Ben la vieille.

Félicité fit un geste qui englobait la maison.

– Ah, ta vieille, je la croyais morte depuis longtemps.

– Ben non, même qu'on l'enterre. (Elle s'arrêta.) D'ailleurs, je ne sais pas quand on l'enterre, ils vont faire une autopsie parce que, parce que... bref c'est une longue histoire.

Napi lui toucha la main. Il n'allait pas faire semblant, il savait exactement quelle béance déchirait la relation entre Félicité et sa grand-mère, un gouffre sombre et sourd à toutes condoléances ou compassion. Il le lisait dans les yeux de Félicité, il n'y avait pas de place pour le chagrin.

Elle se leva :

– En attendant vous avez tous les deux besoin d'une bonne douche, je ne sais pas d'où vous venez, ni où tu as récupéré cet enfant, mais vous puez.

– Il s'appelle Aha, et sa mère m'a juste parlé d'Alakipou avant de disparaître. Je…

Une cavalcade dans l'escalier, Marie stoppa au milieu des marches, en bas Aha lui tendait les bras et un rire silencieux lui fendait le visage. Elle finit sa descente sur la pointe des pieds, au bout du silence qui fermait la bouche à Napi et Félicité, elle enroula l'enfant dans ses bras maigres avec une douceur que la lumière du jour hésita à caresser.

Félicité se dit qu'elle avait mal vu dans la semi-pénombre, mal ressenti, mais en regardant Napi, elle réalisa qu'il était sans parole comme elle, spectateur d'un moment qui les dépassait.

– Mais qui est cet enfant, Bushi ?

Il haussa les épaules et lui raconta tout : le convoi, la séparation, Lee et les deux Indiens, la traversée clandestine, la disparition de la famille de l'enfant. Il raconta tout, sauf la violence qui avait ensanglanté le milieu du voyage, ça, il ne pouvait pas, pas encore… peut-être, il le dirait au vieux au retour mais là, il n'était pas prêt.

– Alors, il y a bien un convoi ?

Félicité regarda les enfants. Ils étaient engagés dans une conversation animée où le flot de paroles de la fillette était interrompu par les gestes énergiques du petit garçon. Apparemment ils discutaient ferme d'une série brésilienne qui passait à la télé et dont Marie ne manquait jamais une miette. Elle tourna la tête vers Napi :

– Qu'est-ce qu'ils trimballent dans ce convoi ? On ne parle que de ça ici.

Napi quitta sa chaise.

– Je ne sais pas, et je ne veux pas savoir. (Il hésita.) Il y a des Indiens, des tribus qui viennent de loin, et un chariot, fermé… personne ne sait ce qu'il y a dedans.

Félicité baissa les yeux sur ses mains.

– Alakipou est juste à côté, chez Lulla. Vous devriez vous doucher avant qu'on y aille, si on arrive à séparer ces deux-là !

Il fut vite clair que si douche il y avait, elle ne pouvait être donnée au petit que par Marie. Il lui tenait fermement la main et refusait qu'on l'approche avec une telle arrogance que Félicité en oublia de se fâcher. Visiblement, ce jour qui envahissait maintenant sa boutique ne serait pas un jour comme les autres. Napi s'était endormi sur sa table, et elle entendait là-haut les éclats de rire de Marie et un charivari qui lui faisait craindre que sa petite douche ne déborde. Une chose était sûre, cet enfant étrange amenait la joie avec lui. Elle secoua Napi :

– Il faut y aller. Pendant que tu te douches, je vais surveiller qu'Alakipou ne bouge pas de chez lui. Grouille, cet homme-là quand il disparaît, on sait jamais où le trouver.

Elle s'activa pendant que Napi s'ébrouait à grand bruit. Les enfants étaient redescendus lustrés et presque sages, assis de chaque côté de la table, ils avaient entamé une partie de cartes. Félicité fit comme s'il était normal et banal que le garçon fût aussi à l'aise avec un jeu dont il semblait parfaitement maîtriser les codes. Marie n'avait pas descendu son cartable. Visiblement, l'école ne faisait pas partie de ses projets, ce matin, il fallait mettre bon ordre à tout cela.

Félicité posa sa serpillière, rinça la vaisselle qu'elle étala sur l'évier et courut achever d'ouvrir ses grilles. Dehors le soleil était déjà haut, une belle journée, toute en lumière et chaleur, se glissait dans le village. La vie revenait à Campan, la Grand-Rue s'animait doucement comme un malade après la fièvre. Le silence avait succédé à l'affolement des rumeurs, les militaires n'étaient plus là dès le petit jour à arpenter les rues. Tiouca, qu'elle avait quitté en sortant de l'hôpital, allait peut-être revenir, il fuyait avec détermination tout espace où se profilait un uniforme. Quand il reviendrait elle le garderait, elle lui dirait qu'elle ne voulait pas que les jours s'étirent et s'en aillent sans qu'il lui tienne la main, elle lui dirait qu'elle avait besoin qu'il soit là. Elle soupira.

La maison de Lulla était close, porte fermée, mais la fenêtre entrouverte à l'étage la rassura : Alakipou était encore chez lui. Elle se précipita dans sa cuisine :

– Marie, il va être l'heure ! (Elle sortit du frigo un tupperware de riz au poulet.) Ton déjeuner, va chercher ton cartable. (Puis cria.) Napi, fais vite, il va partir ! (Elle regarda le petit qui posa ses cartes.) On va t'emmener chez Alakipou.

Le gamin hocha la tête, il était grave et ses yeux s'éteignirent. Marie grommela entre ses dents :

– Il n'a pas envie d'y aller, tu ne vois pas qu'il n'a pas envie ?

Félicité entendit Napi dévaler l'escalier pendant que le garçon posait doucement sa menotte sur le bras de Marie, comme pour lui dire que tout allait bien.

« Ma parole, pensa la jeune femme, ce gamin a au moins 100 ans. »

Ils se retrouvèrent dans la rue, dans le frémissement matinal qui soulevait la poussière. Elle toqua à la porte, entendit tomber le verrou, l'enfant avait saisi la main de Marie qui les avait accompagnés, cartable sur le dos. Le battant s'entrouvrit, ils entendirent les pas qui remontaient l'escalier, Félicité se sentait de trop :

– Alakipou, c'est Napi qui veut te voir… avec un enfant.

Les pas s'arrêtèrent en haut des marches, puis reprirent leur progression dans la pièce.

– Montez !

La voix était ferme et impérieuse. Napi poussa l'enfant qui s'accrochait à la main de Marie, l'escalier était étroit, ils avançaient à la queue leu leu. Quand Félicité arriva sur le palier, un silence profond rampait entre les murs : il y avait cet homme debout au fond de la pièce, face à lui l'enfant qui levait la tête pour le regarder et entre eux un espace qui tremblait et éloignait le reste du monde.

Aha avait lâché la main de Marie et se tenait droit, les bras le long du corps. Alakipou fit un pas et s'accroupit. Sa voix était rauque, un murmure :

– Aha, tu t'appelles Aha.

Ce n'était pas une interrogation mais une affirmation qu'il accompagna d'un geste léger de la main. Il porta l'enfant jusqu'à la table qui servait de bureau et le posa, debout. Il ôta ses lunettes, et promena ses mains et son regard sur le petit corps. Aha le fixait avec une sorte de gravité et dans cet espace créé par eux deux, il n'y avait place pour rien, ni paroles, ni caresses, ni douceur, ni brutalité, juste une intensité que les trois autres regardèrent passer, longtemps. Puis Napi commença à s'agiter :

– Sa mère m'a dit de te l'amener, puis elle a disparu. On était à deux jours de Campan.

Alakipou tourna la tête vers le petit groupe :

– C'est très bien, Napi.

Il ouvrit un tiroir, en sortit une petite bourse.

– Tiens, ceci est pour toi, j'ai déjà payé ton vieux.

La bourse était légère, elle contenait trois minuscules pépites, en la refermant Napi se dit qu'il commençait à devenir riche. Il serra la main d'Alakipou. Aha les regardait avec attention puis tendit les bras vers Marie.

– Je... (Alakipou se déplaça vers eux) j'ai beaucoup de choses à régler avant de m'occuper d'Aha, crois-tu pouvoir le garder avec toi pendant quelques jours, il a l'air de bien s'entendre avec la petite. (Félicité chercha les yeux glacés derrière les lunettes.) Je te dédommagerai bien sûr.

Il y avait une telle raideur dans sa demande, que la jeune femme eut envie de l'envoyer bouler :

– Et avec tout ce qui se passe en ce moment, en admettant que j'accepte, j'explique comment la présence d'un enfant tombé du ciel chez moi ?

Il la fixa :

– Tu diras que c'est mon fils et que je l'ai posé chez toi pour quelques jours.

Napi secoua la tête, incrédule. Félicité se gratta la tête. Marie lui lâcha un baiser :

– Maintenant je peux partir à l'école, je suis sûre de le revoir… pas vrai Aha ?

Elle dégringola l'escalier en criant « à ce soir ! » et disparut dans le soleil. En haut personne ne parlait, par la fenêtre entrouverte montaient les bruits de la rue, une moto pétarada et se fit insulter par un piéton, un chien couina et les gamins s'excitaient sur le chemin de l'école. On était si tôt le matin et tant de choses bougeaient déjà.

– Et qu'est-ce qui prouve que c'est ton fils ?

Alakipou ricana :

– J'ai les papiers comme ils aiment par ici. (Sa voix se fit très douce.) J'ai tous les papiers. (Son regard fit le tour de la pièce.) Je ne veux pas qu'il reste enfermé là. (Il ouvrit les mains en penchant la tête.) Alors ?

Félicité s'engouffra dans l'escalier, le Bushi et l'enfant sur les talons.

– Alors, on verra. Pour l'instant je le récupère avec Napi qui ne peut pas repartir tout de suite de toute façon. (Elle s'arrêta.) Mais je veux pas d'emmerdes, j'en ai suffisamment comme ça. (Ses yeux flambaient.) On a retrouvé le fils du proc', Jonathan, à moitié mort près de la grotte… (Il ne bougea pas. Aha avait levé la tête et son regard était planté dans celui d'Alakipou.) Bon, je m'en vais.

Félicité attrapa Napi et l'enfant et se jeta dehors. La chaleur grimpait, le soleil lavait les trottoirs et un rat énorme traversa le caniveau, il était temps de se poster derrière la caisse du magasin : aujourd'hui elle allait vendre des éventails et des floups, ces sachets de glaçons parfumés à la menthe et à la grenadine, peut-être un ou deux ventilateurs, et si Tiouca ne se pointait pas d'ici ce soir elle irait le chercher.

Elle laisserait la maison et l'enfant au Bushi et à Marie.

Après tout il fallait bien que chacun fasse sa part sur ce bout de terre.

# 52

Le convoi serpentait à bonne allure le long des grands arbres. Il s'étirait sur quelques centaines de mètres et semblait organisé autour du chariot qu'on avait débarrassé de ses roues depuis longtemps pour le transformer en une informe litière portée par une vingtaine de bras. L'ambiance avait changé depuis que les militaires avaient ordonné l'ouverture du container. Douna avait d'abord protesté, dressant son grand corps entre le chariot et les uniformes, expliquant l'œil dur et la mâchoire crispée qu'il s'agissait d'un autel sacré auquel aucun non-initié ne pouvait avoir accès. Puis, devant la détermination des forces de l'ordre, il avait fini par céder, le menton haut il avait fait deux pas de côté pour libérer l'ouverture de la bâche.

Quatre militaires s'étaient précipités et débattus avec les nœuds et cordages qui maintenaient la toile autour de la litière. Plus personne ne parlait, après l'injonction sèche du colonel un silence épais avait pétrifié la clairière. Il n'y avait plus que le souffle des hommes et le crissement des cordes. Ils étaient encerclés, tenus en respect et menacés par une cinquantaine d'armes à feu parfaitement légales.

Julie s'était rapprochée de Douna, lui avait touché le bras en cherchant son regard. Il était ailleurs, loin vers un horizon obscurci par le fouillis végétal qui leur barrait la route.

– Douna, est-ce que…

Elle voulait lui demander s'il y avait quelque chose de dangereux pour eux dans le container, s'il les avait entraînés dans une aventure qui les enverrait toutes et tous en tôle, s'il avait eu l'indécence de trahir la confiance de toutes ces femmes ; mais en regardant son menton serré, ses lèvres dures, son sourire méprisant, elle s'était tue.

Autour d'elle les femmes étaient tendues, écartelées entre la peur de ce qu'on allait découvrir et l'excitation de savoir enfin ce que recélait le coffre sur lequel leur curiosité s'était épuisée depuis tant de jours.

Plus loin la forêt s'était reprise à respirer, dans les cris des macaques, les stridences des oiseaux, les chuintements de la terre.

Adossée à un arbre mort, Maïla pleurait sans discontinuer à petits hoquets silencieux, le regard tétanisé, hypnotique sur les armes à feu que tenaient les soldats, elle avait l'air de vivre autre chose que ce qui se passait là, une autre histoire dont Julie comprit brusquement le récit.

Elle secoua la tête :

– Il y a quoi là-dedans, Douna ?

Il baissa les yeux :

– Rien, rien qui vous concerne, ni toi ni les tiens.

Les quatre hommes avaient fini de débarrasser la litière de ses liens. Ils soulevèrent la toile sans effort et la rabattirent sur le côté, découvrant une sorte de boîte en bois travaillé de la longueur d'un cercueil mais dont la hauteur atteignait le mètre cinquante. Le bois était brut et parcouru dans son épaisseur de dessins creusés à la main, un magnifique travail d'artisan qui avait dû mobiliser bien des talents, des charnières en cuir couraient tout le long de ce sarcophage et permettaient d'en rabattre un pan. Les militaires n'hésitèrent pas, ils soulevèrent le couvercle, durent s'y prendre à plusieurs car le bois était lourd et compact, puis ils reculèrent pour laisser le champ à leur chef. Un long soupir frissonna de bouche en bouche. Tout le monde pouvait voir l'intérieur du coffre.

Rien. Il était vide. Pas un objet, pas une pièce d'or, pas de cadavre, pas de tissu, pas de bijoux, pas d'armes, pas de billets de banque, juste rien.

– Rien à signaler mon colonel.

Long silence.

Le gradé s'était tourné vers ses hommes et d'un claquement de doigts avait exigé que chaque foutu centimètre de cette chose soit examiné et qu'ensuite chaque individu présent dans la clairière soit fouillé au corps.

L'opération avait été longue pour la simple raison qu'il y avait beaucoup plus de femmes que d'hommes à inspecter, et qu'il y avait moins de femmes que d'hommes chez les militaires.

Au bout de ce qui avait paru à Julie une éternité de froissement de tissus, de protestations, de hoquets indignés, le colonel, qui maîtrisait une colère phénoménale, annonça à la cantonade que sa troupe et lui accompagneraient le convoi jusqu'à son terminus et remettraient tout ce beau monde à la police.

Douna et Front-fuyant s'étaient écartés du groupe, avaient échangé quelques mots, puis on avait refermé le sarcophage avec des gestes précieux, on l'avait rebâché et l'équipage s'était ébranlé, encadré par les militaires au pas de charge. Depuis, l'ambiance était nulle.

Julie agrippa Douna.

– Tu crois que les policiers vont remettre ça quand on va arriver à Campan ?

Il haussa les épaules et la regarda.

– Tu es très énervée là ?

Elle secouait la tête :

– Y a de quoi non ? Tout ce tintouin pour un sarcophage vide. (Elle souffla.) Vous êtes un peu barrés dans ce pays, tout le monde est barré, les flics, les militaires, vous... Même nous on est parties en vrille, on ne savait même pas ce qu'y avait dans ce truc et on marchait à côté, on n'osait même pas demander, ça aurait pu être n'importe quoi, un trafic quelconque.

– Non.

– Comment non ?

– Ce n'est pas que vous n'avez pas osé demander, c'est que vous n'en avez pas eu vraiment envie.

– Ah si, moi j'avais envie de savoir.

– Mais pas de demander. (Il s'arrêta.) Chez nous la confiance c'est savoir attendre que l'autre ait envie de parler pour l'écouter.

Elle baissait le nez :

– Et c'est important pour vous le coffre ?

Il parut réfléchir un moment, accéléra le pas pour rattraper les autres qui filaient droit devant à l'allure des militaires :

– Le coffre, c'est important qu'il soit là, à tous les moments où il est là.

Julie ouvrit les mains, secoua la tête et se planta au mitan du chemin. Elle se laissa dépasser par les filles, entendit la Hollandaise lâcher « putain d'apothéose, c'est mieux qu'au cinoche, je vais inonder mon blog pour raconter comment ça se passe ici, ça fait pas un pli ».

Elle attendait Maïla qui se traînait en queue de peloton flanquée des jumeaux.

« Seigneur, elle a l'air d'avoir 100 ans. » Les yeux pochés par un trop-plein d'eau qui n'arrêtait pas de couler, les lèvres blanches, les cheveux en vrac, le dos voûté, la poitrine effacée, l'ombre de Maïla lui racontait des choses qu'aucune parole ne lui avait jamais dite :

– Tout va bien ma belle, ils n'ont rien trouvé, on va rentrer à la maison.

Une vague de tendresse lui coupa la parole. Il aurait fallu qu'elle se hisse sur la pointe des pieds pour l'embrasser, alors elle ne l'embrassa pas, et puis c'était pas la peine.

– C'est du pipeau tout ce que tu m'as raconté sur les Antilles et tout ça, ton enfance en Amérique latine. (Elle lui essuya les joues.) En fait tu viens d'où, Maïla ?

Le cortège s'éloignait, elle entendait vaguement les jumeaux se disputer pour savoir s'il fallait les attendre ou rattraper le convoi. Finalement, ils s'éloignèrent, leurs rires et leur lumière avaient disparu : ils n'étaient plus qu'un garçon et une fille qui transpiraient dans la chaleur d'une marche forcée.

Maïla serra ses poings contre sa bouche et souffla longuement, lentement. Julie enchaîna :

– Voilà c'est ça, comme je t'ai appris, respire, prends ton temps, lâche tout. (Elle lui posa la main sur le dos.) Voilà, calme, calme.

Des sanglots secs, sa voix était vide :

– Du Rwanda.

Derrière elles un militaire les pressait, en fait elles fermaient la marche :

– On avance s'il vous plaît.

Comment avait dit Douna déjà ? « Attendre que l'autre ait envie de parler pour écouter » et savoir. Alors elle attendait, elle prit Maïla par la main :

– Ça aussi c'est loin, ma douce.

– Non, c'est là, tout le temps. (Elle se frappait la poitrine.) Les armes, les ordres, les hommes, la peur… J'ai peur sans arrêt. (Elle reniflait, se frottait le nez avec un pan de sa chemise et lâchait des mots dans les soubresauts de son corps.) Tutsi, mon père est… était tutsi, ma mère bourguignonne. On était là-bas avec mes deux frères, comme chaque année. Tous tués… ouvert le ventre… les viscères qui débordaient… je revois mon père, il disait non, vous ne pouvez pas… c'étaient nos voisins depuis toujours. (Sa voix disparut dans un murmure.) Ils découpaient mes frères, sous mes yeux, pendant que… je ne sentais même plus qu'ils étaient sur moi, à me forcer l'un après l'autre, ils étaient huit, dix, j'ai pas compté. Ils obligeaient ma mère à regarder… lui avaient coupé les paupières… (Elle perdait pied, elle n'était plus là. Julie la secoua.) Quand on nous a évacuées, je croyais qu'on était mortes… Ma mère, retournée chez elle. Dans un asile à Dijon… ne peut plus voir un Noir sans hurler, même moi… elle me connaît plus. Je…

Julie laissa passer les images qui se bousculaient dans sa tête. Elle savait, elle l'avait toujours su, lâche, elle avait été lâche, elle avait tout fait pour ne pas entendre cette histoire. Restait à comprendre qui elle voulait protéger, Maïla, ou elle, ou cette relation qui allait désormais difficilement cheminer avec le poids de l'horreur. Elle fit un grand geste vers les arbres :

– Regarde où nous sommes, regarde qui nous sommes, la douceur de ce qu'on a vécu au campement, on va dire que tu choisis ça, et moi aussi (un sourire), on vote ?

– …

– Deux voix pour, à l'unanimité on choisit ça.

Elle lança les bras en l'air, sauta sur ses pieds, fit la danse du clown puis celle du guerrier indien autour du feu comme dans les vieux westerns. Maïla revenait, son visage boursouflé se relâcha, les hoquets s'éloignèrent :

– Tu sais quoi Julie ? Tu es parfaitement ridicule.

L'autre lui renvoya un sourire :

– Pas plus que le colonel de mes deux quand il a ouvert le chariot, putain la tête qu'il faisait, vide, nada, rien. (Elle était pliée de rire.) Ça va faire le tour du pays et le buzz sur la toile. (Elle s'étrangla.) J'aimerais pas être à la place du proc' qui a mis l'armée sur le coup, je les connais : ça va saigner !

Maïla posa les mains sur son ventre. Elle rêva qu'il s'était passé quelque chose d'essentiel et que ce charnier qu'elle avait dans le corps se dissolvait pour laisser passer la vie. Loin devant, elle apercevait les jumeaux qui sautillaient derrière le chariot.

# 53

Lionel Gandri se passa la main dans les cheveux, il était épuisé, l'air moite que brassait le plafonnier peinait à rafraîchir le local de la police municipale, autour de lui les allées et venues des hommes du commissariat principal lui parvenaient à travers un brouillard cotonneux. Ils étaient venus de la capitale à sa demande, demande faite à une période où sa vie familiale n'avait pas encore basculé dans l'angoisse. Pour l'heure il était avachi sur un siège et suivait des yeux le parcours forcené d'un petit homme courtaud qui faisait les cent pas dans la pièce surchauffée. Gérald May était arrivé la veille, remonté comme une bombe. Il estimait être sur le coup du siècle, et avait renâclé quand il avait compris que seule l'armée pouvait intervenir en forêt. C'était son affaire et il espérait la régler de façon suffisamment flamboyante pour que la hiérarchie parisienne reconnaissante accepte enfin la mutation qui lui permettrait de quitter ce pays qu'il n'aimait pas.

Or rien ne marchait comme il l'avait imaginé. Il fracassa son poing sur un des bureaux :

– Une bande d'incapables ! Bouffés par la mollesse ! Comment ça, ils n'ont rien trouvé ? (Sa voix montait dans les aigus.) Ils me bousillent mon enquête !

Lionel rassembla le peu d'énergie qui lui restait :

– Du calme Gérald, vous savez bien que l'armée maîtrise parfaitement ce genre d'opération. S'ils n'ont rien trouvé, c'est qu'il n'y avait rien à trouver là.

Il se frotta les yeux du pouce et de l'index, il avait du mal à se concentrer, son corps était comme un sac qui aurait vidé son contenu là-bas, à l'hôpital Saint-Joseph, son fils y livrait une bataille décisive et il n'était pas là pour l'aider à repousser la mort. Cette affaire menaçait de tout lui prendre, y compris sa famille. Il continua :

– Cela ne veut pas dire qu'il n'y a rien à trouver du tout.

L'autre vitupérait :

– Et vous pensez que je vais rester là, sans rien faire, à attendre que ces coincés du cul en uniforme arrivent jusqu'à nous, bredouilles ? (Il glissa un index boudiné entre le col de sa chemise et l'épaisseur de son cou.) On étouffe dans ce bled, personne ne voit rien, n'entend rien, et ça meurt et ça disparaît à tour de bras. (Il jeta sa décision.) J'envoie mes hommes.

– Non.

Comme un couperet. Pourtant Gandri semblait plus prostré que vif sur sa chaise. Les hommes commençaient à s'amasser autour du bureau, tout le monde était démangé par la fièvre de l'action, ils attendaient depuis l'aube et cette contrainte d'immobilité les avait cueillis comme une claque. Sur la table s'étalaient des cartes marquées d'itinéraires rouges qui coupaient la forêt depuis le pays de Surinam. Ils avaient tout anticipé, tout calibré, même la passivité des douaniers qui avaient ordre de fermer les yeux pour que le coup de filet soit spectaculaire et se déroule en terre française, et voilà que tout foirait. Le commissaire Gérald May était connu pour ses colères homériques, aussi personne ne pipait :

– Comment non ?

Gandri se redressa, il y avait tous ces regards fixés sur lui. Tenir tête à May, une entreprise périlleuse :

– Non, parce que le convoi ne va pas tarder à arriver, que je nous veux ici pour le réceptionner et décharger l'armée de cette affaire, et puis parce que ce n'est pas un hasard que la destination finale soit Campan. Il y a des informations à récolter par ici, elles sont d'ordre capital je pense. Donc, vous devez dresser avec les municipaux la liste des gens à questionner, et même aller plus loin. Je vous signe toutes les autorisations de perquisitions que vous voudrez. (Sa voix se cassa, il pensa à Jonathan reposant sur son lit d'hôpital relié à la vie par des tuyaux en plastique, il aurait fallu l'interroger s'il avait été conscient. Il continua.) Il y a cette femme qui est morte dans des circonstances très étranges, ses présumés assassins ont été déférés, mais sa famille est ici. Je suis sûr qu'il y a des informations à glaner et de fortes chances pour que les deux affaires soient liées. (Il se leva, se dirigea vers la sortie.) Je reviens dans une heure. (Tout d'un coup, il eut l'air de ne plus savoir où il se trouvait.) Mon fils est à l'hôpital (il hésitait), pendant mon aller-retour, rapprochez-vous donc du médecin légiste, il vous dira ce qu'a révélé l'autopsie avant que je délivre le permis d'inhumer, et interrogez-moi tous ces gens.

Il referma la porte sur une agitation frénétique. Le commissaire aboyait des ordres, se penchait sur une liste de noms : tous les habitants de Campan d'origine amérindienne, brésilienne ou bushinenguée, et leurs parents, amis ou alliés devraient répondre à leurs questions, c'est-à-dire à peu près tout le village. Il fallait resserrer, mais cela ferait au moins trois cents familles à débusquer, pas le temps pour des convocations, on verrait la paperasserie plus tard, on ferait du porte-à-porte. Il avait une quinzaine d'hommes avec lui, plus les municipaux. Au mur un tableau noir, des craies blanches. Il s'adressa aux hommes :

– Voilà l'affaire. (Le tableau blanchissait, on entendait siffler le ventilateur, le soleil chauffait la pièce comme un four et les hommes suaient à eau, le temps passait trop vite.) Il faut que les interrogatoires soient bouclés en quarante-huit heures, d'autant que quand le convoi arrivera, ce sera encore une autre histoire.

L'entreprise était titanesque, personne n'y croyait, même May savait que le travail serait bâclé. Quand tous les policiers se furent dispersés, le commissaire installa son corps compact dans l'unique fauteuil de la salle de police, sortit un cigare. En l'allumant, il se dit qu'il lui manquait un verre de bon whisky pour que la vie soit acceptable à cette heure et en ce lieu. Il décrocha le téléphone en espérant que les lignes fonctionnent. Il s'était gardé les personnalités de Campan qu'il inviterait gentiment à venir vers lui pour répondre à ses questions. Parmi ces personnalités, la tôlière de l'hôtel à qui il dirait bien deux mots avec les mains.

*

Quand le procureur revint, la journée allait sur sa fin, le soleil s'enfuyait sans emmener la chaleur avec lui, en revanche les moustiques attaquaient dur, Gérald May réalisa qu'il avait dû piquer un somme, fortement aidé par le fond de whisky qu'il avait fini par trouver planqué dans un tiroir. Il avait la bouche pâteuse, et les idées pas claires. Il claqua sa paume sur sa joue, y laissa une traînée de sang : un de moins, et leva le nez. Gandri était livide.

– Ça n'a pas l'air d'aller mon vieux.

– Et vous ?

Le commissaire se redressa, il n'allait sûrement pas dire au procureur qu'il avait fait chou blanc sur toute la ligne, ne réussissant à joindre personne et encore moins à interroger quiconque.

– On progresse. On progresse, j'ai lâché mes hommes sur le terrain, ils sont en train de récolter le maximum d'informations, débriefing ce soir avant que le convoi n'arrive, j'espère.

Gandri s'installa en face de lui, ils se pratiquaient depuis suffisamment longtemps pour qu'il puisse lui parler, pas tout lui dire, mais un minimum.

– Je vais sûrement quitter le pays, mon ami.

Il se concentrait, il fallait faire court.

– Mon fils, Jonathan, son état est stable et les médecins me conseillent, dès qu'il reprendra conscience, de le transférer à Paris.

Il s'arrêta, il n'avait plus de souffle, il n'avait rien bu, rien mangé depuis vingt-quatre heures, avait fait quatre allers-retours entre l'hôpital et Campan, avait trouvé chaque fois Suzanne accrochée à la main de Jonathan inconscient. D'une certaine façon cela lui avait fait un grand bien, ils avaient même parlé tous les deux de l'éventualité du départ pour faire soigner Jonathan. Et puis à sa dernière visite, personne, elle n'était plus là, partie, personne n'avait pu lui dire où. Il avait appelé l'hôtel, pensant qu'elle était allée se doucher, changer de vêtements, avaler un morceau : rien. Il avait traqué les infirmières, les médecins qui ne comprenaient pas son angoisse, s'était arrêté un long moment devant le lit de Jonathan, écoutant comme un désespéré le souffle artificiel qui lui soulevait la poitrine.

Il fixa May :

– Il a beaucoup de lésions, à la tête, la colonne vertébrale, déshydratation presque mortelle, les reins ont du mal à redémarrer.

Le commissaire déplia sa petite taille :

– Quelle épreuve mon ami, quelle épreuve, mais…

Gandri le coupa :

– Comment c'est arrivé ? Rasseyez-vous. (Il attrapa ses yeux.) Ceci est entre vous et moi. Il a été retrouvé à moitié enterré et roué de coups, près de la grotte de Bois Peut-Être.

– Donc, fit l'autre, près de l'endroit où le cadavre de cette vieille se faisait ensevelir ?

Gandri acquiesça. Le silence était épais.

– Je vous demande, je vous le demande comme à un ami, sauf, bien sûr si c'est incontournable, de ne pas mentionner Jonathan dans ce dossier. (Il ferma les yeux.) De toute façon dans son état il ne sert à rien.

– Et qui sont ces gens qui l'ont trouvé ?

May s'agitait.

– Des gens que vous interrogerez forcément dans cette affaire, la petite-fille de la morte et un illuminé qui vit dans le coin.

Gérald May recula son siège, il avait partagé beaucoup de choses avec cet homme, il avait classé un paquet de dossiers où son voyou de fils trempait ses locks jusqu'à la racine, et là, il percevait d'un coup la possibilité de rattraper son billet-retour avec félicitations vers une destination civilisée, où il pourrait grimper les échelons et sortir de cet enfer. Il se tut longuement puis :

– Il vous faut rentrer chez vous, dormir, vous en avez besoin, Lionel. On ne sait pas où cette affaire nous mène, mais, mais (il leva la paume) je vous promets que je ferai en sorte de tenir Jonathan à l'écart de tout cela.

Lionel le regardait de toute la force de ses yeux : cet homme était une pourriture ambitieuse, la pire engeance qui vendrait sa mère pour une promotion. Il ne se faisait aucune illusion sur la qualité de sa compassion, en revanche, il le tenait sur plein de malversations étouffées à l'intérieur même de son commissariat. Il l'avait souvent épargné, échange de bons procédés, mais il avait un dossier. Si ce connard le coulait, il le finirait. Il murmura :

– Nous avons beaucoup bourlingué ensemble, n'est-ce pas, dans cette partie du monde, on est oublié de tous, rien n'est facile, alors…

Un fracas traversa la porte fermée, il y avait des cymbales, des voix, des centaines de murmures, un piétinement qui grandissait et une cavalcade. L'air se raréfia. Gérald May bondit à la fenêtre. La nuit tombait, le convoi arrivait.

# 54

Félicité était sur le point de vider des spaghettis dans une casserole d'eau bouillante quand elle perçut le tintamarre. Cela venait du dehors et dégringolait depuis la sortie de la forêt pour remonter la Grand-Rue, des bruits métalliques mais aussi le grondement des tambours et le murmure entêtant de voix qui psalmodiaient bouches fermées, des centaines de voix. Elle éteignit le feu et s'essuya les mains au tissu qu'elle s'était noué autour des reins. Napi et les enfants dégringolaient l'escalier, ils se précipitèrent dehors.

Aha, perché sur les épaules du Bushi, tapait des mains, le visage hilare. Autour d'eux les maisons se vidaient, les portes claquaient, tout le petit peuple de Campan envahissait l'asphalte, excité par la curiosité et la certitude qu'il arrivait quelque chose qui allait casser la monotonie d'une soirée ordinaire. Au loin, des dizaines de torches avançaient au son des tambours, derrière ces torches une file grandissante qui semblait sortir du bois sans discontinuer et se dirigeait vers la place de la petite église.

Félicité verrouilla sa grille, attrapa le Bushi et les enfants et emboîta le pas aux voisins.

– C'est beau, chuchota Napi.

– Attendez-moi une seconde ! cria Félicité.

Elle rouvrit sa porte et se jeta sur son téléphone, elle allait appeler Élisabeth. La chabine habitait à l'autre bout du village, et le temps que l'information lui parvienne elle risquait de rater une partie de la soirée, ce serait dommage. Finalement, cette femme dont elle avait si souvent accueilli le mari était en train de s'ancrer dans sa vie. Avant, elle n'avait personne à appeler, et ma foi, c'était bon d'être comme tout le monde. Au bout du fil, la voix de Philibert couverte par des cris d'enfants, elle l'interrompit :

– Tu dis à Élisabeth qu'elle vienne tout de suite vers la place de l'église. Emmenez les enfants, il se passe un truc, ça ressemble au carnaval.

– Douce Félicité, quel plaisir de t'entendre. (Elle se retint d'éclater de rire, comment avait-elle pu s'enticher de ce parleur des jours fériés !) Sais-tu que ce n'est pas du tout la période du carnaval, belle dame ?

– Écoute (elle tendit son téléphone vers les chants qui montaient de la rue), passe le message et pointez-vous.

Elle raccrocha, croisa en sortant Alakipou qui tenait par la main Suzanne la femme du proc', décida de ne pas y attacher d'importance, bien que… et courut rattraper les enfants qui filaient à toute vitesse vers l'église. La rue était envahie, tout Campan était là, les réverbères venaient d'allumer leur lueur blafarde et, au bout du ruban de goudron, le spectacle le plus improbable qu'elle ait jamais vu installait ses tréteaux. Autour d'une litière qui supportait un énorme sarcophage, des hommes se pressaient torches à la main, dans leurs bouches fermées vibrait un chant grave qu'accompagnait le roulement sourd de deux énormes tambours frappés par des maillets entourés de toile. Derrière venait un groupe de femmes, environ une cinquantaine, dont les visages disaient la provenance : tous les pays du monde ou presque.

En se rapprochant, Félicité réalisa que l'ensemble de la scène était gardé par un cordon d'uniformes verts, des treillis, comme ceux que portent les militaires : l'armée était là. La foule des badauds s'arrêta à distance de la petite place. Félicité aperçut le maire en grande discussion avec le procureur et un homme râblé dont le cou de taureau s'enfonçait dans une chemise ouverte et trempée de sueur. La procession s'était arrêtée et s'installait à contre-jour de la petite église.

Aha s'agita sur le dos de Napi.

– Il veut descendre, chuchota le Bushi en écarquillant les yeux.

Il était mal à l'aise, les tambours se tenaient de chaque côté de la litière, les porteurs de flambeaux s'alignaient tout du long, ils étaient nus jusqu'à la taille, leurs torses étaient maquillés de signes colorés. Parmi eux, il avait reconnu Front-fuyant et ses hommes. Leur présence, le lourd chariot, les ombres qui agitaient leurs silhouettes fantasmatiques dans la lumière des flammes, tout cela le ramenait à une séquence qu'il voulait oublier.

Il se prit à fixer l'immense coffre qu'il considérait comme responsable de toute cette folie, il n'arrivait pas à s'en détacher. Les hommes piquèrent des torches dans la terre et commencèrent à débâcher la litière sans arrêter le chant qui fermait leurs lèvres.

Napi posa Aha sur le sol, son cœur battait à grands coups puissants, il avait peur qu'il lui défonce la poitrine. Il allait savoir. Jamais il n'aurait pu imaginer que cette découverte se ferait en public devant la moitié des habitants de Campan et sous escorte militaire, c'était dingue.

Les hommes redressaient le sarcophage et le plantaient au sol à la verticale, l'objet s'élevait en majesté vers un ciel noir et nu, sans une seule étoile, puis ils firent tomber la bâche qui découvrit un trou sombre et vide.

Napi avait beau écarquiller les yeux et traquer les ombres, il fallait se rendre à l'évidence, il n'y avait rien dans cette boîte. Pourtant les Indiens la traitaient avec déférence et posèrent à l'intérieur de la niche deux lanternes fermées qui faisaient miroiter des signes, des dessins, creusés dans les parois.

Un mouvement dans son dos le sortit de l'hypnose, Félicité le poussait pour faire place à une femme ample qu'elle appela Élisabeth :

– Ils viennent d'arriver, ça vient juste de commencer.

Elle était flanquée de cinq gamins et d'un petit homme sec que Napi reconnut, c'était le facteur, il collait son nez à l'oreille de Félicité :

– Je n'avais jamais vu ce genre de cérémonie, il n'y en a jamais par ici.

Elle lui fit signe de se taire et jeta son regard vers le sombre des arbres plus loin. Elle le sentit avant de le voir, Tiouca remontait tranquillement le chemin vers la place, les mains dans les poches. C'était la première fois qu'elle le voyait habillé d'un jean, d'une chemise, même sa démarche était différente, moins sautillante, plus nonchalante. Elle le trouva étonnemment beau et leva la main pour l'orienter. Elle adora qu'il la repère au milieu d'une foule, elle adora qu'il se dirige vers elle, avec l'attitude naturelle des gens qui se retrouvent après un court moment de séparation, cela disait bien qu'ils étaient ensemble et tout le monde le voyait. Non, avant, cela ne lui était jamais arrivé. Elle sentit qu'on lui secouait le bras. Élisabeth s'enfiévrait :

– Je n'arrive pas à croire ce que je vois ! Regarde à gauche là-bas, la femme du proc', avec Alakipou. C'est pas Dieu possible, elle l'a fait.

Félicité sourit, ce n'étaient pas ses oignons, son homme se dirigeait vers elle, le reste elle s'en foutait.

Sur la place, ce qui semblait bien être une cérémonie continuait de se dérouler, les Indiens s'étaient tous assis à même le sol autour du catafalque, les chants et les tambours continuaient d'enivrer la nuit, un gradé en treillis traversa l'espace et accosta le proc' et son compagnon. Il leur remit une sacoche gonflée de ce qui semblait être des documents.

– Parce qu'en plus son mari est là. (Élisabeth était complètement excitée.) Regarde, c'est le proc' là-bas !

Félicité acquiesça. Elle avait glissé sa main dans celle de Tiouca, elle ne le laisserait plus repartir. Rien de ce qui pourrait se passer ce soir n'entamerait sa décision, elle serra les doigts du guerrier et chercha les enfants des yeux, ils étaient collés l'un à l'autre, Aha tout petit qui se hissait sur la pointe des pieds pour essayer d'entrevoir quelque chose et Marie qui le serrait dans ses bras comme s'il allait s'échapper. C'est alors que Félicité vit Alakipou. Il marcha droit vers l'enfant, le regarda avec la même intensité que là-haut sur le palier de Lulla, puis il le détacha de Marie, lui prit la main, et tous deux sortirent de la foule. Bien des années après, Campan continuerait de raconter cette histoire. On l'enjoliva, on broda autour, on la transforma, mais on raconta qu'alors...

Le silence s'installa sur la petite place, les tambours se turent, les voix moururent au fond des gorges et le son métallique des casseroles qu'on entrechoquait s'arrêta net. L'homme et l'enfant traversèrent les badauds, se firent un chemin entre les Indiens jusqu'au sarcophage. Là, l'enfant lâcha la main d'Alakipou et alla s'installer dans la niche où chatoyaient les lanternes fermées. Il s'assit en tailleur et se mit à battre des mains, non pour applaudir, mais pour imprimer un rythme au temps. Les chants et les tambours reprirent, s'accordant aux mouvements d'Aha.

Le visage sérieux et tendu, les yeux noyés, tout petit dans cette espèce de cercueil qui avait tant fait fantasmer à huit cents kilomètres à la ronde, on dit qu'une sorte d'éblouissement installa son miracle. Puis l'enfant leva les bras et le silence revint. Un homme grand, imposant et solennel introduisit les femmes accompagnatrices jusque devant le sarcophage.

Dans la foule des badauds, les conversations reprenaient, certains retardataires arrivaient en traînant les pieds, parfois en pantoufles, parfois en pyjama. Vrai, la petite place de l'église avait détrôné la télé.

Tiouca aperçut Lune qui, au milieu des siens, lui faisait des signes, elle voulait lui parler. Il lui mima d'attendre la fin de cette drôle de cérémonie. Il suivait des yeux Alakipou qui s'était adossé au flanc de l'église et regardait la scène avec concentration.

Évidemment, c'était lui le maître du jeu. Le guerrier voulut se pencher vers Félicité pour le lui dire, mais elle n'était plus là. Elle avait reculé vers l'ombre accompagnée d'Élisabeth et de la femme du proc', elles discutaient ferme :

– Je voulais que tu saches Élisabeth. (La chabine pencha la tête sur son épaule.) Et comment va-t-il pour de bon ?

– Jonathan ? Aussi bien qu'on peut aller dans son état. (Elle tordit une mèche de cheveux.) Il s'est réveillé, je crois qu'il m'a reconnue, il gémissait, a dit « j'ai mal ». Les médecins sont revenus. Pour eux c'est une bonne nouvelle. Ils lui ont fait une piqûre, il s'est endormi. Ils disent qu'on doit partir à Paris avec lui. Beaucoup de choses sont cassées : les reins, la tête, la colonne vertébrale.

Son regard se perdit vers la place où le petit garçon s'était levé de sa niche et marchait vers les femmes. Suzanne chercha Alakipou et le vit adossé à l'église. Cet après-midi, elle s'était jetée sur lui en déboulant comme une folle dans son studio au bout d'un stop improbable qui l'avait conduite de l'hôpital à la ville, après le réveil de Jonathan. Elle l'avait déshabillé, jeté sur le lit, l'avait pris dans sa bouche jusqu'à ce qu'il soit au bord de l'explosion puis l'avait furieusement chevauché en hurlant son plaisir à gorge ouverte. Elle n'avait pas dit un mot, ne l'avait pas laissé parler et avait pris ce qui lui revenait. Ensuite et seulement ensuite elle avait accepté ses caresses. Elle allait lui raconter son départ quand la rumeur de la rue les avait sortis du lit. En fait Alakipou s'était enfermé dans un mutisme total, il l'avait juste entraînée dehors. Elle sourit.

Félicité parlait de Jonathan :

– On a vraiment cru qu'il était mourant quand Tiouca l'a ramené, on s'est dit qu'on n'arriverait jamais à temps à l'hôpital. (Elle joignait les mains.) C'est bénédiction qu'il soit vivant.

Elle cherchait l'approbation de Suzanne, mais ne rencontra que ses cils baissés sur un souvenir qui lui allumait les pommettes.

– Et lui ? fit Élisabeth en désignant la forme lointaine d'Alakipou.

Suzanne lui attrapa les yeux.

– Tu lui diras que je reviendrai. Je vais rejoindre mon fils, le guérir, et je reviendrai.

Puis elle se détacha du groupe et enjamba la rue à grands pas. Élisabeth secouait la tête, cette femme avait changé, son corps, ses yeux, ses mots, elle inspira un grand coup. Il faudrait qu'elle raconte à Philibert comment on devient quand on donne une direction à la folie.

Devant le groupe qui se pressait autour du maire, Suzanne s'arrêta, recula devant l'air surpris de son mari, récupéra dans sa poche les clés de la voiture et disparut dans l'ombre.

*

Sur la place l'enfant accomplissait une sorte de rite et faisait toujours les mêmes gestes : aux cinquante femmes alignées en face de lui, il faisait l'offrande de ses petites mains, puis approchait chacune d'elles, se suspendait à ses hanches et collait son oreille contre son ventre. Il répéta l'opération plusieurs fois, revenant sur ses pas, se dandinant pour écouter ce que personne ne pouvait entendre.

On dit que le temps accepta de suspendre sa course, qu'on l'entendit murmurer comme une caresse chevauchant le vent, on dit que les étoiles commencèrent à piqueter la nuit et que même les militaires qui veillaient dans l'ombre perdirent la mémoire du lieu où ils se trouvaient. Toujours est-il qu'au bout de cette nuit plus rien ne fut pareil à Campan.

Quand l'enfant s'arrêta, les chants reprirent doucement, les tambours se taisaient et Aha tourna les talons. Il se tenait debout face à la petite église, face à Alakipou qui le regardait, il leva les mains et libéra ses doigts un à un. Deux, trois, quatre, neuf, dix, puis il continua : onze, douze… Ensuite il fit un immense sourire et se précipita vers l'homme aux lunettes qui lui tendait la main.

Marie attrapa la jupe de Félicité :

– Je sais ! sautait-elle, je sais !

Autour d'elle, les gens se regardaient perplexes. Certains haussaient les épaules avec dédain ou circonspection, c'est vrai que par ici, on était très peu au fait des rituels amérindiens qui restaient secrets, cachés. Mais tout ce cirque avec des touristes leur paraissait somme toute assez décevant. La fête s'étiolait et partait en eau de boudin, les groupes se disloquaient, le sarcophage reposait sur la place, abandonné. Deux loupiotes à la lumière déclinante clignotaient dans son ventre, ce ventre qui avait rameuté la police, l'armée et tant de curiosité. Autour de cette fin de réjouissances flottait quelque chose d'indéfinissable, quelque chose qui apprivoisait la déception, une infinie tristesse qui s'accrochait aux arbres, caressait le clocher de l'église, s'enroulait dans les rues comme des lambeaux de brume, voilant la lumière et le sens des choses. Un air de « pas fini » s'échappait sur la pointe des pieds.

Gérald May contemplait le désastre de son enquête, il s'était débarrassé de la sacoche remise par l'armée, elle contenait les passeports de tous ces gens, un travail d'abruti en perspective, interroger chacun d'eux : touristes, autochtones, étrangers, etc. en pure perte, il était sûr que tout ce monde avait des papiers en règle avec visas et tout le tintouin.

Une chose le turlupinait et lui montait le sang au cerveau, il s'était fait avoir, mais il ne savait ni de quoi, ni par qui. Excédé, il tourna la tête vers Lionel Gandri qui avait l'air d'un zombi :

– Mais enfin, vous serez d'accord avec moi pour dire qu'on ne fait pas traverser un convoi à deux pays pour amuser une poignée de touristes ? (Il se frottait les cheveux.) Il y a quelque chose qui nous échappe. Je vais vous éplucher ces passeports, je suis sûr qu'ils ont laissé passer quelque chose, mais quoi ? (Il ricana, enfonçant ses poings dans ses poches.) Je suis crevé. Vous vous rendez compte qu'on est au même point, au même point que quand nous nous étions parlé de cette affaire au téléphone, au même point, sauf... (Il ouvrit les bras.) Sauf que tout est là.

Gandri regardait les Indiens sortir des babioles de leur sac et les proposer aux habitants. Les touristes mitraillaient la scène, les flashs des appareils photo crépitaient, il n'y avait que des femmes et c'était étrange qu'aucune d'entre elles n'ait sorti son appareil durant ce qu'il était convenu d'appeler la cérémonie. Il allait en faire la remarque quand il ressentit une profonde lassitude, il avait d'autres chats à fouetter, il haussa les épaules :

– Peut-être, peut-être que tout est là.

Les hommes éteignaient les torches les unes après les autres et bientôt le village allait retrouver l'éclairage blafard des réverbères.

– Que fait-on de tout ça ? ajouta-t-il en désignant la sacoche.

– On rend leur passeport à tous ces gens, après quelques questions. C'est d'une affligeante banalité et cela prendra du temps, on libère l'armée. À propos, le colonel veut vous voir, je me suis permis d'organiser un rendez-vous pour demain, plutôt à votre hôtel, vaut mieux que mes hommes n'entendent pas les hurlements de ce connard.

May se mit à marcher en direction du local municipal, Gandri lui emboîta le pas :

– En fait, c'est vous qui le verrez. Je pense que je serai à l'hôpital avec mon fils. (Il lâcha la seule chose qui occupait ses pensées.) Ma femme vient de me dire que Jonathan s'est réveillé, nous allons pouvoir partir à Paris, il n'est pas question qu'elle assume cela seule avec lui. Donc je suis d'ores et déjà en congés. (Il soupira.) Avant d'enclencher ma mutation, vous ferez seul mon ami, vous ferez seul. (Le commissaire accéléra le pas, Gandri parlait toujours.) Vous me posez à l'hôpital ? Ma femme a pris la voiture.

*

Alakipou regardait les deux hommes s'éloigner, Aha pendu à son bras. Tous les autres se pressaient autour d'eux : Marie, Félicité, Tiouca, Napi, Élisabeth qui avait lâché à son Philibert un « tu ramènes les enfants à la maison » qui ne souffrait aucune protestation. L'air sentait la pluie à venir. Une immense fierté habitait chacun de ses gestes, son visage s'était radouci et la tension entre ses épaules se relâchait, il ôta ses lunettes, se frotta les yeux : ils avaient réussi, ou presque. Il attrapa son frère et le prit dans ses bras, puis il salua Julie qui se tenait aux côtés de Douna. S'il avait pu choisir, c'est elle qu'il aurait eue dans son lit cet après-midi, mais c'était impossible, pour elle, les hommes étaient une corvée que même Douna, qui tirait sur tout ce qui bouge, avait refusé de lui faire subir. Il chercha ses yeux :

– Je dois te parler.

Elle le regardait avec sérieux :

– Où étais-tu passé ? (Et dans un grand sourire) Mon Dieu, Alakipou, quelle folie tout ça !

Il chiffonna les cheveux du petit :

– Je te présente Aha, le premier.

Elle glissa les yeux vers Douna. Lui savait que les enfants ne l'intéressaient absolument pas, peut-être même ils lui faisaient peur, mais il se contentait de hocher la tête sans rien dire. Alakipou était déjà parti rejoindre les femmes du campement qui réclamaient de manger et dormir quelque part, où elles pourraient apaiser les émotions et la fatigue de la journée. Tout le monde parlait en même temps. Le petit garçon lui tira la manche, son regard l'invitait à se baisser jusqu'à lui. Elle s'accroupit et son univers bascula, elle eut d'abord l'impression de se noyer, quand l'air vint à manquer, elle se rattrapa à ses petits poignets. Il lui caressait la joue et posait ses doigts sur le bleu de ses yeux, et là, elle le reconnut. Elle sut tout de lui, son silence, ses conversations avec les anges, le monde saturé de murmures et de respirations dans lequel il évoluait, les souffles qui le traversaient, ces voyages qu'il esquissait à l'intérieur des autres, ce tumulte dans sa tête qui couvrait parfois toutes les voix autour de lui, elle sut pour l'avoir déjà vécu que tout cela était son univers, leur univers, à tous les deux, sauf que, en lui, il y avait une jubilation qu'elle n'avait jamais trouvée.

– Tu t'appelles Aha, le premier et tu as 2 ans, c'est ça ?

Il applaudit et se tourna vers Marie et Félicité, elles n'eurent pas besoin qu'il fasse le signe : il avait faim. Il fut décidé d'un commun accord que tout ce monde prendrait la route jusqu'au Rayon Vert. Ils étaient une soixantaine et Alakipou avait convaincu Mireille de préparer du pain, des charcuteries, bref tout ce qu'elle pouvait réunir pour tromper la faim d'un équipage qui avait passé la journée à crapahuter dans la jungle. Félicité proposa de récupérer quelques conserves à sa boutique, Élisabeth embarqua les enfants et les plus fatiguées dans sa voiture et l'expédition s'empressa de quitter le village, laissant derrière elle un grand sarcophage soigneusement rangé contre le mur de la petite église et une tranquillité qui tombait doucement sur Campan.

## 55

Au Rayon Vert, c'était le souk. Les militaires avaient envahi la réception avec leur barda qu'ils chargeaient dans les camions qui rugissaient dehors, ils partaient et les blagues fusaient :

– Eh, ducon ! Tu vas le mettre dans ton C.V. ! Opération commando de l'armée française en pleine brousse, butin rarissime : des femmes et des enfants avec leurs papiers bien en règle.

– Moi je vois plutôt un gros titre qui barre la Une : « Campan : une patrouille arrête un esprit enfermé dans un cercueil ».

Les rires étaient d'autant plus gras qu'ils savaient tous qu'ils allaient se faire chambrer par leurs camarades à la capitale.

Alakipou et sa troupe se faufilèrent jusqu'à la salle à manger bruyante et surchauffée. Mireille l'avait accueilli avec un sourire crispé et lui avait dit en gros de se débrouiller tout seul. Il y avait du pain, des couteaux, des saucisses, des saucissons, du jambon, choses hors de prix dans cette partie du monde, de la viande froide, de la viande séchée ; avec la moutarde et le beurre cela suffirait à caler les estomacs. On boirait l'eau du robinet. On se répartit autour des tables et on se raconta séquence après séquence la journée que chacun avait vécue à sa manière.

Alakipou avait besoin d'entraîner Julie vers un endroit tranquille où il pourrait lui parler, c'était la dernière étape de l'opération. Si elle ne marchait pas, tout s'effondrerait et ce cirque n'aurait servi à rien.

Il fit le tour des lieux. Douna s'était entouré d'une dizaine de touristes dont la Hollandaise qui lui collait aux basques. Aha trônait avec ses nouveaux amis, assis sur les genoux de Marie. Front-fuyant s'occupait de ses garçons, de Maïla, et des jumeaux, Julie était avec la famille. Il sourit. Elle s'entendait bien avec son père et ses sœurs, était-ce un signe ? En tout cas, il pouvait le voir comme ça, il se rapprocha :

– Julie, on se met là-bas.

Du pouce il désigna une petite table à l'écart sur la véranda.

– On va dormir où, lui fit-elle en s'asseyant. J'en ai ras le bol des sacs de couchage improbables et je rêve d'un bain avec de la mousse et des trucs qui sentent bon.

Au coin de l'œil elle avait une fossette qu'il n'avait pas remarquée avant. Il rompit un gros pain bien dense et poussa devant elle une assiette de jambon :

– Comment tu trouves Aha ?

Elle prit le temps de beurrer une tartine, d'y poser une tranche de charcuterie trempée de moutarde et enfourna le tout. Elle revivait la bulle de chaleur qui les avait isolés et protégés elle et l'enfant, et se tut.

Il avait trop de choses à lui dire, aucune de ses réponses ou de ses questions ne permettrait de dérouler le long fil de son récit. Elle lui fit un large sourire, avala son énorme bouchée et attendit.

Au bout d'un long silence, il ôta ses lunettes, se pinça l'arête du nez et commença à parler.

\*

De l'autre côté de la salle, les décibels culminaient, tout le monde voulait raconter à Tiouca, Félicité, Élisabeth, les aventures de la journée, mais les plus excitées par les histoires des unes et des autres étaient Lune et Marie. Toutes deux buvaient les paroles qui volaient autour des tables. Une fois que Lune avait compris que ses frères et son père étaient restés de l'autre côté du fleuve, et qu'elle ne les reverrait pas de sitôt, elle entreprit Marie pour savoir ce qu'était devenu Jonathan.

– Je crois qu'il ne va pas trop bien, il doit partir avec ses parents, il ira à l'hôpital là-bas, en France.

Lune baissa la tête :

– Tu crois que je pourrai lui rendre visite à Saint-Joseph avant le départ ?

Toutes deux chuchotaient.

– T'as qu'à y aller, c'est tout.

Dans ses bras, Aha s'était profondément endormi, la bouche ouverte, il pesait de tout son poids et Marie soufflait sur ses mèches de cheveux pour chasser la chaleur. Autour d'eux les conversations se faisaient plus intimes.

Tiouca disait :

– Il faut donc que je parte, il faut... (Il avait l'air embarrassé.) J'ai une affaire à régler, à Paris. (Il observa Félicité.) Je reviendrai après.

Elle pinçait les lèvres. Quelle affaire Tiouca pouvait bien avoir à régler si loin, lui qui traînait par ici depuis, vingt, vingt-cinq ans, sans bouger de son gourbi. En le voyant arriver paré comme un pagna, cheveux apprivoisés, elle avait senti qu'il n'y avait là rien de bon pour elle. Certes il était beau, mais loin, de plus en plus loin, voilà ce qui la chiffonnait : il était capable d'être ce type debout dans des vraies fringues et non pas dans les hardes dont il s'accommodait d'habitude, et ce type-là, elle ne le connaissait pas, elle n'avait pas les mots pour lui parler. Par exemple, elle ne pouvait lui dire comme elle l'aurait fait à l'ancien Tiouca : « Et avec quel argent tu vas te barrer là-bas, comment tu vas payer ton voyage ? » Non, ça, elle ne pouvait pas le dire au gars qui se tenait en face d'elle. Elle le regardait avec méfiance, il ne partageait plus son rêve, et le marécage qui l'envoyait en folie dans des mutismes rageurs remontait à la surface, réclamait qu'il s'en occupe. Elle était sûre que ce n'était pas une bonne chose, pas pour les projets qui lui allumaient la tête.

— Je reviendrai Félicité, et très vite, et je te raconterai. J'espère que j'arriverai à te raconter.

Elle avait envie de lui balancer qu'elle savait très bien qu'il ne reviendrait pas, qu'une fois qu'il aurait retrouvé le goût de sa vie là-bas, il ne pourrait plus faire demi-tour, et qu'elle ne pèserait pas bien lourd dans ses choix.

Elle revit la vieille, rigide sur son étagère à la morgue, et sentit un gros bouillon lui monter à la gorge :

— Et tu partirais quand ?

Il approcha les doigts des perles de verroterie qu'elle avait autour du cou, une caresse, légère, il était gentil, elle eut envie de pleurer.

— Très vite, dans deux, trois jours. Le temps de... tu sais, j'ai un peu de sous à la banque. (Il rigola.) Ils ont dû les changer en euros parce que c'était à l'époque des francs, quand je travaillais au centre là-bas.

— Et tu reviendras quand ?

— Très vite, dès que j'aurai réglé... (Il s'interrompit. Félicité le regardait bien en face avec l'air de quelqu'un qui ne croit pas un mot de ce qu'on lui raconte. Il hésita.) Peut-être, je devrais te raconter avant de partir, mais (son regard fit le tour de la salle) pas ici, pas ce soir, il y a trop de bruit, trop de monde.

Et il y avait tellement de peur dans ses yeux qu'elle lui prit la main :

— Et si tu reviens, on sera vraiment ensemble ?

Il ne savait pas, il ne savait pas ce qu'il trouverait là-bas, il ne savait pas s'il restait quelque chose de sa vie d'avant, c'était un égout nauséeux qu'il fallait visiter. Il avait bien reçu des lettres administratives lui indiquant que la femme qu'il avait épousée était enfermée pour infanticide. Il avait ouvert la première lettre qui le convoquait à témoigner, et cette lettre avait été suivie de beaucoup d'autres, qu'il avait brûlées, fébrilement dans la foulée, il avait brouillé ses traces en démissionnant de son poste au centre spatial, parti sans laisser d'adresse, c'était il y a vingt ans. Il n'était pas allé bien loin, mais la jungle garde les secrets de ceux qui ne font pas de bruit. Maintenant en déterrant sa carte d'identité, en fouinant dans son compte en banque, il allait réactiver la machine administrative, et assumer. C'est tout cela qu'il faudrait raconter à Félicité, faire de lui cet étranger qui avait lâchement largué les amarres pour fuir l'assassinat de son propre enfant.

Oui, il fallait commencer par là. Peut-être ne voudrait-elle plus entendre parler de lui, peut-être ne le laissera-t-on pas repartir, peut-être il allait sombrer dans le désert glacé de ses retrouvailles avec lui-même. Alors il se tut.

Élisabeth s'agitait à côté d'eux, annonçant qu'elle regagnait le domicile conjugal et que quiconque voulait profiter de sa voiture devait plier bagage sur-le-champ. Déjà Marie et Napi, alourdis de Aha, entamaient une sortie. Félicité quitta la table, les yeux fixés sur le guerrier :

– Je viendrai plus tard, marmonna-t-il. Au fait je m'appelle Philippe.

Elle s'éloigna : Philippe, c'est tout ce qu'elle avait.

*

Sous la varangue, un lourd et long silence s'était installé entre Julie et Alakipou. Entre les miettes de pain, vestiges de leur collation, elle traçait avec son doigt des signes de plus en plus complexes. En fait, Julie hésitait entre le rire et la fuite. Une partie d'elle-même, celle qu'elle avait trimballée dans l'avion qui s'était posé dans ce pays, rêvait de tourner les talons et d'oublier tout ce qu'elle venait d'entendre. Ce type était fou, fou à enfermer. Et puis l'autre partie d'elle-même, celle qui avait traversé le fleuve et regardé les étoiles avec les parents d'Alakipou, était fascinée par la folie de cet homme. Lui avait posé les paumes sur la table et la jaugeait ; ce qui scintillait autour de lui n'était pas de la démence mais une énergie de prédateur.

Elle choisit de rire.

– Donc tu m'expliques, pour faire court, que je vais partir avec Aha et l'élever. Que, chaque année, je devrai organiser un retour au pays avec toutes ces femmes, non, pas toutes, juste avec celles qui portent un bébé dans leur ventre. (Elle laissa se poser la phrase et continua.) Tu me dis qu'elles ne le savent pas, mais qu'Aha les a repérées. Et ce « voyage », je devrai donc l'organiser chaque année, c'est bien ça ? Jusqu'à la majorité de leurs rejetons, car c'est surtout eux, qui doivent revenir, avec Aha, bien sûr ! (Elle renifla.) Outre le côté dément de tout cela, mais tu dois avoir une raison que tu vas m'expliquer, tu installes dans ma vie quelque chose de définitif, tu installes cette terre dans ma vie. (Elle ouvrit les bras.) Et là, j'arrête de rire.

Alakipou s'enfonça dans son siège, il semblait soulagé et laissait flotter un mince sourire, il ôta ses mains de la table.

– Douna s'est trompé. Tu n'es pas partie en claquant la porte.

– Parce que Douna… (Elle secoua la tête.) Mais je peux encore le faire ! Je veux dire claquer la porte.

– Tu ne le feras pas. (Ses yeux étaient comme deux flaques de glace, noirs et durs.) Tu ne m'as même pas demandé pourquoi !

– Mais je m'en fous de savoir si tu veux monter une secte ou inventer une religion ou une obédience occulte. Je m'en fous et ça ne m'intéresse pas ! (La colère montait en vagues et sa voix déraillait.) C'est nul ton truc, ça rime à rien, c'est un délire de cinglé ! (Elle se leva. Il était là, en face d'elle, enfoncé dans une méditation tellement sereine qu'elle stoppa net.) Tu veux dire que tout ce truc, notre voyage, le périple dans vos familles, dans le pays d'en face, le convoi, l'arrivée des Amérindiens de toute l'Amérique latine, tout ça, c'était pour ça ?

– Pour ça, quoi ? Si tu t'assieds, tu vas comprendre. (Elle se laissa tomber sur son siège, il continua.) J'ai la liste des femmes qui devront revenir. Ta compagne Maïla en fait partie. (Puis il poussa une enveloppe sur la table.) Là-dedans, tu trouveras tous les papiers d'adoption d'Aha signés par moi, son père. Et c'est toi qui l'élèveras, comme ces femmes élèveront leurs petits de la pleine lune. (Il se pencha vers elle, il sentait la vanille et, d'un coup, elle eut la certitude que ce qu'il allait lui dire était la seule chose qu'il lui fallait retenir et remuer lentement pour en travailler le sens. Elle attrapa son regard, il semblait tranquille, apaisé. Elle l'écouta.) Ils ne se quitteront pas, ils auront tous le même âge, et chaque année quand ils reviendront, nous leur parlerons de ce pays-ci. Nous verrons, ensemble, comment faire avec le monde pour que nous existions. (Il hésita.) Pour partager. Je veux dire... pour que notre parole vienne enrichir les autres paroles.

Elle tenta de ralentir les pulsions qui lui battaient les oreilles, la colère montait.

– Partager quoi, Alakipou ? Tu as le sentiment que les autres partagent quoi que ce soit qui vaille ? Qu'une espèce de banquet se déroule, auquel vous n'êtes pas conviés... Je... je... (Elle inspira profondément puis vida lentement ses poumons.) Excuse-moi, je mérite mieux que ces explications débiles ! Cet endroit mérite mieux.

Et puis d'un coup elle s'arrêta. Elle était ridicule et sentait que sa colère était enfermée dans une posture totalement étrangère à l'endroit, au temps et au sentiment qui bougeait au fond d'elle. Ridicule. Elle essaya de calmer les picotements au bout de ses doigts en serrant les poings. Il fallait qu'elle accepte de recroqueviller son corps, de laisser sortir cette plainte qui l'étouffait et de pleurer doucement, longtemps, car c'était cela sa vraie envie : pleurer longtemps.

Qu'importe qu'elle ait compris ou pas. Sans doute il n'y avait rien à comprendre. C'était reposant... Il suffisait de sentir. Elle ferma les yeux. Alakipou parlait, mais elle n'écoutait pas. Quelques bribes lui traversaient la tête, mais elle n'écoutait pas.

– On se tient tous par le col, Julie ! Savais-tu que sans les vents qui charrient jusqu'ici les poussières du Sahara, la forêt amazonienne n'aurait pas suffisamment de minéraux pour être ce qu'elle est ? Le sol est pauvre par ici. (Il tripota son verre.) Le plus drôle c'est que, sans nous, la planète ne pourrait plus respirer, alors ce n'est pas ce que nous sommes qui compte. (Il avala une gorgée d'eau. Ses yeux se posaient partout, sur les couteaux, les fourchettes, la corbeille à pain, le bruit derrière elle, les murs, le ciel dehors, les mots se bousculaient.) Ce que nous sommes est sable, est mouvant, bouge toujours, et tout le temps. Ce que nous disons, ce que nous faisons, crée le socle sur lequel le mouvement perpétuel peut nous emmener. (Elle ricana, il faisait chaud, des escouades de moustiques descendaient en piqué sur ses mollets, elle avait envie d'être ailleurs et, pour une fois, Alakipou parlait, parlait.) Crois-moi, ce que nous sommes ne compte guère plus que ça. (Il attrapa une mouche au vol et la présenta sur la paume de sa main, elle battait faiblement des ailes. Julie ne baissa pas les yeux, elle prolongeait l'affrontement jusqu'à ce que son regard vrille le sien.) Pas plus que ça, insista-t-il en écrasant l'insecte.

Autour d'eux, l'effervescence s'était apaisée, de vraies conversations s'installaient autour des tables, la nuit se faisait lourde.

Les pupilles verrouillées dans celles d'Alakipou, Julie percevait les bruissements derrière elle, comme si la mer s'était invitée à cette soirée. C'était la première fois qu'elle le sentait mal à l'aise.

– Donc, je n'explique rien, conclut-il en fermant les paupières.

Son siège grinça, il tournait la tête vers l'entrée. Julie se remémora leur repas le soir de son arrivée, une autre époque, une autre vie. Qu'avait-elle vraiment pensé quand elle l'avait rencontré ? Alakipou le poète, un pseudonyme pour un hacker, gentil organisateur de vacances en forêt amazonienne ? Jamais, pas une seule seconde, elle n'avait cru à la simplicité d'un scénario écrit par un quelconque tour-opérateur. Elle avait reconnu la froide colère qui alimentait chaque geste, chaque parole et avalait la lumière autour de lui. Elle se déverrouilla la nuque en bougeant les épaules. Il passa un bras autour du dossier de sa chaise et lâcha l'autre sur la table. Ses doigts très bruns s'étalaient sur la nappe blanche, une belle main large, carrée, une main franche. Pourquoi n'arrivait-elle pas à lui faire confiance ?

Il cassa le silence :

– Tu te souviens du raffut autour de la Transamazonienne ? C'était il y a trente, quarante ans. Oui, en fait tu étais à peine née ?

Son regard ne l'interrogeait pas, il battait la campagne, loin sur les traces d'une blessure d'asphalte, de béton et de misère infligée à la forêt sur cinq mille kilomètres. Julie s'en souvenait d'autant plus qu'elle avait été dépêchée, il y a dix ans, par un laboratoire pharmaceutique qui voulait s'assurer que l'investissement qu'il s'apprêtait à faire dans cette partie du monde était aussi prometteur que l'annonçait le contrat qu'il envisageait de signer. Une de ses premières missions. Ce qu'elle avait trouvé sur place était innommable, les stigmates d'un échec meurtrier.

Pourtant l'intention de départ était belle : grâce à cinq mille kilomètres d'autoroute qui couperaient la jungle du Pérou au Brésil, créer de la vie, donner des terres aux plus pauvres, faire pousser des villages, des champs, des entreprises et briser le silence de la forêt. Debout au milieu de nulle part, là où un hélicoptère de l'armée l'avait lâchée, elle avait vu l'asphalte déchiré par le soleil et l'eau, des torrents de boue remplaçant par endroits le tracé de la route, des camions enlisés depuis des années, fossilisés par le temps, et des poignées de femmes et d'hommes aux regards fous, ceux qui y avaient cru, coupés du reste du monde, à moitié morts de faim. C'était, si elle se souvenait bien, un tronçon de la partie péruvienne de cette Transamazonienne. La jungle avait repris ses droits, le laboratoire avait repris ses billes, et elle, elle était passée à autre chose. Et n'avait aucune envie d'en parler, là, tout de suite.

Il continuait.

– C'était un projet fou, il a sombré en entraînant avec lui… (Il suspendit ses mots et revint vers elle.) Ils sont en train de recommencer, ils veulent border des kilomètres d'asphalte de terres cultivables. (Il se redressa.) Le problème c'est qu'ils ne nous demandent rien, jamais.

Autour de son visage, des escarbilles de lumière voltigeaient. Julie avait rarement vu tant de rage, elle ouvrit la bouche :

– C'est qui « ils » ?

Sa voix tomba, sèche comme une trique :

– Tous les gouvernements, tous, Pérou, Colombie, Brésil, Surinam, Guyane, et les multinationales, et tout ce bordel qu'est devenu le monde, tous. Et je les comprends. (Il lui attrapa les mains.) Je les comprends de vouloir essayer quelque chose, mais il faut qu'on se parle. (Il répéta.) Il faut qu'on se parle, pas qu'on fasse semblant.

Julie écarquillait les yeux : une bouteille à la mer, voilà ce qu'il était en train de faire ! Non, douze bouteilles à la mer… Les enfants de la pleine lune ! C'était pathétique. Mais était-ce plus fou que de creuser un tunnel sous la mer ? Était-ce plus fou que de lancer des griffes de béton vers le ciel ou d'essayer un fleuve d'asphalte en Amazonie ? Julie se laissa glisser dans une confortable sérénité, elle essaya d'imaginer Alakipou blanchi par les ans, le dos courbé, vieux. Elle n'y arriva pas et lui offrit un mince sourire. Après tout, cet homme voulait lui confier son fils, ce n'était pas rien.

Il ôta ses lunettes.

– Un jour, je ne serai plus là, mais eux sauront. Au moins, ils sauront. Je voudrais qu'ils se mêlent au monde, qu'ils nous reviennent et qu'ils nous ouvrent le monde. (Il avait l'air fatigué et la conversation s'arrêta, il repoussa sa chaise et se leva.) Juste un mot. Si tu dois garder tout le temps la position du guépard pour protéger les tiens, c'est que tu as mal construit ta maison.

Julie le regarda s'en aller. Pourquoi poser des questions dont elle était la seule à avoir les réponses ?

Elle traversa la salle d'un pas décidé, attrapa Douna par la manche, fit un vague signe en direction de la Hollandaise qui s'accrochait à son bras, et le traîna sous les grands arbres. Il gronda :

– J'ai dit à Alakipou qu'on s'était trompés, que tu ne le ferais pas. Il ne m'a pas écouté, il ne m'écoute jamais !

Elle se sentit légère comme chaque fois qu'elle était avec lui. L'envie de se blottir, la voix enrouée :

– Tu es mon meilleur ami, Douna. J'aurais jamais pensé que j'aurais un meilleur ami quelque part dans le monde. (Elle leva les yeux, il avait le sourcil froncé, la mine grave, elle continua.) Et si on revient chaque année avec des bébés, puis des enfants, puis des ados, on logera où ?

Douna rigola, Julie le toucha du coude comme on fait une bonne blague et laissa son corps se dilater, elle s'accrochait à un roc.

Il redevint sérieux. En bas, la nuit avait gagné et s'était emparée de Campan. Quelques lueurs survivaient derrière les fenêtres closes et des flaques blafardes s'étalaient en dessous des réverbères.

– Je sais que tu peux le faire, Julie. Nous savons tous que tu peux le faire, mais il faut plus que ça.

Campée sur ses baskets, elle glissait les mains dans ses poches de derrière, une voiture démarra, par la vitre ouverte, une main lui fit signe.

– Et pourquoi pas moi ? fit-elle en dessinant du doigt l'arrondi d'un ventre.

Il haussa les épaules.

– Parce qu'il faut en avoir envie !

– De baiser ou d'être en cloque ?

– Un peu les deux, et dans cet ordre-là !

Il continuait, répondant aux interrogations qu'elle ne formulait pas.

– Vous avez toutes et tous bu la même chose, les mêmes plantes qui ouvrent à la vie. Cela a marché pour certaines, pas pour d'autres. Toi, toi, tu... (Il lui attrapa les mains et la regarda au fond des yeux.) Tu n'as pas de désir pour ça, Julie. Ta voie est ailleurs, tu es comme Aha, vous vous comprendrez ! (Il la relâcha et s'en retourna vers l'hôtel.) Et je serai toujours ton meilleur ami !

Elle le rattrapa pour lui poser la question qu'elle n'avait pas osée face à Alakipou :

– Et pourquoi tout ça ? (Elle ouvrit les bras.) Cette traversée improbable, ce cérémonial à deux balles, ce convoi, ces femmes, ces morts.

Sa voix fila entre les arbres et s'évanouit aux pieds de Douna, elle se sentait minuscule. Avait-on jamais vu quoi que ce soit d'important réalisé par les hommes sans la gestuelle du sacré qui suspend le temps, épuise les mots et donne de la lumière aux ombres ? Oui ça, elle avait compris.

– Mais, au fond du fond... (Elle insista). Oui Douna, pour quoi, au fond du fond ?

Il s'arrêta pour réfléchir :

– Pour bâtir notre maison autrement. (Il souriait.) Et notre architecte, c'est le temps.

# 56

Il était 16 heures à huit cents kilomètres à la ronde. L'aéroport était bondé. À la capitale, on avait entendu parler du convoi de Campan, même que le journal télévisé avait diffusé un reportage qui accusait les forces de l'ordre de dilapider les fonds publics pour des enquêtes coûteuses sur des gens au-dessus de tout soupçon. Et on savait qui partait sur ce vol vers Paris : ces fameuses femmes touristes qui avaient accompagné le cortège à travers la jungle de trois pays, en tout cas celles qui passaient par l'Europe pour rentrer chez elles. Il y avait donc autant de badauds que de passagers.

Julie et Maïla terminaient l'enregistrement de leurs bagages auquel s'ajoutait le sac d'Aha. Le gamin était agrippé à la robe de Marie dont les yeux hurlaient de colère. Depuis trois jours, depuis l'annonce du départ du petit, elle n'avait pas décoléré, le visage en feu, elle avait un modèle de rage dans la gorge qu'aucune douceur de Félicité n'arrivait à calmer.

– Il ne veut pas partir ! Je veux pas qu'il parte !

En boucle, elle avait refusé de mettre les pieds à l'école, et le petit avait fini par lâcher toute l'eau de ses yeux.

C'est Tiouca qui avait eu le dernier mot :

– Il faut pas l'empêcher, Marie, il faut l'accompagner. Il reviendra, comme moi.

Le guerrier se tenait debout dans des fringues potables, il avait enfilé une veste sur son jean et jetait des regards inquiets vers l'entrée du hall de l'aéroport : Félicité n'était pas là et personne ne savait où elle était passée. La chabine et son facteur les avaient emmenés à l'aéroport et étaient finalement restés, ne voulant pas perdre une goutte des larmes qui ne manqueraient pas de couler. Plus loin, le groupe compact des femmes entourait Julie. La veille, en même temps qu'elle prenait sa décision, elle avait décidé de réunir les douze à son hôtel. Elle leur avait tout déballé brutalement. La plupart d'entre elles avaient été choquées, considérant avoir été droguées, et refusaient d'hériter d'une situation qu'elles n'avaient pas choisie.

C'est alors que Maïla s'était avancée.

– Je crois qu'il faut que chacune fasse comme elle l'entend. Personnellement (elle se caressa le ventre), j'irai jusqu'au bout, avec bonheur. (Puis, elle avait jeté :) Julie, on va avoir deux gamins à la maison ! (Et elle leur envoya un rire d'abord nerveux, puis étonné, puis totalement allumé.) Je vais kiffer la vie !

L'atmosphère s'était détendue, mais loin de l'euphorie de ces incroyables semaines, Julie avait la certitude qu'en dehors de Maïla, aucune de ces femmes n'allait encombrer son quotidien d'un enfant du hasard. Elle savait qu'une fois chez elles, elles ne garderaient de ce voyage que ce qu'elles pouvaient raconter aux soirées entre amis ou en famille, avec quelques photos pour réveiller les frissons, mais pas introduire un tsunami dans leur maison. Cela, elle ne l'avait pas partagé avec Alakipou, parce qu'elle sentait confusément qu'il ne lui avait peut-être pas tout dit.

À l'embarquement, les femmes échangeaient leurs adresses et secouaient la tête. Voilà, c'était limpide, la plupart d'entre elles ne croyaient pas une seconde que leurs nuits fauves auraient une suite… Les Amérindiens venus les accompagner se tenaient en retrait et leur avaient offert à chacune un petit filet arachnéen, accroché à une monture en petit-bois, des attrape-rêves…

Un silence embarrassé s'installa quand un brancard traversa le hall, poussé par des infirmiers. Sur le brancard, Jonathan, rattaché à des bouteilles par des fils transparents. Lune, qui avait fait l'escapade jusqu'à Saint-Joseph deux jours auparavant, se dit qu'il y avait beaucoup moins de tuyaux qu'à l'hôpital. Mais le garçon couché là ne ressemblait plus du tout à celui qu'elle connaissait, on lui avait rasé les cheveux et ses paupières fermées accusaient la lividité de son visage. Il avait maigri. La femme et l'homme qui accompagnaient le chariot n'avaient d'yeux que pour le corps allongé. Juste un regard. Au moment de passer devant Alakipou, Suzanne s'arrêta et lui dit à voix haute :

– Je reviendrai.

Puis, elle continua son chemin. Tout le monde l'entendit, tout le monde en parla et en parlerait pendant une bonne semaine, jusqu'à ce qu'une autre attente remplace celle-ci.

Le visage de Tiouca s'illumina littéralement quand il vit Félicité pénétrer en trombe dans le hall. Elle était en grand deuil, toute de noir vêtue et n'avait même pas songé à ôter son chapeau à voilette. Elle débarqua en nage malgré l'air glacé que soufflaient les climatiseurs.

– J'ai cru vous rater ! J'étais à l'enterrement de la vieille. (Elle arrêta toute protestation d'un signe de main.) C'était très bien comme ça, il n'y avait que moi, elle ne méritait pas plus.

Elle avait les yeux rouges et regardait Tiouca comme si elle voulait le persuader une dernière fois de ne pas partir.

Ils s'éloignèrent, il lui disait des choses simples :

– C'est la première fois de ma vie que quelqu'un aura confiance en moi. Je serai là dans deux mois.

La veille, noyé dans son cou, il lui avait dit qu'il l'aimait. C'étaient des mots tellement étranges dans sa bouche qu'ils paraissaient neufs, comme s'ils venaient d'être inventés. Et là, tout de suite, ils allaient s'embrasser, se séparer et on verrait bien ce qui arriverait.

– Bien sûr j'attendrai ! De toute façon, qu'est-ce qu'on peut faire d'autre par ici ?

Elle s'essuyait le nez et les yeux et il disparut derrière le cordon de police.

Alakipou arracha Aha à Marie qui resta debout, raide, les poings serrés, les yeux secs. Quand le gamin disparut entre Julie et Maïla, elle relâcha les épaules et regarda Douna qui se dandinait en secouant la tête.

– De toute façon, s'il revient pas j'irai le chercher !

Il posa sa grosse main sur sa tête.

– Il reviendra ! Je peux même te dire quand. Mais tu souris d'abord !

Elle l'envoya bouler d'un coup d'épaule.

– Quand ?

– L'année prochaine, et chaque année.

Marie pinça les lèvres sur une moue dégoûtée, attrapa la main de Félicité et murmura :

– Rentrons chez nous.


Installée dans l'avion, Julie attacha sa ceinture puis celle d'Aha qui regardait partout en posant des questions avec les doigts. Elle échangea un regard consterné avec Maïla qui avait l'air de planer dans un autre monde.

Puis elle se souvint qu'Alakipou lui avait dit :

– Surtout n'essaie pas de le faire parler, il parlera tout seul quand il aura des mots et des paroles à partager…

# ÉPILOGUE

# QUINZE ANS PLUS TARD

L'homme baissa les yeux et contempla les têtes penchées sur les pupitres ; ils avaient bien travaillé cette saison. Dans la touffeur de cette salle abandonnée à la vague du fleuve, ils avaient commencé à aborder les choses sérieuses.

Ce n'étaient plus des enfants. Ils savaient naviguer entre les effets curatifs ou dévastateurs des plantes, la pharmacopée de la jungle, l'histoire non écrite des croyances, des mythes et pouvaient théoriser la relation à la terre sans que s'endorme leur esprit. Ils posaient tellement de questions qu'ils l'épuisaient et l'obligeaient à reconsidérer toutes les stratégies qu'il avait élaborées. Il avait si peu de temps pour tout faire ; trois semaines chaque fois, pas un jour de plus. Mais trois semaines chaque année, ça finit par compter...

Ils étaient onze, cinq garçons, six filles. Ils avaient 16 ans, tous, venant des quatre coins du monde, avec en commun ces pommettes hautes et ces yeux en amande qui les faisaient semblables et différents, quelles que soient leurs origines.

D'un coup il se sentit vieux, il ôta ses lunettes pour se frotter l'arête du nez. Maintenant, le casque de ses cheveux était strié de blanc et parfois il mélangeait leurs prénoms.

– Alakipou, on fait quoi après le défrichage demain ?

Il regarda celle qui lui parlait, elle venait de… Guinée, oui, c'était la fille de… Le prénom lui échappa, il cacha sa contrariété derrière un regard glacé.

– Comme d'habitude, on plante !

– C'est chiant ! C'est le dernier jour… On peut pas plutôt descendre le fleuve ?

Il soupira, énervé :

– Tu devrais réfléchir avant de dire n'importe quoi. Comme d'habitude, on fera les deux.

Au fond, il admettait qu'elle avait raison. Le défrichage et l'ensemencement avaient dépassé ses projections les plus optimistes ; en vingt jours, ils avaient libéré une grande parcelle de brousse et mis en terre de quoi nourrir le village à la prochaine récolte. Alors pourquoi pas un dernier rendez-vous avec le fleuve ?

Il se leva et les regarda : il les aimait ; il les aimait toutes et tous, et personne ne pourrait jamais lui reprocher ce qu'il avait fait. Et il avait tout fait : volé la parole d'une vieille, imposé au temps un rythme qui essoufflait le destin, joué à Dieu et au diable, convoqué la mort, bousculé le futur… Tout. Quand il s'abandonnait, il arrivait à pleurer sans larmes et la douleur au milieu de son corps ne le lâchait plus.

Il attrapa un des garçons par l'épaule. Celui-là était plus âgé que les autres de deux ou trois ans. Il affichait un sourire tranquille, le silence de sa bouche était compensé par la pétillance de ses yeux. Il était grand, dégageait une impression d'autorité qui rendait dérisoire le geste protecteur de l'homme.

Le temps menaçait de se couvrir, l'odeur saumâtre du fleuve était un réconfort.

– On va casser la croûte ?

Là-bas, sur la plage, les attendaient deux silhouettes, une femme aux cheveux striés de blanc, dont les boucles qui s'affolaient autour de sa tête lui conféraient une certaine jeunesse mais ne gommaient pas la voussure de ses épaules, à ses côtés un homme, beaucoup plus jeune. Pour qui savait regarder, ces deux-là se ressemblaient : un tombé de la bouche, une esthétique du geste, une beauté qui leur mettait du soleil sous la peau. La femme déballait ce qui semblait être un énorme pique-nique. Elle se retourna et adressa à Alakipou un sourire total, elle avait les yeux verts et le jeune homme à ses côtés faisait des cercles avec son fauteuil roulant… Alakipou inspira profondément. C'était le prix qu'il avait à payer.

Plus loin, le fleuve déroulait son chuchotement éternel et la jungle respirait.


FIN


LOREUX, le 12 avril 2015

Tous les passages de *Par-delà le bien et le mal* de Friedrich Nietzsche sont tirés de l'édition de 1886, traduction par Henri Albert (*Œuvres complètes de Frédéric Nietzsche*, vol. 10, Mercure de France, 1913).

# Remerciements

Remerciements à HC Éditions : Isabelle, Hervé, Émilie, particulièrement Isabelle qui a entrepris, avec enthousiasme et talent, de visiter chaque ligne de mon premier voyage en littérature et qui m'a tellement aidée à croire que tout était possible.

Merci à mes premiers lecteurs, Gérard, Marc, dont les critiques éclairées et pleines d'humour ont accompagné ma plume.

Merci à mes filles Fred, Mélodie, Sohée, qui ont toujours cru que je devais écrire.

Merci à mon mari Christophe qui a surveillé la progression de cette aventure comme on guette le lait sur le feu.

Merci à Marc, mon ex-mari et éternel ami, qui a offert sa maison en Sologne à la solitude de mes angoisses devant la page blanche.

Enfin, merci à la vie qui m'a permis de rencontrer les personnages qui ont dansé sur mes pages. J'espère qu'ils me pardonneront de leur avoir inventé un destin parfois bien loin de leur réel... je les aime de toute façon.

Dépôt légal 1er trimestre 2016
ISBN 9782357202504

Directrice éditoriale : Isabelle Chopin
Conception de couverture : Le fruit du hasard
Maquette : Point Libre

Imprimé en France


© Éditions Hervé Chopin
164, rue de Vaugirard – 75015 Paris
www.hc-editions.com